W9-ARJ-372

Kind frisch, Job frisch, alles frisch? Andrea Schnidt ist durchaus dieser Meinung, aber die Welt scheint das öfters mal anders zu sehen. Schwiegereltern, Übermütter, verständnislose Chefs und nicht zuletzt der Kindsvater Christoph gehen ihr ganz schön an die Substanz. Von dem geliebten kleinen Monster mal abgesehen.

Da bleibt nur, das Ganze mit Humor zu nehmen. Wo bitte ist zum Beispiel zwischen Krippe und Karriere, Kohlsuppendiät und Smarties-Muffins noch Platz für aufregende Weiblichkeit? Wie war das noch mit dem Sex nach der Geburt? Na ja, zumindest ist der Babyschwimmkursleiter in seiner Badehose appetitlich anzusehen …

Witzig, schlagfertig und entspannt wie immer erzählt Susanne Fröhlich vom Wahnsinn des Alltags – frisch gemacht!

Susanne Fröhlich, geboren 1962 in Frankfurt am Main, ist erfolgreiche Hörfunk- und Fernsehmoderatorin. Ihre Romane und Sachbücher sind Bestseller. Im Fischer Taschenbuch Verlag ist ihr Kult-Singleratgeber ›Jeder Fisch ist schön – wenn er an der Angel hängt‹ (Bd. 15993) erschienen, im Krüger Verlag zuletzt ›Moppel-Ich. Der Kampf mit den Pfunden‹.

Unsere Adresse im Internet: www.fischerverlage.de

Susanne Fröhlich

Frisch gemacht!

Roman

Fischer Taschenbuch Verlag

Veröffentlicht im Fischer Taschenbuch Verlag,
ein Unternehmen der S. Fischer Verlag GmbH
Frankfurt am Main, August 2004

Lizenzausgabe mit Genehmigung des
Krüger Verlags, Frankfurt am Main

Druck und Bindung: Clausen & Bosse, Leck
Printed in Germany
ISBN 3-596-15734-X

Für Conny, die Königin der Inspiration,
und meine phantastischen Patenkinder Hannah, Antonia
und Karla-Emilia

Montag, 8.05 Uhr

»Ich will aber die Lackschuhe«, schreit meine Tochter. »Ohne die Lackschuhe gehe ich nicht in den Kindergarten.« Na super. Ich bin sowieso schon spät dran. Und jetzt das. Draußen regnet es, als würde unser Stadtteil geflutet, und meine Tochter will in Lackschuhen aus dem Haus. Ich probiere die pädagogisch wertvolle Variante. Schließlich habe ich Bücher gelesen. »Liebling, du siehst doch, wie es schüttet, da gehen die Lackschuhe kaputt. Und dann bist du ganz traurig. Zieh doch deine lustigen Gummistiefel an.«

Jeder Erziehungsratgeber wäre stolz auf mich. Allerdings nur für wenige Minuten. Claudia, meine Tochter, zeigt nämlich keinerlei Einsicht. Sie schreit weiter und schmeißt die Gummistiefel in die Ecke. Jetzt langt es. Dann eben keine Pädagogik. Ich schnappe das Kind, die Gummistiefel, und so kommt zusammen, was nicht zusammen will. Ich habe keine Lust, mir im Kindergarten von einer schnippischen Erzieherin Vorträge über saisonal angemessenes Schuhwerk anzuhören. Morgens um acht ist meine Geduld eh nicht auf dem Höhepunkt. Sie brüllt noch im Auto weiter: »Du bist böse, die Schuhe sind böse, ich will nicht in den Kindergarten.«

Ich habe das Gefühl, dieser Montag wird mein Freund.

Kurz vor der Eingangstür des Kindergartens springt Claudia in eine Pfütze und saut sich so richtig ein. Egal. Wenn ich nicht wieder zu spät im Büro auflaufen will, dann muss das hier jetzt zackig gehen. Meine Nylons haben auch eine ordentliche Ladung abbekommen. Ich gebe das nasse Kind ab, und ehe eine der Erzieherinnen, Sonja oder Gabi, irgendeinen Kommentar abgeben kann, bin ich auch schon weg. »Ich habe es eilig, also bis heute Nachmittag.« Aus den Augenwinkeln kann ich gerade noch sehen, wie Gabi und Sonja einträchtig ihre Köpfe schütteln. Nach dem Motto: ›Wer hier mal erzogen werden sollte, ist garantiert nicht das arme Kind.‹ Na wenn schon.

Im Auto merke ich, dass das Kindergartentäschchen, Modell Hase Felix – rot kariert, zurzeit sehr angesagt –, noch auf dem Beifahrersitz liegt. Mitsamt dem Salamibrot und den Apfelschnittchen. Wenn ich jetzt nochmal umdrehe, bin ich total zu spät. So schnell verhungern die Kleinen nicht, wird ihr schon einer was abgeben, tröste ich mich und beschließe, das Brot gleich selbst zu essen. Salami ist an sich bei meiner Dauerdiät nicht vorgesehen, aber wo sie nun mal drauf ist auf dem Brot, esse ich sie halt mit. Was kann denn die Salami dafür. Außerdem ist es Putensalami, und die ist bekanntlich ja schon fast gesund. Zum Ausgleich gehe ich heute eben mal nicht in die Kantine. Ich verspreche es mir selbst. Da bin ich ganz groß drin – in Eigenversprechungen.

Natürlich wieder Stau. Immer vor diesem miesen Autobahnkreuz. Ich wohne zwar in der Stadt, aber an der Grenze. Und fahre über die Autobahnumgehung. Ich esse auch noch die Apfelstücke. Der Körper braucht schließlich Vitamine. Gerade in aufregenden Situationen.

Mein Dienst beginnt um 8.45 Uhr. Meistens komme ich so gegen neun. Manchmal auch gegen Viertel nach neun. Früher war ich nie spät dran. Ja – früher. Früher hatte ich auch keine morgendlichen Lackschuhdiskussionen, Cornflakesunfälle und »ich muss nochmal Pipi«-Unterbrechungen. Früher, das war die Zeit, in der ich noch kein Kind hatte. In der meine größte Sorge morgens war, welche Stiefeletten ich zu welchem Fummel trage.

Seit drei Jahren ist alles anders, denn ich bin Mutter.

Die Mutter von Claudia. Und die Lebensgefährtin von Christoph, einem, laut eigenen Angaben, viel versprechenden Jungjuristen in renommierter Kanzlei.

Kurz nach der Geburt, im Krankenhaus, ließ sich das Muttersein noch recht viel versprechend an. Hormonberauscht und umringt von profunden Säuglingsschwestern, habe ich à la Nina Ruge gedacht: Alles wird gut. Es wurde auch gut, aber vor allem anstrengend. Ich erinnere mich genau.

Andrea Schnidt, zehn Wochen nach der Geburt. Daheim mit Kind. So habe ich mich gefühlt:

Jung, sexy und zu allem bereit, wenn ich nicht zu müde gewesen wäre.

Meine Tochter ist zehn Wochen alt und ich bin zehn Jahre gealtert. Wenn das in dem Tempo weitergeht, bin ich in der Seniorenwohnanlage, bevor die Kleine ihren ersten Zahn hat, habe ich gedacht.

Sie schreit schon wieder.

Würde ich den ganzen Tag so rumbrüllen, hätte ich längst keine Stimme mehr. Bei Babys scheint es diesen durchaus nützlichen Effekt der automatischen Lautstärkedrosslung nicht zu geben. Deren Ausdauer wird durch keinerlei Abnutzung geschmälert. Das Stimmchen hat sogar immer noch Steigerungsmöglichkeiten. Unglaublich.

Ich gucke streng. Sehr streng. »Hör bitte auf zu schreien, liebe Claudia.« Man soll schon mit den Kleinsten in deutlicher Erwachsenensprache sprechen. Knappe, klare Anweisungen in freundlichem und höflichem Tonfall, eben genau wie bei Männern. Was man soll, ist meiner Tochter allerdings komplett egal. Sie schreit weiter. Vielleicht funktioniert es nur bei männlichen Babys. Jungs eben. Meine Tochter jedenfalls lässt sich nicht so einfach maßregeln. Revoluzzerbaby.

Jetzt bin ich fast noch stolz auf das Geschrei. Man kann sich wirklich alles schönreden. Oder denken. Ich sehe schon eine moderne Jeanne d'Arc in ihr. Das Kind kommt halt doch nach mir. Ich reagiere auf Anweisungen auch eher spröde. Christoph, mein Lebensgefährte, würde sagen, was heißt da spröde – gar nicht reagierst du. Ignorant kannst du sein.

Und wenn schon. Scheint ihm ja zu gefallen, oder hätte er mich sonst ausgewählt? Dass er mich ausgewählt hat, ist etwas, das ich ihm oft genug vorhalte. Dabei ist das natürlich totaler Quatsch. Aber Männer lieben dieses Gefühl, verantwortlich zu sein. Wow, er – der große Macher. Der Entscheider. Der Beutehai. Wenn man ihnen zu deutlich klarmacht, dass sie uns raffinierten Jägerinnen nur tumb in die Falle gegangen sind, wie geblendetes waidwundes Wild, reagieren sie schnell gereizt. Deshalb immer in dem Glauben lassen, man sei williges Opfer gewesen. Das nährt das Jägergefühl in ihnen und macht sie glücklich. So einfach ist das bei den Männern. Jedenfalls dieser Teil.

Claudia schreit weiter.

Ich überlege, kurz ins Arbeitszimmer zu flüchten, die Tür zuzumachen und die Anlage aufzudrehen. Was man nicht hört – ist doch auch nicht existent, oder? Ohren zu und auf ein Wunder warten. Ich schaffe es nicht. Bin doch zu gutherzig. Ein Muttertier eben. Oder ist es Frauensolidarität? Oder nur Angst, als Rabenmutter der Woche in irgendeiner Talkshow zu landen? Oder vor den Nachbarn als herzlose Bestie dazustehen?

Ich schultere Claudia und mache mich auf Tour. Dermaßen gründlich habe ich meine Wohnung in kinderlosem Zustand nie erforscht. Seit Tagen schon wandere ich mit meiner Tochter kreuz und quer durch unsere Vierzimmerwohnung. Camel Trophy der besonderen Art. Ich bin das Kamel. Was man auf so einer Wohnzimmertour entdecken kann, ist irre. Kaugummipapierchen einer Marke, die es seit knapp einem Jahr auf dem deutschen Markt nicht mehr gibt, lagen schräg hinter der Couchgarnitur, die auch mal wieder gründlich gesaugt werden könnte. Krümelig wie die Bezüge sind, hat man das Gefühl, Grobi aus der Sesamstraße hat seine Vorratsschränke über unserer Couch ausgekippt. Oder lümmelt heimlich, in den Sekunden, in denen ich ungestört im Bett liege, auf meinem Sofa. Auf jeden Fall: Merken. Für heute Abend. Christoph muss dringend Staub saugen! Auch das Sofa. Nicht dass Claudia noch eine Allergie kriegt. Obwohl Kinder ja Keime brauchen. Übertriebene Hygiene soll gar nicht gut für sie sein. Wie beruhigend für Hausfrauen wie mich. Obwohl: Haushalt ist im Moment Christophs Baustelle. So ein Kind ist Arbeit genug. Jedenfalls für mich. Aber: Mit dem Personal, selbst dem familiär vertrauten, ist das so eine Sache. Er macht zwar, was er soll, aber nicht ganz so, wie er soll. Sein und mein Gründlichkeitsanspruch kommen aus unterschiedlichen Universen. »Wenn ich es schon mache, dann so, wie ich es will«, ist sein Standardspruch. Durchaus legitim, aber leider trotzdem doof. Ich würde selbstverständlich in seiner Position nichts anderes sagen, aber genau das wiederum würde ich ihm natürlich niemals sagen. Raffinesse, dein Name ist Andrea.

Christoph ist ein äußerst ordentlicher Zeitgenosse. Vor allem mit seinem Krempel. Der kann Tage damit zubringen, die Bücher in seinen Regalen auf Linie zu bringen, und wenn man ihn mal richtig nerven will, muss man nur ein oder zwei Bände verschieben. Einfach tief ins Regal reindrücken. Kann man lustig im Vorbeigehen erledigen. Das sieht er, kaum, dass er den Raum betreten hat. Er hat den absoluten Selektierblick. Nimmt wahr, was ihm wichtig ist, und blendet den Rest geschickt aus. Ob das antrainiert ist oder genetisch, habe ich noch nicht rausfinden können.

Auch das Trekking durch die Wohnung, mit Sightseeing und Animationseinlagen jeglicher Art, hat leider kaum Wirkung gezeigt. Meine Tochter ist von der anspruchsvollen Sorte und schreit weiter. Pausen werden nur beim Luftholen gemacht. Klitzekleine Momente, in denen man denkt, ja – geschafft – es ist vorbei. Haha. Von wegen. Reingelegt vom eigen Fleisch und Blut. Schnödes dadada und gutschi gutschi bringen bei Claudia wenig. Vielleicht habe ich auch noch nicht die richtige Frequenz gefunden. Wie doll wollen zehn Wochen alte Mädchen geschaukelt werden? Wie hoch muss die Stimme sein? »Alles ganz einfach«, sagen Ratgeberbücher, »handeln Sie intuitiv.« Frauen sollen die Intuition ja quasi gepachtet haben. Ich warte bis heute auf meine. Wacht man eines Morgens auf, und sie ist da? Oder gibt es Menschen, die irgendwie immerzu daneben liegen? Menschen, denen es an Intuition fehlt. Die keine haben. Können die was dafür, oder ist es was Erbliches? Wenn man schon keine hat, wäre es schön, wenigstens nichts dafür zu können.

Claudia schreit weiter.

Ich probiere es mit Nahrung. Bei mir hilft Nahrung immer. Bei guter und bei schlechter Laune. Essen macht ein wundervolles Gefühl. Vorher und währenddessen. Hinterher darf man heutzutage eigentlich ja kein gutes Gefühl mehr haben. Wer isst, wird bestraft. Erst mit dem schlechten Gewissen und dann mit Speckschichten, Ganzkörperröllchen und gehässigen Blicken von Boutiquetussen und anderen, die mühelos in Kleidergröße 158/164 passen. Dabei können sie, diese lebenden Zahnstocher in Kindergrößen, ja nur durch uns, Frauen die sich trotz Kleidergröße 38/40 oder gar 42/44 noch nicht umgebracht haben, ihre Maße wirklich genießen. Ally McBeal-Darstellerin Calista Flockheart sieht neben mir eben mit Sicherheit dürrer aus als neben Gwyneth Paltrow. Die Allys dieser Welt brauchen Frauen wie mich, um dieses herrliche Gefühl der Überlegenheit zu haben. Die Dürren haben uns also sehr viel nötiger als wir sie. Ich weiß das. Aus eigener Erfahrung. Mein früherer Chef war so drall, dass ich Fotos mit ihm geliebt habe. Ich sah neben ihm fast filigran aus. Zierlich, zart und schlank. Herrlich.

Außerdem wird meine These von einer verlässlichen Quelle untermauert. Linda heißt die Quelle, um genau zu sein. Eine ehemalige Kommilitonin von Christoph. Linda hat mir das nach zwei Gläschen Maibowle mal verraten. Dass fette Frauen sie beglücken. Weil sie ihre Schlankheit so apart unterstreichen. Auf einer Juristenparty war das. Linda wollte schon immer Juristin werden. »Wegen der Gerechtigkeit?«, habe ich sofort beeindruckt gefragt. »Ne«, hat sie mich angestrahlt, »nee, nee, weil die schwarzen Roben so schick sind und Schwarz mich dann ja noch schlanker macht.« Juristin, sage ich nur. Na ja. Ansonsten ist Linda eigentlich nicht unnett. Und eine der wenigen Frauen, die knallhart zugibt, was die Dünnen von den Dicken halten. Wobei »dick« für Linda bei Kleidergröße 40 beginnt. 34 ist erstrebenswert, 36 ist gut, 38 noch okay und 40 asozial. Fett. Und damit widerlich. »Ich wollte so nicht leben«, hat Linda mir mit Blick auf meine Schenkel anvertraut. »Das hat so was Disziplinloses. Was von, na ja, sich nicht im Griff haben. Und das so offensichtlich. Wenn ich du wäre, könnte ich in der Öffentlichkeit keinen Bissen mehr zu mir nehmen.«

»Iss doch zu Hause, du Zicke«, habe ich gedacht, und im Stillen schon mal durchgerechnet, was so 'ne Frau im Leben noch an Analysekosten zahlen wird. Sie hat es an meinem Blick gesehen. »Mag sein, dass ich einen Totalknall habe«, hat sie direkt zugegeben, »aber den kann ich dafür ärmellos und bauchfrei ausleben.«

1:0 für sie.

Ärmellos und bauchfrei sind Themen, über die ich nicht mal mehr nachdenke. Themen, die von meiner Festplatte komplett gelöscht sind. Obwohl ich mir nach der Geburt so schlank wie lange nicht vorgekommen bin. Was war ich stolz, als ich im Stehen meine Füße endlich wieder sehen konnte! War leider eine Täuschung, nicht das mit den Füßen, sondern dem Schlanksein. Seitdem ich aus dem Krankenhaus raus bin, trage ich nur noch zwei Dinge. Meinen Jogginganzug und meinen Bademantel. Abwechselnd. Nicht etwa, weil ich schon eifrig am Sporttreiben bin. Nein – weil mir noch nichts anderes wirklich gut passt. Außer den Schwangerschaftsklamotten, aber die habe ich schon alle meiner Schwester vermacht. Meiner Schwester, die natürlich, kaum hatten wir den Kreißsaal verlassen, nachziehen musste. Meine Schwester Birgit hat schon eine Tochter und hätte den schwesterlichen Gleichstand, wir beide mit je einem Kind, wahrscheinlich nicht ausgehalten. Sie, als die Ältere, musste schon immer mehr haben. Beim Nachtisch kann ich das ja noch verstehen. Oder bei Geschenken. Aber wenn es um Kinder geht? Nur um mich zu übertrumpfen ein Kind kriegen?

Voll bekloppt, aber die Klamotten habe ich ihr trotzdem vermacht. So bin ich eben. Großherzig. Großzügig. Hätte ich allerdings ihre Reaktion gekannt, hätte ich die Fummel lieber öffentlich verbrannt. Sie hat den Karton aufgemacht, die Sachen rausgezerrt, hochgehalten, ausgebreitet, den Gummizug auseinander gezogen, die Stirn verzogen und gesagt: »Na ja, wenn ich Drillinge kriege, dann kann ich das Zeug vielleicht brauchen«. Was übersetzt so viel heißen sollte wie: Gott, warst du 'ne Tonne. Der Herr möge vermeiden, dass ich so ende wie meine feiste kleine Schwester. Mieses Stück, meine Schwester. Aber ihr Spruch war ein Riesenlacher. Leider nicht für mich, sondern für meine große Schwester selbst, die sich kaum mehr einkriegen konnte, und meine Mutter, die sowieso der Meinung ist, dass ich keinesfalls in der Nähe eines Schlachthauses vorbeigehen sollte, weil die Gefahr einer akuten Notschlachtung bestünde. Meine Mutter ist eine gestrenge Person. »Sechs Wochen nach der Entbindung sah ich aus, als wäre nie was gewesen«, hat sie mir schon erzählt, als ich noch im Krankenhaus lag. Zum Ansporn sozusagen. Jetzt, nachdem der Countdown schon abgelaufen ist, zeigt sie mir sehr gerne donnerstags in der aktuellen *Bunten* die Bilder von irgendwelchen Schauspieltussis, die direkt nach den Presswehen schon weniger gewogen haben als je zuvor und in klitzekleinen Bauchfreifummeln auf Partys rumlungern. Was ich mich jedes Mal frage, ist, wie passen eigentlich die Slipeinlagen in Nilpferdgröße unter diese Schlauchfummel – oder müssen Frauen, die im Schauspielfach tätig sind, oder so tun als ob, so was nicht tragen? Bleiben solche Tussis von weltlichen Unannehmlichkeiten körperlicher Art einfach verschont? Gemein.

Auf jeden Fall sind es Frauen von anderen Planeten. Frauen, deren Haaransatz regelmäßig wie von Zauberhand automatisch nachgesträhnt wird und die niemals stoppelige Beine haben. Frauen aus Barbieperfektland. Zur Strafe und zum Trost für Frauen wie mich enden sie dann mit solchen Typen wie Dieter Bohlen. Irgendwo gibt's doch noch so was wie Gerechtigkeit.

Montag, 8.41 Uhr

Gerecht ist auch, dass ich heute Morgen mal sofort einen Parkplatz finde, der weniger als einen Stadtteil von meinem Büro entfernt ist. Ich arbeite bei einem öffentlich-rechtlichen Sender. Dem Rhein-Main Radio und TV. RMRT ist die schicke Abkürzung. Früher, also vor der Geburt meiner Tochter, war ich bei einer Import-Export-Firma. Der Chef, Hohrwerker junior, einer der bekloopptesten Typen zwischen hier und Feuerland, ein Mann mit der sozialen Kompetenz einer Brotschneidemaschine, hat allerdings entschieden, dass Halbtagskräfte für seine Firma nicht in Frage kommen. »Was kann man denn an einem Vormittag überhaupt schaffen?«, hat er mich entgeistert gefragt, als ich ihm vorgeschlagen habe, wieder halbtags an meinen Arbeitsplatz zurückzukehren. Klar, bei seinem Arbeitstempo ist halbtags wirklich nicht viel zu machen. »Außerdem, Frau Schnidt«, fügt der bis dato unentdeckte Autist dann noch nach einer kleinen Pause hinzu, »jetzt sollte doch Ihr Kind Priorität haben, und hat nicht Ihr Mann, oder also der an Ihrer Seite, einen gut dotierten Beruf?« Ich wusste ziemlich schnell, dass das nicht gerade ein herzliches Welcome-back-Signal war. »Du musst kämpfen«, hat Sabine, eine meiner liebsten Freundinnen, gemeint, »du hast ein Recht auf Wiedereinstieg. Alles muss man sich von so einem nicht gefallen lassen. Ruf die Gewerkschaft an. Den Mütterbund. Die Familienministerin. Lass uns einen Protestmarsch organisieren.« Prima Ideen. Keine Frage. Und natürlich hat sie Recht. Aber trotzdem hatte ich keine Lust auf das Gezacker. »Dann eben nicht«, habe ich den Hohrwerker angezischt, »wenn Sie ohne einen Spitzenkraft wie mich zurechtkommen können, bitte sehr. Ich habe längst andere Angebote.« Ein kurzer, prägnanter Auftritt. Ich fand mich toll. So konsequent. Kein bisschen unterwürfig. Souverän, ohne Geheule und devotes In-den-Staub-Werfen. Ob der Hohrwerker davon allerdings genauso beeindruckt war, da bin ich mir unsicher. Er machte einen eher erleichterten Eindruck.

Leider war das mit den anderen Angeboten auch noch gelogen. Und Christoph war sofort richtig sauer: »Dann bleib halt zu Hause, das ist's ja wohl, was du bezweckt hast.« Na herrlich. Dabei war er derjenige, der nicht wollte, dass ich wieder arbeite. Und jetzt, nach einem halben Jahr, das. Da denkt man, man kennt zwar nicht die gesamte Männerwelt, wer würde das schon von sich behaupten, aber wenigstens den eigenen Kerl, und dann so was. Ich habe es mir selbstverständlich nicht gefallen lassen: »Du wirst dich noch umgucken. In null Komma nix habe ich einen Job. Mit richtig viel Kohle. Und Claudia geht in die Krippe. Wie abgemacht. Und wenn du Lust auf Erziehungsurlaub hast, tu dir keinen Zwang an, ich werde dich auf jeden Fall unterstützen. Soweit es meine Arbeit zulässt. Du weißt ja, wovon ich rede.«

Drei Monate habe ich gebraucht, um eine Stelle zu finden. Drei richtig demütigende Monate. Die Welt, jedenfalls die Arbeitswelt, hatte nicht gerade auf mich gewartet. Die Einzigen, die sich gefreut haben, waren die Altpapiercontainer. Mit meinen Bewerbungspapieren hätte man locker die gesammelten grünen Tonnen eines beliebigen afrikanischen Staates füllen können.

Dann bin ich, in meiner Verzweiflung, zu einer Zeitarbeitsfirma gegangen. Und auf Umwegen über eine Maklerfirma (sechs lange Wochen) beim Rhein-Main Radio und TV gelandet. Wer denkt: »Wow, welch ein Aufstieg«, war noch nie bei einem Sender. In Maklerfirmen arbeiten jedenfalls großteils fiese Möpse mit gemeinen Methoden. Gelernt haben sie das wahrscheinlich bei Fernsehfuzzis. Was da abgeht, kann man sich, wenn man die netten kleinen Sendungen sieht, nicht vorstellen. Aber der Reihe nach.

Nach fünf Monaten Zeitarbeit, als Vertretung in verschiedenen Abteilungen, hat mich RMRT, der Sender, doch tatsächlich gefragt, ob ich Interesse an einer festen Stelle habe. »Wir würden Sie gerne längerfristig an uns binden.« Welch ein Auftrieb. Bestätigung. »Ich muss gut sein, sie wollen mich haben«, habe ich Christoph freudestrahlend berichtet. »Sie zahlen weniger, wenn sie nichts mehr an die Zeitarbeitsfirma abtreten müssen«, hat er meinen Erfolg sofort relativiert. Etwas mehr Euphorie hätte mir schon gut getan. Ich habe mich trotzdem gefreut und das Angebot angenommen. Das Resultat: Ich arbeite nun für eine Unterhaltungsshow. »Raten mit Promis«, heißt die Sendung. Ähnlich originell wie der Titel ist auch die Sendung. Der Moderator testet einen Promi auf Herz und Nieren. Macht kleine Spielchen rund um Fitness und Wissensstand. Moderator dieser nicht direkt als innovativ zu bezeichnenden Show ist Will Heim (der eigentlich Willi heißt, das aber nicht lässig und witzig genug findet), der so schwul ist, dass man selbst im härtesten Winter locker auf die Heizung verzichten kann, wenn er im Raum ist. Will kann ganz reizend sein – wenn er will. Kleiner Wortwitz. Leider will er selten. Seine Laune steigt und sinkt mit den jeweiligen Einschaltquoten. Und er ist der eitelste Mensch, den ich je kennen gelernt habe. Seine gute Seite ist, dass er gern lang schläft. Vor 12.30 Uhr erscheint der nie im Sender. Anrufe bis 11.00 Uhr sind strengstens untersagt: »Das schlägt auf meine Laune, und das wollen wir doch nicht.« Nein, wollen wir nicht, Will, denn seine Laune ist auch so meistens schwer zu ertragen. Was für den gut gelaunt ist, ist für mich irgendwas zwischen Depression und Amoklauf. Umso dankbarer sind wir normalen einfachen Mitarbeiter, wenn Will schön ausgeschlafen hat. Das ist ja das Gemeine an solchen Menschen. Wenn muffelige Zeitgenossen mal freundlich »Guten Morgen« sagen, gerät die Umwelt schon nahezu in Ekstase. Leute wie ich, mit einer gewissen Grundfreundlichkeit ausgestattet, werden hingegen schon angeraunzt, wenn sie mal eine Stufe runterfahren. »Na, sind wir heute schlecht drauf, keinen Sex gehabt oder was …?«

Montag ist immer ein heikler Tag in der Redaktion, denn unsere Sendung läuft samstags im Abendprogramm. Sonntags sind dann die Quoten da, und Montag ist der erste Tag, an dem wir uns gemeinsam diesen miesen kleinen Zahlen stellen müssen. Natürlich habe ich Sonntag im Videotext nachgeschaut, was uns heute erwartet. Die Quoten, sozusagen die Bibel der Fernsehschaffenden, kann man immer am darauf folgenden Tag der Sendung so ab 9.30 Uhr nachlesen. Auf der Fernsehseite der jeweiligen Anstalt. Wir hatten am Samstag 3,7 % Marktanteil und 50 000 Zuschauer. Für Thomas Gottschalk wäre das ein Suizidgrund. Alles unter 15 Millionen ist für den doch ein sozialer Abstieg. Kurz vor der Fernsehgosse. Aber wir sind ja auch nicht das ZDF, sondern nur ein kleiner Muckelsender. Trotzdem: 3,7 % Marktanteil sind auch bei uns kein Anlass, eine Champagnerparty steigen zu lassen. Normalerweise haben wir um die 5 % und etwa 65 000 Zuschauer. Wo also waren die 15 000, die uns da fehlen? Alle im Urlaub? Obwohl keine Ferien sind? Nee, das zieht nicht. »Schnidt, jetzt schön überlegen und eine feine Entschuldigung für Will finden«, heißt meine mentale Aufgabe für die Zeit bis zum Auftauchen des selbst ernannten Moderatorengottes Will. Denn Will glaubt gerne, was ich mir so ausdenke. Egal, wie bescheuert es ist. Einmal habe ich ihn damit beschwichtigt zu sagen, »Opel Rüsselsheim hatte Wandertag auswärts – in Niedersachsen oder Mecklenburg Vorpommern«, und er war sofort überzeugt. Für ihn ist bei dem Thema nur eines klar: An ihm kann es nicht liegen. Selbstkritik ist ein Wort, das Will weder kennt noch kennen lernen möchte. Ich weiß nicht, ob es an seiner totalen Selbstüberschätzung liegt oder an einer komplett falschen Eigenwahrnehmung, aber Will macht halt nichts verkehrt. Dass er ein Mann ist, hilft dabei natürlich. Männer neigen generell weniger zur Selbstkritik. Das muss was in den Genen sein. Christoph hat es auch. Allerdings im Vergleich zu Will nur in Spurenelementen. Dem Himmel sei Dank!

Außerdem ist Will ein Star. Findet er jedenfalls. Wenn ihn morgens beim Bäcker oder auf dem Weg ins Büro jemand erkannt hat, dann kann das für die gesamte Redaktion lebensrettend sein. Ein Autogrammwunsch ist für Will so etwas wie für andere Menschen ein Wochenende in einem Wellness-Hotel. Natürlich würde er aber genau das niemals zugeben. Im Gegenteil: »Hach, ständig die Autogrammwünsche. Ich kann ja nirgends mehr ohne Karten hingehen. Nee, was ein Stress.« So ähnlich lamentiert der ständig vor sich hin. Und die Redaktion stöhnt teilnahmsvoll mit, anstatt zu sagen: »Wer seinen Kopf in die Glotze streckt, muss mit so was rechnen.« Was wir uns bei dem Typen einen abschleimen. Eigentlich eklig. Aber wer aufmuckt, kann sich sofort einen neuen Job suchen. Ich finde, wenn überhaupt, dann sollten das sowieso die Redakteure und Redakteurinnen machen. Immer der Reihe nach. Auch beim Kritisieren. Ich bin Redaktionsassistentin, und seit wann müssen die in der untersten Hierarchiestufe die diffizilsten Aufgaben erledigen. Dummerweise steigt der Mut zum Kritisieren nicht parallel zur Gehaltsstufe. Da hier alle seit Jahren den Mund halten, versuche ich es eben auch. Schließlich war »hör mal, nur eins ist hier echt wichtig, nie, aber auch nie, an Will rummeckern« das Erste, was man mir in dieser Redaktion mitgeteilt hat. Parole Dauerschleim. So kommt es, dass der »große« Will umgeben ist von einer Ansammlung lebender Nickdackel. Widerlich, aber wahr.

Montags erledige ich immer zuerst die Post und die E-Mails. Wer noch nie an einen Sender geschrieben hat, Menschen wie ich zum Beispiel, kann sich gar nicht vorstellen, für wie viele Zeitgenossen das die Erfüllung schlechthin zu sein scheint. Allein sechzehn E-Mails warten in meinem Rechner auf mich. Die bösen werden zuerst abgearbeitet. Dann sind sie weg, bevor Will erscheint. An ganz mutigen

Tagen lasse ich ein oder zwei, je nach meiner Tagesform, für ihn ausdrucken. Das Schlimme ist, dass man jede Mail beantworten muss. Egal, wie grenzdebil oder bösartig sie ist. Ich mache mir eine Latte Macchiato, heutzutage trinkt ja kaum mehr einer normalen Kaffee, und lege los.

E-Mail, die Erste:

Sehr geehrte Damen und Herren,

was da in Ihrem Sender von meinen Gebühren finanziert wird, ist gelinde gesagt eine Frechheit. Dieser tuntige, selbstgefällige Moderator, der nicht in der Lage ist, auch nur eine gescheite Frage zu stellen, wurde am vergangenen Samstag nur noch übertroffen von dem unsäglichen Gast Rainer Sauterfluss. Der offensichtlich angetrunkene und kettenrauchende Schauspieler ist eine Schande für unser Land. Ein Mann, der nicht einmal weiß, in welchem Jahrhundert Goethe gelebt hat. Ich schäme mich für Ihr Programm. Haben Sie denn keine Augen im Kopf? Handeln Sie, oder ich werde Ihr Programm nicht mehr einschalten.

Ihr Heinz Kümmerlich

Na super. Das geht ja klasse los an diesem Morgen. Was für eine Drohung. Herr Kümmerlich wird uns eventuell nicht mehr gucken. Sollen mir jetzt die Tränen kommen? Soll ich mich vor die nächste U-Bahn werfen? Was denkt der? Mir doch egal. Aber das darf man natürlich keinesfalls schreiben. Auch nicht, dass es Fernbedienungen gibt, mit denen man umschalten und im Extremfall sogar ausschalten kann. Wurscht, was muss, das muss, Schnidt, jetzt nicht verzagen, sondern arbeiten:

Lieber Herr Kümmerlich,

Sie haben ja so Recht. Unser Moderator stellt schon seit Jahren keine gescheite Frage, und unser Studiogast Rainer Sauterfluss hatte mehr Promille im Blut, als Mascarpone Kalorien hat. Ich verstehe Sie nur zu gut und empfehle Ihnen, unseren Sender von Ihrer Fernbedienung zu tilgen.

Herzliche Grüsse von einer, die voll und ganz Ihrer Meinung ist,

Andrea Schnidt – Redaktion »Raten mit Promis«

Das wäre so in etwa die Antwort, die ich gerne geben würde. Dann könnte ich anschließend allerdings direkt beim Personalchef vorbeischauen und meine Papiere abholen. Also schreibe ich:

Sehr geehrter Herr Kümmerlich,

es ist wirklich äußerst schade, dass Ihnen unsere letzte Sendung nicht so recht Spaß bereiten konnte. Dass Sie den Eindruck hatten, Herr Sauterfluss, der berühmte und mit dem Bundesverdienstkreuz ausgezeichnete Schauspieler, sei betrunken, ist nicht korrekt. Herr Sauterfluss ist Künstler, und das Kreative in ihm wirkt eventuell auf manche Zuschauer ein wenig befremdlich.

Wir hoffen, Sie geben uns eine weitere Chance, und wären sehr froh, auf Sie auch am nächsten Samstag als Zuschauer zählen zu können.

Herzliche Grüße
Andrea Schnidt – Redaktion »Raten mit Promis«

PS. Die virtuelle Autogrammkarte unseres Moderators soll Sie ein wenig versöhnlicher stimmen.

O Mann, was für ein verlogener Scheiß. Klar war der Sauterfluss besoffen. Und das nicht zu knapp. Der war kaum in der Lage, seinen Kopf in der Maske noch gerade zu halten, und die Maskenbildnerin Billie war allein durch das Ausatmen von Herrn Sauterfluss kurz vor einer Alkoholvergiftung. Schlimmer aber traf es die Aufnahmeleiterin. Die hatte richtig Mühe, den Alten und seine Tatschfinger loszuwerden. Sauterfluss war entsetzt und beleidigt darüber, dass ihm eine Frau widerstehen kann. Tatjana, die Aufnahmeleiterin, etwa 30 Jahre jünger als Rainer Sauterfluss, hat ihm in ihrer Not dann erzählt, dass sie leider nur auf Frauen steht. Erst dann hat der sich hormonell etwas beruhigt, ihr aber sofort vorgeschlagen, oder besser vorgelallt, dass sie, falls sie es mal richtig besorgt haben will, jederzeit Bescheid geben kann. Wörtlich klang das so:

»Wenn du mal mit mir gefickt hast, dann weißt du, wo der Hammer hängt, und kannst deine Weiber vergessen.« Tatjana hätte fast in ihr Walkie-Talkie gekotzt und kurz überlegt, ob sie wirklich ins lesbische Lager wechseln soll. Will, der dabeistand, hat gelacht und dem Sauterfluss kollegial auf die Schulter gehauen. Will liebt nämlich Prominente. Er lebt in dem Glauben, der Umgang mit so genannten Promis würde ihn auch noch prominenter machen. Nach dem Motto: »Gott, was muss der berühmt sein, wenn der solche Freunde hat …«

Die nächste Mail ist kaum besser:

Sehr geehrte Senderverantwortliche,

wer soll Sendungen wie die Ihre am vergangenen Samstag eigentlich schauen? Menschen mit dem IQ einer Rindswurst oder dem Intellekt eines südargentinischen Hamsters? Bitte ersparen Sie uns und unseren Gebühren in Zukunft eine solche Scheiße.

Ohne jede Hochachtung
Ralf Gunstmann

Das wird ja immer schöner. Im Vergleich mit Herrn Gunstmann war die Mail von Herrn Kümmerlich ja geradezu Fanpost. Ich kopiere die Antwort an Kümmerlich, tausche die Namen aus, und ab geht die Post. Nur die Autogrammkarte von Will schenke ich mir diesmal. Nicht dass der Gunstmann noch komplett ausrastet.

Im Stil zwischen Kümmerlich und Gunstmann geht es weiter. Sehr viel hoffnungsvolle elektronische Post ist nicht dabei. Zwischendrin tut mir Will sogar Leid. Man muss als Moderator schon ein ziemlich dickes Fell haben. Aber bei seinem Einkommen fällt die Fellpflege sicherlich um einiges leichter. Will verdient pro Sendung mehr als ich im Quartal. Als ich darüber nachdenke, sinkt mein Mitleid sofort wieder. Noch eine Viertelstunde, dann ist Redaktionssitzung. Immer morgens um 11.00 Uhr. Und dann nochmal nachmittags, wenn Ihre Hoheit Will den Sender beehrt. Oft habe ich Glück und bin dann längst auf dem Heimweg. Hole meine persönliche Hoheit aus dem Kindergarten ab.

»Andrea, telefonier doch noch mal mit der Mock, und kläre alles wegen der Anreise. Spätestens um 16.00 Uhr muss die am Samstag hier sein«, brüllt mir Tim aus dem Nebenraum Anweisungen zu. Ein »bitte« wäre nicht schlecht gewesen. Hätte mir gut getan. Macht es doch jeden Satz irgendwie gefälliger. Aber bitte und danke sind leider für die meisten meiner Kollegen Fremdworte. Selbst meine Tochter benutzt diese Worte häufiger als meine Redaktion. Und das will was heißen. Tim, ein Redakteur der ersten Stunde, seit Jahren bei diesem Sender, mittlerweile Redaktionsleiter, findet meine Ansprüche in dieser Hinsicht Zeitverschwendung. »Hier muss es zackig gehen, da kann man doch mal auf Formalitäten der spießigen Art verzichten«, hat er mir mal lang und breit erklärt, als ich mutig nach einem Hauch von »bitte« verlangt habe. Würden wir Herzen transplantieren und ich wäre die OP-Schwester, die das Besteck reicht, würde ich seinen Einwand durchaus verstehen. Da muss es auch mal ohne bitte und danke gehen. Aber wir hier machen schließlich nur Fernsehen. Tim hält Fernsehen aber für mindestens ebenso wichtig. »Wir berühren die Herzen unserer Zuschauer, sorgen für Emotionalität und erretten einsame Menschen«, hat er doch glatt mal in einem Gespräch gesagt. In einem Ton, dass man gedacht hat, er wäre der Entdecker der Relativitätstheorie. Mindestens. Dazu ist mir dann echt nichts mehr eingefallen.

Also rufe ich die Mock an. Auch ohne bitte. Anett Mock ist Moderatorin. Beim Privatfernsehen. Ihre Sendung »Sonnenschein mit Mock allein« ein Renner. Deshalb kann man Anett Mock auch nicht einfach so anrufen. Anett Mock hat, wie alle wichtigen Menschen, eine Agentin. Eine richtige Superzicke. Kerstin Tritsch. Kerstin Tritsch vertritt einen Haufen Prominente, und deshalb muss eine niedere Senderangestellte wie ich sich mit Menschen wie Kerstin Tritsch gut stellen. Sonst kommen die großen Promis nicht zum kleinen Will. Und am kommenden Samstag ist die Mock unsere Studiokandidatin. Ich flöte ins Telefon: »Einen herrlichen guten Morgen, Frau Tritsch, Schnidt hier, Andrea Schnidt von RMRT, grüße Sie«, eröffne ich das Gespräch. »Ach, Frau Schnidt, wurde ja mal Zeit, dass Sie sich melden«, kommt die knappe Antwort von der Tritsch. Kein »Guten Morgen« oder was Vergleichbares. Jetzt hätte ich Lust, einfach aufzulegen. Ich unterdrücke den Impuls und frage, wie die Quotenqueen Anett Mock zu uns anreisen möchte. »Anett fährt, wie Sie sicher wissen, nicht mit der Bahn.« Interessant. Wie will die denn dann von Köln nach Frankfurt kommen? Zu Fuß? Die Tritsch kann Gedanken lesen. »Anett wird selbstverständlich fliegen.« Von Köln nach Frankfurt. Ökologisch und ökonomisch ein Knaller. Aber Studiogäste sind die Könige. Wenn die Mock fliegen will, bitte sehr. Wir würden sie auch per Bobbycar abholen oder per Sänfte nach Frankfurt tragen, wenn die Dame es wünscht. »Kein Problem, Frau Tritsch, ich buche für Frau Mock Köln–Frankfurt und retour.« »Fein, Frau Schnidt, aber denken Sie dran, Frau Mock reist nur Business Class.« Selbstverständlich. So dürr wie die Mock ist, kann die ohne das Sandwich aus der Business Class den Tag wahrscheinlich nicht überstehen. Würde mit Hungerödemen in unserer Sendung auflaufen. Der Unterschied zwischen Holzklasse und Business Class ist nämlich das Sandwich. Und dass man seinen Mantel aufhängen kann. Und es gibt Zeitschriften. Serviceparadies Lufthansa. Wahnsinn. Das Zeitschriften-, Mantelaufhängen- und Sandwich-Programm kostet dann nahezu das Doppelte, aber wenn Frau Mock dadurch bei Laune gehalten wird, buchen wir ihr eben Business Class. In Wahrheit geht's der sowieso nur um ihre Freimeilen. Fliegt man Business, bekommt man die doppelte Meilenzahl gutgeschrieben, und wenn's um so was geht, sind die meisten Promis Fachleute. Da staunt unsereins.

Frau Tritsch reißt mich aus meinen Neidgedanken. »Denken Sie bitte daran, ein ordentliches Hotel zu buchen. Frau Mock ist zu bekannt, um in irgendeiner Klitsche zu übernachten.« Aha. Zu bekannt. Die tut grad so, als hätte ich die Mock in der Jugendherberge unterbringen wollen. Doppelstockbetten mit pickeligen Teenies aus mehreren Nationen, die dann nachts promigeil über sie herfallen würden. »Frau Mock mag den Frankfurter Hof recht gern«, lässt sie mich noch wissen. Prima, das Hotel mag unsere Honorarabteilung auch besonders gern. Da kriegen die sofort anfallartigen Schaum vorm Mund, schließlich kostet das Frühstück im Frankfurter Hof so viel wie anderswo die gesamte Übernachtung. »Ich tu, was ich kann, Frau Tritsch«, beende ich das Gespräch, »und melde mich, wenn ich die Uhrzeiten habe«. »Tun Sie das«, sagt sie gnädig und hängt ein.

Ich beichte der Redaktion die Sache mit dem Frankfurter Hof. »Du weißt doch, dass wir den nicht zahlen können«, zischt mich Tim an. »Buch sie ins Interconti, da kriegen wir Spezialtarif«, befiehlt er in strengem Redaktionsleiterton. Fein, dann ist der Frankfurter Hof eben ausgebucht. Für Frau Mock jedenfalls. Und die Tritsch. Ich mache alles fertig und faxe der Tritsch die Daten. Für einen weiteren Anruf bin ich heute nicht in der richtigen Verfassung. Wer weiß, was der Tritsch an Sonderwünschen noch einfällt. Außerdem habe ich Hunger. Ein kleines Kindergartenbrot mit Äpfelchen ist ja auch kaum die ausreichende Nahrungsmenge für eine erwachsene Frau wie mich. Vor allem für eine, die solche Telefonate wie ich führen muss. Sandra will auch in die Kantine. Ein Glücksfall. Sandra ist der lebende Beweis dafür, dass es auch nette Menschen bei Sendern gibt. Okay, sie ist erst ein halbes Jahr hier und hat früher in der Erwachsenenbildung gearbeitet. Vielleicht schult das und schafft eine Art Hornhaut auf der Psyche.

Das Cordon Bleu ist lecker, aber ziemlich fettig. Na ja, man kann ja schlecht erwarten, dass einem die Kantinenbesatzung die Brigitte Diät kocht. Aber warum eigentlich nicht? Wäre doch mal was. Beschließe, den Personalrat um eine Petition zu bitten. Oder gleich die Gewerkschaft. Wenigstens die berühmte Magic-Kohl-Soup müsste ja drin sein.

Sandra und ich entscheiden, nach diesem Vormittag zur mentalen Stärkung auch den Schokopudding zu essen. Er ist beim Menü inklusive, und auch so ein Schokopudding leidet darunter, abgewiesen und stehen gelassen zu werden. Hat Sandra gesagt. Und Sandra sollte es wissen, denn Sandra hat Psychologie studiert.

Karina von der Kultur sitzt uns am nächsten Tisch schräg gegenüber. Karina heißt bei uns nur »die stumme Zwinkerin«. Sie zwinkert ständig mit den Augen. Weil sie, so Insiderinformationen, ihre Kontaktlinsen nicht verträgt, aber zu eitel ist, eine Brille zu tragen. Stumm heißt sie, weil sie nie grüßt. Jedenfalls nicht Menschen aus der Unterhaltungsabteilung. Karina ist eine Fernsehadelige. Weil sie eben bei der Kultur arbeitet, und die sind bekanntlich was Besseres. Obwohl sie sogar schlechtere Quoten als wir haben. Aber für die Kulturellis ist das noch eine Auszeichnung. Hätten sie Quote, würden sie ja gesehen. Ein Albtraum für diese Typen. Denn Kultur ist selbstredend nur für die kleine und feine Elite der Menschheit. Menschen, die in der Lage sind zu verstehen, was ihnen die selbst ernannten Hüter des Kulturgutes vermitteln. Quote würde Karina verschrecken. Sie liebt es, zur Minderheit der Intellektuellen zu gehören. Unterhaltung ist für sie ein Grund für den Untergang des Abendlandes. Getoppt wird die Unterhaltung nur noch vom Sport, auf den selbst die Unterhaltungsleute wie wir herabsehen dürfen. Das nur zu den internen Hierarchiestufen in einem normalen Sender voller Neurotiker. Ich habe übrigens auch Kontaktlinsen, aber ich vertrage sie besser und zwinkere nur, wenn ich es will.

Wir trödeln mit dem Schokopudding rum, um die Zeit bis zu meinem Feierabend zu überbrücken. Am Anfang habe ich wie eine hektische Arbeitsbiene vor mich hin malocht. Das mag in meiner Abteilung keiner. Setzt die anderen unter Druck, macht ihnen ein schlechtes Gewissen. Will ich schuld an so was sein? Nein, natürlich nicht. Deshalb habe ich das Tempo ein bisschen gedrosselt, nur meinen Kollegen zuliebe. Und das Schöne – man kann sich dran gewöhnen.

Ich ahne es, kaum dass ich wieder am Schreibtisch sitze: Will ist im Anmarsch. Will kommt nicht ins Büro, er erscheint. Hat seinen Auftritt. Auch heute. Gelbes Jackett. Ein ältlicher Zitronenfalter mit starkem Haarausfall und miesepetrigem Gesicht. Will leidet schrecklich unter seinem täglich weniger werdenden Haupthaar. Aber statt es kurz zu schneiden, sprayt und gelt er, was die Tübchen und seine paar Haare hergeben. Und dann trägt er Sonnenbrille. Heute. Bei dem ekelhaften Wetter. »Bindehautentzündung«, herrscht er mich an, als könne er Gedanken lesen. »Ooch, du Ärmster«, bejammere ich ihn pflichtschuldig. »Noch so 'ne Quote, und ich schmeiß die Sendung, das mach ich nicht mehr mit«, geht es gleich weiter. Jetzt ist der Moment für die aufmunternden Worte gekommen. Bei diesem »Will-Klassiker«-Satz »ich schmeiß die Sendung« heißt es zu reagieren, als hätte er angekündigt, sich von der nächsten Brücke in eine 400 Meter tiefe Kluft zu stürzen. »Das darfst du nicht, Will. Die Menschen lieben dich. Wir hier brauchen dich ...«, ich lasse eine wahre Schleimsalve auf ihn niederprasseln. »Na ja, Andrea, mal schauen«, gibt er sich gnädig, und ich bin ihn los. Jetzt sind die anderen im Nebenraum dran. Tim, Sandra und Co. Meistens muss Sandra die Hauptarbeit in Sachen Aufmunterung erledigen. Weil sie, wie alle immer wieder betonen, »ja vom Fach ist«.

Bis 14 Uhr kann ich den Flug von der Mock noch zweimal umbuchen. Dass die Lufthansa ihre Flugpläne nicht nach Anett Mock richtet, ist aber auch wirklich skandalös. Dann: Endlich Feierabend. Bevor die Mock vielleicht doch noch per Fesselballon einschweben will, mache ich die Flatter.

Auf dem Heimweg komme ich am Klinikum vorbei. Rechter Hand liegt das hospitaleigene Schwimmbad. Jedes Mal, wenn ich die Schwimmhalle sehe, habe ich eine Art Déjà-vu. Da hilft die beste Verdrängungsstrategie wenig:

Hier war ich nämlich mal beim Schwimmkurs. Also nicht für mich, sondern wegen Claudia. Schwimmen soll ja irre gut sein für die Babys. Sie mental schulen und ihre Motorik verbessern. Kaum ein Säuglingsratgeber, der Schwimmen nicht zum absoluten Muss erklärt. Weil's schlau macht und beweglich.

Nach diesen Argumenten war mir klar – ich muss zum Baby-Schwimmen. Schon weil ich null Lust habe, mir im Alter anzuhören, dass meine Claudia nur so ungeschickt durchs Leben stolpert, weil ich zu faul fürs Babyschwimmen war. Auf diese Art Vorwürfe kann ich gut verzichten. Man muss vorbeugen, wo man nur kann. Obwohl ich noch nie gerne im Hallenbad war. Allein der Geruch. Diese Chlor-Schweiß-Fußpilzmischung. Und der Gedanke: in einer Brühe zu plantschen, in der Menschen schwimmen, die seit langem das erste Mal wieder Kontakt zu Wasser haben. Außerdem habe ich ja eine gewisse Keimphobie. Da ist Schwimmbad nun wirklich nicht der Top-Platz. Und ein Krankenhausschwimmbad schon gar nicht. Offene Wunden von Rekonvaleszenten nässen in ein Wasser, das beste Bakterienvermehrungstemperatur hat. Richtig sauwarm ist. Pippiwarm. Aber – wer A sagt, muss bekanntlich auch B sagen. Und wer heutzutage Kinder kriegt, kommt ums Hallenbad kaum herum. Also gehe ich zum Babyschwimmen. Ich bin schließlich eine aufopferungsvolle Mutter. Keine Frage.

Mein Gott! Was soll ich bloß anziehen? Im Hallenbad. Meine Bikinis bedecken selbst bei großzügiger Betrachtung höchstens die Hälfte von mir. Es quillt überall raus. Der Bauch hängt so, dass man kaum ahnen kann, dass ich ein Bikiniunterteil trage. Wahnsinn. Bikini scheidet damit definitiv aus. Was nun?

Ein Badeanzug muss her.

Was muss, das muss.

Ab in die Stadt. Shopping. Badeanzug kaufen gehört zu den Dingen, um die sich kaum eine Frau reißt. Allein die grässliche Anprobe.

Ich beschließe, dass Claudia und ich unseren ersten gemeinsamen Stadtbummel unternehmen. Meine Tochter und ich, beim lustigen Weibershoppen. Kreditkarten Gassi führen. Dummerweise weiß Claudia den Spaß noch nicht wirklich zu schätzen. Um nicht zu sagen – sie scheint Einkaufen zu hassen. Kaum habe ich sie, besonders nett zurechtgemacht, natürlich, da man ja nie weiß, wen man trifft, in ihrem Kinderwagen, fängt sie an zu knöddern. Kein richtiges Schreien, aber ein Geräusch, das Unheil ahnen lässt. Egal. Ich kann sie schlecht zu Hause liegen lassen, und da ich leider kein reizendes Personal zur Verfügung habe, muss sie halt mit. Ist schließlich auch ihr Babyschwimmen, und es wäre ihr wohl kaum recht, wenn ihre Mutter nackt antreten würde. Selbst Babys haben ja wohl so was wie Schamgefühl.

Wir fahren mit der Straßenbahn in die City. Drei Stationen, keine Parkplatzsuche, in der Theorie jedenfalls sind öffentliche Verkehrsmittel eine phantastische Angelegenheit. Praktisch gesehen ist alles doch etwas anders. Als der dritte Kerl an mir vorbeidrängelt, ohne auch nur auf die Idee zu kommen, mir zu helfen, bin ich kurz davor, die *Bild*-Zeitung anzurufen. Die haben doch so 'ne Rubrik. ›Bild hilft‹ oder so ähnlich. Dann die Rettung: Eine ältere Frau erbarmt sich. »Ach des is ja noch en ganz en frisches«, tätschelt sie an Claudia rum. Eigentlich hasse ich Leute, die ungefragt in den Kinderwagen langen und mein Baby befummeln. Ich sterilisiere jedes Kleinteil, und die fassen mit ihren ungewaschenen Patschhänden meinem Liebling mitten ins Gesicht. Aber – ich halte mich zurück. Sehe es als Entlohnung für spontane Hilfsbereitschaft. Nach drei Stationen ein weiterer Kraftakt. Kinderwagen raus aus der Bahn – fast vors Auto gelaufen, und dann ist es geschafft. Wir sind im Zentrum der Shopaholics. Claudia schläft. Straßenbahnfahren scheint ihr zu liegen. Ein Indiz. Sie wird eine Globetrotterin – ein reiselustiges, neugieriges Wesen. Ja: Sie ist ein tolles Kind. Hätte ja auch brüllen können. Oder spucken. Meine Tochter ist ein Engel. Ein Paradebaby. Ich muss sofort Christoph anrufen und ihm Mitteilung machen. Was wäre ich ohne mein Handy.

»Anwaltskanzlei Schröder – Gebhard, guten Morgen – was kann ich für Sie tun?« – Oh, die Vorzimmertante. »Hallo Frau Trundel, Andrea Schnidt hier – dürfte ich bitte Christoph sprechen?« Ich kann eine wirklich höfliche Frau sein. Frau Trundel auch. Trotzdem lehnt sie ab. »Sitzung, Frau Schnidt, Sitzung, Sie kennen das ja.« Klar kenne ich das. Aber ich kann mich kaum erinnern. War ich je eine berufstätige Frau, die mit erwachsenen Menschen tagtäglichen Umgang hatte? Menschen, die nicht der Briefträger oder meine Schwiegermutter Inge sind? Oder der Eismann? Die Mutti-Mutation geht verdammt schnell. Eben noch jung und erfolgreich – jetzt jung, aber nicht so aussehend, und erfolgreich nur in Teilen. Aufzuchterfolg, wenn überhaupt. Ich bin seit vier Monaten zu Hause und trotzdem schon ganz weit weg vom Arbeiten. Anfangs ist das ja herrlich. Man ist so schwanger, dass man kaum mehr hinter den Computer passt, und sehnt den Mutterschutz herbei wie sonst nichts im Leben. Jetzt ist der Mutterschutz rum, und ich weiß nicht so recht, ob dieses Leben das ist, was ich dauerhaft haben will. Ich an der Leggingsfront. Na ja – mal abwarten. »Ein Kind braucht seine Mutter«, meint meine Mutter, und Inge, meine Fast-Schwiegermutti, ist völlig ihrer Meinung. Die tun gerade so, als wollte ich auswandern und das Kind in ein rumänisches Kinderheim abschieben und nicht etwa halbtags ein wenig arbeiten.

Sitzung hin, Sitzung her. Ist Christoph der Vater meiner Tochter oder nicht? »Frau Trundel, ich kenne das mit den Sitzungen, aber ich muss ihn trotzdem sprechen«, teile ich der Vorzimmerfee in etwas strengerem Ton mit. »Gibt's ein Problem?«, fragt sie sogar recht teilnahmsvoll. »Nee, und wenn, würde ich es gerne mit meinem Lebensgefährten besprechen«, antworte ich schon etwas ungehalten. »Bitte, wie Sie wünschen.« Sie ist beleidigt. Gott, was nehmen sich diese Frauen wichtig. Aber sie verbindet mich. Immerhin. »Ja bitte«, höre ich Christophs Stimme. »Ich bin's, Andrea, stell dir vor, Claudia ist Straßenbahn gefahren«, erzähle ich glückselig. Eine Pause. Schweigen. Und dann: »Hat sie die Bahn gelenkt, saß sie am Steuer, oder warum holst du mich mitten aus einer wichtigen Sitzung. Mann, Andrea, das hier ist die monatliche Partnersitzung. Hast du 'nen Sockenschuss, oder was?«

Blöder Sack. Egozentrischer Volldepp. Ich lege auf. Das geht nun echt zu weit. Das habe ich nun wirklich nicht nötig. War das eben am Telefon derselbe Mann, der mir noch gestern Abend gesagt hat: »Ich will an jedem Entwicklungsschritt meiner Prinzessin teilhaben!« Noch so 'ne

Nummer, und der kann in die Kanzlei ziehen. Rund um die Uhr Sitzung halten. Wichtigtuer. Entscheidende Sitzung. Lächerlich. Lässt sein eigen Fleisch und Blut hängen für irgendwelche stoffeligen Partner in einer klitschigen Kanzlei. Na, dem werde ich heute Abend ordentlich paar einschenken.

Jetzt ist auch noch Claudia aufgewacht. Prima. Christoph, ich danke dir. Hat das arme Ding sicherlich gespürt, dass Papa desinteressiert ist. »Nicht aufregen«, säusele ich, »wir gehen jetzt fein einkaufen, schön lieb sein, Mami muss nur schnell einen Badeanzug kaufen. Du willst doch auch, dass Mami schick ist beim Schwimmen.« Claudia ist relativ unbeeindruckt. Sie weint. Ich schuckle den Kinderwagen wie eine mittlere Schiffschaukel. Nix wie rein ins erste Kaufhaus. Boutiquen kann ich momentan abhaken. Ich glaube kaum, dass die meine Größe führen, und habe wenig Lust, mich von einer zickigen Verkäuferin entsetzt mustern zu lassen. Bademoden 3. Stock. Na toll. Rauf auf die Rolltreppe. Ist gar nicht so schwierig, wie ich gedacht habe. Obwohl ich innerhalb der Minuten, die ich auf der Rolltreppe bin, sofort Horrorvisionen von RTL-Notruf-tauglichen Unfällen habe. Ich stürze, meine Haare verhaken sich in den Stufen, und während ich langsam skalpiert werde, plumpst Claudia aus dem Wagen und kullert die Stufen runter. Seit ich ein Kind habe, springen mir solche Schreckensszenarien viel schneller ins Hirn. Man sorgt sich doch ganz anders. Trotzdem schaffe ich es und beschließe, nachher, um runterzukommen, den Aufzug zu nehmen. Man muss sein Glück ja nicht provozieren. Außerdem verliere ich zurzeit dermaßen viele Haare, dass ich es mir nicht leisten kann, noch welche in der Rolltreppe zu lassen. Wo ich eh nicht gerade gesegnet bin mit dem, was man Haar nennt. Wenn das mit dem Haarausfall weiter so geht, muss ich mir wie Naddel eine Perücke anschaffen. Vielleicht sogar ganz praktisch. Wer Perücke trägt, hat wenigstens eine berechenbare Frisur und nicht wie ich jeden Morgen eine neue Überraschung auf dem Kopf. Als ich das mal Christoph erzählt habe, hat der sich einen Witz draus gemacht und mich wochenlang morgens mit den Worten »Hier kommt ja mein lebendes Überraschungsei« begrüßt und mir den Kopf getätschelt. Juristen und Humor, kann ich dazu nur sagen.

Abteilung Bademoden. Gezielt steuere ich den Ständer mit den Einteilern an. Die haben richtig ordentlich Auswahl hier. Leider nur bis Größe 42. Und ob ich da reinpasse? Warum eigentlich nicht. Wenn ich ein bisschen den Bauch einziehe, müsste das bei dem Stretchstoff vielleicht klappen. Ich schnappe mir 6 Teile und schiebe Claudia und mich Richtung Umkleide. Ich bin nun wahrlich keine begeisterte Anprobiererin, aber bevor ich nochmal losziehe, weil ich zu Hause merke, dass ich mich total verschätzt habe, beiße ich lieber in den sauren Apfel.

»Bitte nur drei Teile«, erklärt mir eine schnippische Person, die Wärterin der Umkleiden. »Auch gut«, sage ich und drücke ihr die anderen drei übrigen in die Hand. Leopardenmuster mit Goldbauchkettchen wäre vielleicht sowieso etwas gewagt. Auch der Quergestreifte kann weg. Und Rosa ist für jemanden wie mich doch bei näherer Betrachtung zu nah dran am ordinären Hausschwein.

Damit ich nicht vergesse, wie viele Badeanzüge ich mithabe, gibt die Verkäuferin mir noch ein kleines Plastikschild mit einer malerischen 3 drauf. »Vielen Dank auch«, versuche ich die ironische Tour, aber die Umkleidenherrscherin ist längst damit beschäftigt, ihre Fingernägel zu begutachten.

Claudia stelle ich direkt vor meine Kabine. Der Gedanke, jemand könnte mein wirklich äußerst mühsam Erpresstes mitnehmen, gefällt mir gar nicht. Außerdem – ohne Kind brauche ich auch keinen Badeanzug. Das wäre dann doppelt ärgerlich. Die Kabine ist eng. Alle Kabinen sind eng. Außer in schnieken Boutiquen. Das Licht beschissen. Oder ist meine Haut echt so fahl? Eine weißhäutiges Streifentier guckt mir aus dem Spiegel entgegen. Meine Unterhose gehört auch nicht in die Kategorie Reizwäsche. Der Gummibund hat schon bessere Tage gesehen. Aber irgendwo hat selbst der tougheste Gummibund seine Grenzen. Während ich mich fast schon mitleidig im Spiegel mustere, reißt die Fingernagelgafferin den Vorhang weg. »Oje«, entfährt es ihr, und ich kann zwar verstehen, was sie meint, würde ihr aber trotzdem nur zu gerne ein paar scheuern. »Ich möchte bitte in Ruhe probieren«, herrsche ich sie an. »Man kann es den Kunden auch nie recht machen«, stapft sie trotzig von dannen. Zimtzicke. Kinderhasserin. »Der zahlst du keine Rente«, beschließe ich im Namen von Claudia und fühle mich gleich besser.

Modell eins ist eins dieser maritimen Teile. Schlicht dunkelblau mit weißem Rand. Eigentlich ganz nett. Bis auf den kleinen Hüftanker. Ohne Körbchen und anderen Schnickschnack. Der Anzug ist etwas knapp. Was dazu führt, dass meine Brüste platt gedrückt kurz über dem Bauchnabel hängen. Wie zwei lappige Pfannkuchen. Nee – untragbar. Weg damit. Teil zwei ist das eher florale Modell. Bunte Sommerblumen. Nicht schlecht, aber die Träger schneiden dermaßen ein, dass ich wahrscheinlich noch Wochen nach dem Tragen ein Muster auf der Haut haben werde und nachher wirke, als hätte ich mir ein Branding verpassen lassen. Außerdem ist zartgelb auch für südamerikanische Trägerinnen mit bronzefarbenem Naturteint (ist die Welt nicht ungerecht!) geeigneter. Weg damit. Nummer drei passt perfekt. Na also, wer sagt es denn. Es ist ehrlich gesagt kein wirklich geschmackvolles Modell, aber alles kann man halt auch nicht haben. Der Badeanzug ist lila changierend, hat Körbchen mit Verstärkung und breite Träger. Gerader Beinausschnitt. Hässlich, definitiv, aber für den Kurs wird's reichen. Ist ja kein Bademodenmodell-Contest.

Und auch nicht Größe 42. Sondern 44. Hing wohl falsch. Egal, das Schild kann man ja rausschneiden. Dann schnell den Verdrängungsmechanismus eingeschaltet, und nach ein paar Wochen weiß man selbst nicht mehr, was das Teil für 'ne Größe hat. 79 Euro. Für einen Badeanzug. Mich trifft fast der Schlag. Und jetzt auch noch das: Während ich mich noch streng vor dem Spiegel drehe, geht draußen das Geschrei los. Claudia. Ich springe aus der Kabine und stehe in meinem Lila Badeanzug Größe 44 vor einem älteren Herrn. »Gisela«, schreit der auch prompt zur Kabine gegenüber, »guck ema, die Frau hat deinen Badeanzug an. Genau den gleische.« Eine mindestens Siebzigjährige mit grausliger Dauerwelle streckt ihren Kopf aus einer Kabine und nickt freudig. Toll, wie das meinen Kaufentschluss stärkt. Na ja, war ja nicht bös gemeint von dem alten Knacker. Ich hieve Claudia aus dem Wagen, schenke dem Mann ein breites Lächeln, weil ich hoffe, dass er mir dann nicht weiterhin so unverblümt ins Dekolleté starrt, und rette uns beide, Claudia und mich, in die Kabine. Mist, ich glaube sie hat Hunger. Natürlich bin ich perfekt ausgerüstet. Aber füttern? Jetzt und hier?

Wieso hat das Kind eigentlich jetzt schon Hunger? Hat die nicht gerade zu Hause noch was gekriegt? »Dann lass sie schreien, wenn sie noch nicht dran ist. Du musst einen Rhythmus reinkriegen in dein Kind«, findet meine Mutter, aber die steht ja auch nicht mit dem schreienden Kind in der Umkleide eines großen Kaufhauses. Wer das Geschrei nicht hören muss, kann tolle Theorien verbreiten. Leicht gesagt – Füttern nach der Uhr. Vielleicht was für taube Eltern. Oder Menschen mit einer dreihundert-Quadratmeter-Wohnung. Hier jedenfalls ist das keine gute Idee. Ich fange schon an zu schwitzen. Und das im Badeanzug. Wurscht, ich werde ihn ja eh kaufen. Da kann ich ihn auch voll schwitzen. Ach Claudia. Mann, schreit die. »Hör doch mal auf, bitte Mausi, hör auf zu schreien.« Ich muss zugeben, ich fange an, mich zu genieren. Vor den Leuten. Solange die nicht aufhört, komme ich aus der Kabine auch nicht mehr raus. Aus dem Badeanzug allerdings auch nicht.

Wie konnte ich bloß mit dem Kind in die Stadt fahren? So eine bekloppte Schnapsidee. Hätte ich doch Inges Angebot angenommen. Schwiegermutti wäre nur zu gerne bei Claudia geblieben. Und hätte im besten Fall noch Christophs Hemden gebügelt. Aber ich Oberidiotin musste der Welt ja beweisen, dass ich alles, aber auch alles, mit Kind erledigen kann.

Claudia hört nicht auf. Sehr sensibel ist die Kleine nicht gerade. Ihr Schamfaktor hält sich auch in Grenzen. Erst mal sollte ich wieder in normale Klamotten steigen. Ich lege Claudia auf den Fußboden der Umkleide – raus zum Wagen traue ich mich nicht – und ziehe den Badeanzug wieder aus. Kaum stehe ich in Unterhose da, geht der Vorhang wieder auf. Hat die Umkleidendomina Nackigsensoren auf der Haut – weiß die immer genau, wann der mieseste Moment gekommen ist? »Ich habe doch gesagt, ich möchte in Ruhe probieren«, blaffe ich sie an. »Ruhe ist ja ein lustiges Wort für das hier«, grinst sie und sagt dann: »Ich wollte Ihnen doch nur mal das Kleine abnehmen, damit Sie es in der Kabine nicht noch zertreten.« Hey, das war ja fast komisch. Wäre es ein Scherz über jemand anderen gewesen, hätte ich eventuell sogar gelacht. Aber eins muss ich zugeben: Sie ist doch keine Hexe. Ich grinse zurück, versuche damit, meine Unfreundlichkeit wieder gutzumachen, und drücke ihr Claudia in die Hand. Fünf Minuten auf dem Arm dieser Frau kann ein durchschnittlich begabtes Kind bestimmt ab, ohne Schaden zu nehmen. Mangelnder Intellekt ist ja nichts Ansteckendes. Claudia guckt erstaunt, und es scheint, als wüsste Frau Umkleide wo der Abschalteknopf ist, denn: Mein Kind beruhigt sich. Ist innerhalb weniger Sekunden ein Vorzeigebaby. Ich gestehe, das finde ich fast fies von Claudia. Ich mühe mich ab – und da kommt diese Frau, und mein Kind ist schlagartig brav. »Ich gehe mit der Kleinen ein bisschen auf und ab«, teilt mir Frau Umkleide noch netterweise mit, und fort ist sie. Die wird mir doch nicht Claudia entführen?

Wahrscheinlich ist sie hier überhaupt nicht angestellt, hat nur so getan als ob und mir aufgelauert. Eine Frustrierte, die dringend ein Kind braucht, scheinschwanger war und selbst vor kriminellen Handlungen nicht zurückschreckt. Man liest so was ja immer häufiger. Nimm ein anderes, nicht meins, will ich ihr hinterherschreien, halte dann aber doch die Klappe. In Rekordzeit bin ich wieder angezogen und stürze aus der Kabine. Claudia ist in der Kürze der Zeit zum Star der Abteilung avanciert. Nicht nur die Umkleidenherrscherin, sondern noch zig andere Tussen herzen und tätscheln mein Kind. Und die lässt es sich willig gefallen. Eben noch hat sie gebrüllt, als würde sie in den nächsten Minuten verhungern, und jetzt das. Stolz trete ich zu den Damen und sehe so aus nächster Nähe, wie Claudia ihrer Trägerin herzhaft auf das Transparentteil rülpst. Blöderweise rülpst Claudia nicht nur mit Ton, sondern quasi gefüllt. Gammelige Milch rinnt der Armen über die Schulter. Milchweiß auf schwarzem Oberteil. Spitze hübsch dekoriert. Auffälliger geht's kaum. Eben noch voller Stolz, schäme ich mich direkt. Als hätte ich gerülpst und gespuckt. Ich weiß leider auch, wie das jetzt riecht. Streng säuerlich. So guckt auch die Verkäuferin. »Also das muss ja echt nicht sein«, keift sie mich an. »Ich werde es ihr ausrichten«, keife ich zurück und zerre mein Kind aus ihren Armen. Zur Strafe tropft ein bisschen von der Schulter bis auf ihre Stiefel. So wadenhohe Dinger. Hähä. Peinlich, aber trotzdem habe ich insgeheim Spaß. Geschieht der Alten recht. Wollte sich als »Geben Sie es mal her, ich kann's eh besser«-Supermutti aufspielen. Übermut tut selten gut.

»Den hätte ich gerne«, sage ich und knalle ihr den lila Badeanzug hin. »Gerne«, zischt sie, »und wo ist Ihre Nummer?« Hatte ich je gedacht, diese Frau wäre nett? Früher wären mir solche Fehleinschätzungen nicht passiert. Irgendwas mit meinen Hormonen ist noch immer nicht im Lot. Ich wetze zur Kabine zurück, hole die Nummer und die zwei aussortierten Badeanzüge und mache mich so schnell wie möglich vom Acker. Mein Shoppingbedarf ist für die nächsten Wochen mit diesem Ausflug gedeckt. Auf dem Damenklo in der sechsten Etage – wie praktisch für Menschen mit beginnender Inkontinenz, erst mal in den sechsten Stock fahren zu müssen – wickle ich meine Tochter. Und ein Fläschchen kriegt sie auch. Die Warmhalteflasche trägt ihren Namen zu Unrecht. Ein Gutes hat's: Zu heiß ist die Milch keinesfalls. Claudia trinkt sie auch kalt. Ist halt ein braves Mädchen. Wir machen uns auf den Heimweg.

Ich bin erledigt.

Drei Stunden hat unser Ausflug in die Stadt gedauert, und ich fühle mich, als wäre ich eben mal auf dem Matterhorn gewesen. Ohne Sicherungsseil – Freeclimbingmäßig. Eigentlich hatte ich vor, heute endlich die Wohnung auf Vordermann zu bringen. Undenkbar, in meinem Zustand. Ich schmeiße mich in meinen Jogginganzug und lege mich eine Runde aufs Sofa. Mein Allgemeinbefinden lässt gerade noch das Halten der Fernbedienung zu. Claudia schläft. Hätte sie ja auch mal in der Stadt machen können. Ich schiebe eine Pizza in den Ofen, und während der Käse schmilzt, ist der Tag so ganz langsam wieder mein Freund. Eine Pizza kann das Leben wirklich immens verschönern.

Als Christoph gegen 19.30 nach Hause kommt, bin ich schon fast wieder guter Laune. Trotzdem: Strafe muss sein. Schließlich war das heute am Telefon unmöglich von ihm. Aber anstatt reumütig mit einem gigantischen Blumenstrauß zu Kreuze zu kriechen, ist der auch noch frech: »Mann, Andrea, das war dermaßen peinlich vor den Kollegen. Was die gelacht haben. Tu so was nur ja nicht wieder. Oder nur, wenn Claudia schwer krank ist oder den Nobelpreis gewonnen hat.«

Ich schnappe nach Luft. Bevor ich zum großen Generalkonter ausholen kann, schlurft Christoph in die Küche. »Was gibt's zum Abendessen? Haben wir Bier da?«, fragt er schon etwas freundlicher. So sind sie, die Männer. Hauptsache warmes Essen und ein lecker Bierchen dazu. Dann ist ihre kleine Welt in Ordnung. »Bier gibt's beim Getränkemarkt. Soll ich vielleicht in meinem Zustand mit Kind Bierkästen schleppen?«, empöre ich mich. »In welchem Zustand? Habe ich was verpasst? Bist du noch schwanger, oder wie?«, kriege ich sofort die Retourkutsche und: »Ist es zu viel verlangt, ein Fläschchen Bier vom Einkaufen mitzubringen?« Ich fange an, richtig sauer zu werden: »Sie hatten in der Bademodenabteilung ausnahmsweise kein Bier da – und Essen kannst du dir auch selbst machen, ich muss mich auch mal ausruhen.« Sein Blick, den er durch die Wohnung schweifen lässt, sagt alles. Nach dem Motto: ›Machst du eigentlich noch was anderes außer Ausruhen? So wie es hier aussieht!‹

Bitte sehr, er will Streit – kann er haben. Ich lege mich vor die Glotze, auf das noch warme Krümelsofa, und schnappe mir Claudia. Sie schmiegt sich an mich, und ich habe das Gefühl, wenigstens eine versteht mich. Immerhin. Frauensolidarität. Allerdings – leider etwas nasse Frauensolidarität. Hose ist voll. Windeln halten doch weniger, als sie versprechen. Dabei kaufe ich die teuersten Dinger überhaupt. Da kann man doch erwarten, dass die das bisschen Babypipi aushalten. Tun sie aber nicht. Also ist mal wieder Wickeln angesagt. Mittlerweile schaffe ich das immerhin in erträglichen Zeiten. Zu Beginn hätte ich Krieg und Frieden in der Langversion dabei gucken können.

Christoph hat tatsächlich eine Eingebung, nimmt mir Claudia ab und geht sie wickeln. Nicht ohne den an sich netten Gedanken noch mit einem bescheuerten Spruch zu kommentieren: »Ich mach's, du musst dich ja endlich mal ausruhen.«

Ich wäre zum Waffenstillstand bereit gewesen – aber er scheint nicht zu wollen.

Der Rest des Abends ist Schweigen. Zumindest von Seiten der Erwachsenen. Claudia liefert die Hintergrundmusik. Schreit uns die Hucke voll. Prima, bei der Stimmung auch noch das Geschrei. Ich drehe den Fernseher etwas lauter. Ally Mc Beal lasse ich mir nicht mal von meiner Tochter versauen. Neidvoll sehe ich den dürren Anwaltsmiezen zu. Was für ein Leben, wenn die größten Probleme sind, was man morgens anzieht. Ally Mc Beal wiegt angeblich 46 Kilo. Ungefähr so viel wie mein linker Oberschenkel. Ich glaube, ich hasse sie. So, der habe ich es jetzt aber gegeben. Claudia passt ihre Lautstärke an den Raumpegel an. Eingebaute automatische Lautstärkeregelung.

Wahrscheinlich sind wir an dem Geplärr auch noch selbst schuld. Die Kleine merkt, dass atmosphärisch was nicht stimmt, und reagiert darauf. Das ist auch so was beim Kinderkriegen. Man muss sich daran gewöhnen, eigentlich immer schuld zu sein. Jetzt könnte ich grad mal 'ne Runde heulen. Wegen allem. Weil ich nicht so dürr wie Ally bin, nicht mehr einfach so auf der Couch liegen kann, überhaupt noch nie so dünn wie Ally war und als Mutter eine wenig glänzende Figur abgebe. Wo sind meine Glückshormone? Wo die große allumfassende Freude? Mutter werden und sein ist eine absolut verherrlichte Größe. Beschiss ist das alles. Von vorne bis hinten. Ich heule. Prima. Toller Tag. Und die nächsten Wochen lassen nichts anderes erwarten. Ich heule gleich noch mehr. Selbstmitleid hier bin ich, komm und umhülle mich.

Christoph streicht mir über den Kopf, wie bei einem dummen Hund und bietet mir an auszugehen: »Triff dich mit einer deiner Freundinnen, geh mal raus, ich pass auf Claudinchen auf, los Andrea, das wird schon.« Er hat nicht mal gefragt, was ist, weiß aber, dass es wieder wird. Hellseher oder was. Eine Spitzenidee: Ausgehen. Aber bis ich verheultes Etwas, rotäugig und verquollen, wieder in ausgehfähigem Zustand wäre, rein optisch gesehen, ist der Abend rum. Trotzdem: ein schöner Gedanke. Einfach weggehen. Ohne Mann und Kind. Ganz so wie früher. Ein paar nette Cocktails und ein bisschen ablästern. Keine Verantwortung, außer für mich selbst. »Ich mach's morgen«, schniefe ich und fühle mich tatsächlich besser. Allein wegen der Idee.

»Gut«, sagt Christoph, »Abgemacht. Verabrede dich

und bügele deine Psyche auf. Das kann man so ja kaum aushalten.« Welch ein Kompliment. Mit einem winzigen Satz macht der Arsch alles wieder kaputt. Ich gehe ins Bett.

Am nächsten Morgen verabrede ich mich mit Sabine, meiner frisch verliebten Freundin. Die ist ganz wild vor lauter Hormonen. Es dauert etwas, bis ich sie überreden kann, ohne ihren Mischi mit auf die Piste zu gehen. Am Anfang einer Beziehung ist man ja dermaßen beflügelt, dass man kaum allein aufs Klo gehen will. Trotzdem: Sabine hat nicht vergessen, wem sie ihren neuen Lover verdankt (mir!!), und verspricht, mich Punkt acht abzuholen. Voller Glücksgefühl bin ich sogar in der Lage, die Wohnung aufzuräumen. Ein phantastischer Tag. Und mein Kind. Dermaßen niedlich. Wie konnte ich nur so hässliche Sachen denken? Von Kinderlosigkeit und Ungebundenheit träumen? Ich bin wirklich ein Luder. Aber: Ab jetzt wird alles anders. Ich werde mein neues Leben anpacken, organisieren und in den Griff bekommen. Ich, Andrea Schnidt, stelle mich den Herausforderungen und werde sie meistern. Jeder Motivationstrainer könnte sich heute eine Scheibe von mir abschneiden. Bei mir Azubi werden. Ha.

Meine Lieblingsjeans zwicken dermaßen, dass ich das Gefühl habe, mumifiziert zu werden. Egal: dann lasse ich eben den Knopf offen. Und den Reißverschluss. Wozu gibt's Gummibänder. Loch und Knopf locker verbunden, und das Ganze hält. Meine Oberschenkel befinden sich in schraubstockartigem Zustand, und das Atmen fällt etwas schwerer als normal. Was soll's: Ist wohl noch niemand in seinen Jeans erstickt. Und wenn ich die Erste sein sollte, habe ich immerhin 'ne Topschlagzeile. Ich ziehe ein weißes Herrenhemd drüber, schön lang, und kremple die Ärmel hoch. Geht doch. Sieht gar nicht mal übel aus. Die Spaghettis, genannt Haare, stecke ich hoch und haue alles, was mein Make-up-Täschchen hergibt, aufs Gesicht. Viertel vor acht stehe ich parat. Ich sehe nicht schlecht aus – für meine Verhältnisse und Möglichkeiten.

Sabine ist pünktlich. Christoph nicht. Kommt ein Notarzt zu spät vom Arbeiten, kann ich ja noch Verständnis aufbringen. Leben retten geht vor Pünktlichkeit. Aber seit wann rettet ein Anwalt Leben? Hier in Deutschland – ohne Todesstrafe? Wäre mir jedenfalls neu. Unzuverlässige Kröte. Kurz vor neun taucht der Herr Jurist völlig ohne schlechtes Gewissen endlich auf. »Der Schröder wollte mich noch mal sprechen. Den Fall mit dem Gartenzaun durchsprechen. Weil ich in dem Thema besser drin bin.« Er sieht mein Gesicht und holt nur schnell nochmal Luft für seine ausschweifende Verteidigungsrede. Das kann er. Gelernt ist gelernt. »Hör mal. Guck nicht so. Was soll ich denn machen, wenn einer der Partner mich um Rat fragt? Soll ich vielleicht sagen, ich muss heim, meine Lebensgefährtin will auf die Juchhe?«

Warum eigentlich nicht? Aber die Partner, die alten Luchse, die wissen schon, wie sie es machen müssen. Arbeit delegieren. Da kann ich echt noch was lernen. »Der Partner hat um Rat gefragt!« Oh, toll. Wie schmeichelhaft für meinen Christoph. Vom großen Gott Kanzleipartner um Rat gefragt zu werden. Zum Thema Gartenzaun. Spektakulär. Beim nächsten Großputz frage ich auch um Rat.

»Sorry du«, sagt er noch, guckt dabei aber eindeutig auf

Sabine. Jetzt nichts wie weg. Den Restabend will ich genießen. Den lass ich mir nicht vermiesen. Das bisschen Ausgehen. Wer weiß, wann ich wieder ins Leben darf. Ich, die immer gesagt hat: »Wenn ich mal Mutter bin, bleibe ich die Alte. Nur wegen einem Kind muss man doch sein Leben nicht aufgeben.« Was man so alles sagt, bevor die kleinen Dinger auf der Welt sind. Was man vor allem so alles glaubt.

Es wird ein wunderbarer Abend. Gut – Sabine redet etwa zwei Stunden am Stück über ihren Mischi, ihren Liebsten, der mein alter Klassenkamerad ist und den sie im Krankenhaus fast an meinem Wochenbett kennen gelernt hat. Er klingt in ihren Schilderungen vollkommen anders als der Mischi aus meinen Schulerinnerungen. Keine von uns hat Mischi damals gemocht. Weil er so ein fleischiges Aussehen hatte. Und das mit Metzgereieltern. Sabine will meine Schulerzählungen nicht hören: »Ich weiß längst, wie fies ihr zu Mischimaus wart, er hat mir alles haarklein geschildert.« Ein Jammerlappen ist er also auch noch. Aber Sabine steht nun mal dermaßen auf Ärzte, dass ihr Verstand da komplett aussetzt. Wer bei ihr während Emergency Room anruft, wird gesteinigt. Verbal. Seit sie die Sendung regelmäßig schaut, hat man nahezu das Gefühl, sie wäre selbst Ärztin. So hat die ihr Spezialvokabular aufpoliert. »Man kann durch Fernsehen auch lernen«, behauptet Sabine. Na ja. Muss ihr Mischimausi beim Sex den Kittel anlassen, damit sie ja nicht vergisst, dass er zur heilenden und rettenden Zunft gehört? Ich spare mir die Frage und trinke während ihrer ausgiebigen Schilderungen drei Cocktails. »Und wie läuft's bei dir?«, will sie dann, nach detailgetreuer

Schilderungen der sexuellen Künste von Mischi, tatsächlich noch wissen. Dass ich mich an Sex kaum mehr erinnere, geschweige denn welchen habe, verschweige ich. Nach drei Cocktails kommt mir mein Leben außerdem erheblich besser vor, als es so tagsüber ist. »Prima«, antworte ich und bestelle mir noch einen weiteren Caipirinha. Nummer vier.

Die Cocktails bezahle ich noch zu Hause. Gott, was ist mir schlecht! So nah war ich der Kloschüssel schon lange nicht mehr. Nach monatelanger Abstinenz wäre eine Weißweinschorle wohl schlauer gewesen. Auch kalorienmäßig. Ich wiege am nächsten Tag glatt eineinhalb Kilo mehr als vorher. Vergnügen muss bezahlt werden. So sind nun mal die Regeln. Ein fieses Spiel.

Ich habe Kopfweh, Restpromille, die Harald Juhnke erschüttert hätten, und Claudia nervt. Noch dazu hat sich Inge angekündigt. Christophs Mutter. Aber Inge ist immer noch erträglicher als meine Besserwissermutter. Man sollte versuchen, die Dinge positiv zu sehen. Ich kaufe beim Bäcker ein paar Stückchen, und kaum bin ich zu Hause, klingelt es auch schon. Es ist nicht Inge, sondern der Paketbote. An der Tür mustert er mich von oben bis unten und fragt dann: »Sind Sie krank, Frau Schnidt?« Ich schnappe das Päckchen, antworte: »Nee, nur Mutter«, und weg ist er. Das Paket ist für Christoph. Ich muss mich beleidigen lassen, die Päckchen kriegt er.

Inge kommt beladen wie ein nepalesischer Sherpa. Vier Tupperschüsseln vorgekochtes Essen, Rouladen, Hühnerfrikassee, Geschnetzeltes und andere Herrlichkeiten. Zwei Stofftiere fürs »Enkelscher« und Rotbäckchensaft für mich. Wenn das so weitergeht, kann Claudia in zwei bis drei Monaten den ersten weltweiten Stofftierstreichelzoo eröffnen. Es ist eigentlich ein ganz netter Nachmittag. Ich glaube, Inge hat Ratgeber gelesen. »Nur der jungen Mutter niemals reinreden« – oder so was in der Richtung. Sie nickt, egal, was ich sage, und ist teilnahmsvoll. Außerdem nimmt sie mir Claudia ab. Als ich ihr erlaube, sie zu wickeln, nur zu gerne, ist sie nah am Glückstränenausbruch. Auch mit kleinen Sachen kann man Schwiegermuttis Freude machen. Inge ist mit Sicherheit keine Intellektuelle, aber lieb ist sie. Jedenfalls zu mir. Der Nachmittag bringt mir zwar keinen spektakulären Erkenntnisgewinn, aber ihr Zuhören und ihr Kümmern beruhigen, sie ist wie lebendes Valium für mich.

Ich weiß gar nicht, von wem die Mär mit der bösen Schwiegermutter stammt. »Warte ab, bis du richtig verheiratet bist, dann wissen diese Frauen, dass du nicht mehr entkommen kannst, und zeigen ihr wahres Ich«, warnt meine Schwester, aber solange alles so ist, wie es ist, genieße ich. Grämen kann man sich, wenn es an der Zeit ist. Es gibt ja so Leute, die sich jedes winzige bisschen Freude damit versauen, dass sie sich schon überlegen, wie es danach sein wird. »Ja, jetzt habe ich Erfolg, aber dann. Wer oben ist, kann auch besonders tief fallen. Immer wird es so gut nicht laufen ... am Anfang einer Ehe ist es immer toll ...«

Ekelhafte Pessimisten. Ich versuche, mich von dieser Art Mensch fern zu halten. Ratz fatz ziehen die einen mit runter. In den Sumpf des Trübsinns und die Welt des Johanniskrauts. Nee, nicht mit mir. Außerdem, wer sagt denn, dass ich überhaupt heirate. Kurz vor der Entbindung war ich mir noch sicher. Klar, wir zwei, Christoph und ich, werden vor den Altar treten. Ich in Weiß, Walla Walla, oben eng, unten locker, mit Blumenkranz im Haar und herrlichem Tüff-Tüff-Schleier. Mittig am Blütenkranz festgesteckt. Er, klassisch im dunklen Anzug, mit einer Blüte am Revers. Natürlich die gleiche Sorte wie auf meinem Kopf. Wir werden phantastisch aussehen, und meine und seine Mutter werden weinen. Auch ich werde ein Freudentränchen verdrücken, aber nur ein ganz kleines, damit mir mein perfektes Augen-Make-up nicht verschmiert. Meine Nichte Desdemona streut Blumen, und unsere Tochter sitzt bei Opa auf dem Arm und strahlt. Ein schönes Bild.

Aber danach? Wird er, als verheirateter Mann, noch später heimkommen? Sich so sicher fühlen, dass er sich gar nicht mehr bemühen muss? Und welche Drohmöglichkeiten bleiben mir dann? Höchstens »Scheidung«, und das nimmt letztlich kein Kerl wirklich ernst. Nach dem Motto: ›Wie, du willst den Müll nicht runtertragen? – dann lass ich mich sofort scheiden‹. Da lachen die doch, die Typen. Also, momentan steht mir der Sinn eher nach einem Spaghetti-Eis, einer Weltreise nur mit mir oder einer Ganzkörper-Fettabsaugung.

Komischerweise hat Christoph das Thema auch kein Mal mehr angesprochen. Vielleicht ahnt er, dass seine Aussichten, einen Korb zu kriegen, relativ groß sind. Hinzu kommt die Tatsache, dass ich nicht einfach so heirate. Nicht ohne ordentlichen Antrag. Ich finde, ein richtiger Antrag gehört dazu. Meine Schwester und ihr Mann haben die gemeinsame Ehe beim Frühstück beschlossen. So wie man den Kauf einer Spülmaschine beschließt. »Hältst du es nicht auch für sinnvoll, nicht nur steuerlich, sondern insgesamt, zu heiraten«, hat mein Schwager Kurt zu meiner Schwester Birgit gesagt. Und die hat bei einem Mohnbrötchen mit Nutella nur genickt und gesagt: »Wie du meinst, Kurt.«

Kein Ring, keine Liebesschwüre, rein gar nichts in der Richtung. Nicht dass ich eine komplett verblendete Pretty-Woman-Guckerin wäre, aber etwas mehr Aufwand könnten die Herren schon betreiben. Der Mann wächst mit den Ansprüchen. Ich erwarte Blumen, eine Klappschachtel mit funkelndem Inhalt und dazu eine herzergreifende Liebeserklärung. Dann natürlich die Frage: »Willst du meine Frau werden?« So muss das sein. Da weiche ich keinen Millimeter von ab. Sonst halt eben nicht. Drunter tue ich es nicht. Da bleibe ich lieber für immer und ewig ledig. Man sollte seine selbst auferlegten Standards halten.

Montag, 14.35 Uhr

Der Tag macht sich. Kein Will mehr weit und breit, und ich bin prima in der Zeit. Claudia hat einen Kindergartenplatz bis 15.00 Uhr. Inklusive Mittagessen. Der Kindergarten hat, theoretisch jedenfalls, bis 17.00 Uhr auf. Wenn ich zu spät komme, steht Claudia wenigstens nicht auf der Straße. Aber gern gesehen wird es im Kindergarten nicht. »Frau Schnidt, wir erinnern Sie ungern, aber Sie haben einen 15.00-Uhr-Platz. 15.00 Uhr ist nicht 15.20 oder 15.30, sondern Punkt 15.00 Uhr. Spätestens.« Ermahnungen dieser Art höre ich eigentlich monatlich. Ich nicke dann immer reumütig, stammle was von anstrengender Arbeit und gelobe selbstverständlich Besserung. Obwohl ich nicht so genau weiß, was eigentlich so schlimm daran ist, wenn meine Tochter mal 10 Minuten länger bleibt. »Wenn das alle machen würden …«, bekomme ich dann zu hören, als würden die gestrengen Kindergartentanten mein Argument fast schon riechen. Deshalb ist 14.30 Uhr meine absolute Deadline, um aus dem Büro zu spurten. Um die Zeit ist die Autobahn nicht so voll, und ich schaffe es planmäßig.

Heute Nachmittag ist Pünktlichkeit besonders wichtig, denn wir gehen zum kulturellen Highlight der Woche. Kindertheater in der Vorstadt. Alle Mütter, die was auf sich und ihre pädagogischen Fähigkeiten halten, werden da auflaufen, ihre Kinder in die erste Reihe schieben und zum Mitmachen animieren. Heute gibt's das »Sams«. Eine kleine schweineähnliche Gestalt, die bei Herrn Taschenbier lebt und von Frau Rotkohl ständig gedeckelt wird. Der halbe Kindergarten geht hin. Da wollen Claudia und ich selbstverständlich nicht fehlen. Nicht, dass ich auf das Sams und seine Erlebnisse nicht sehr gut verzichten könnte (schließlich habe ich meinen Will), aber gerade berufstätige Mütter haben ständig das Gefühl, ihrem Kind vielleicht nicht so viel zu bieten wie die anderen. Die Nur-Hausfrauen. Das Verhältnis dieser beiden Gruppen ist überhaupt ziemlich angespannt. Jede propagiert ihr Lebensmodell und kann nicht großzügig damit umgehen, dass andere eben anders leben wollen. Hausfrauen sehen in den Berufstätigen oft Mahnmale, die ihnen Faulheit und Unemanzipiertheit vorwerfen. Allein durch die Tatsache, dass sie berufstätig sind. Zwischen den beiden Gruppen läuft eine Art nonverbale Kommunikation ab, die es in sich hat. Die einen denken: Pah, sich auf Kosten der Kinder selbst verwirklichen, egozentrisch ist das, und die anderen meinen, die Hausfrauen würden einen flotten Lenz schieben, ihren Kindern ein antiquiertes Rollenbild vorleben und geistig verarmen. So ähnlich geht es in Mütterköpfen zu. Als hätten wir Frauen nicht genug Druck im Leben, da machen wir uns selbst noch schnell welchen. Ich finde das schade, spiele aber gedanklich das Spiel durchaus mit.

»Kommst du auch?«, fragt mich da glatt eine der so genannten Übermuttis. Eine, die von morgens bis abends bastelt, malt und klebt, dass Jean Pütz von der Hobbythek sich ein Vorbild nehmen könnte. Ich höre, oder vielleicht will ich ihn auch hören, den erstaunten Ton in ihrer Frage. Nach dem Motto: Wie, du nimmst dir mal Zeit für eine Aktivität mit deinem Kind??? Ich zähle innerlich bis zehn, atme tief durch und antworte ganz gelassen: »Weißt du, Thea, ich habe tagsüber normalerweise genug Theater. Auch ohne das Sams. Aber heute habe ich mal Lust.«

Thea ist meine Kindergartenintimfeindin. Ihre Auftritte beim Elternabend sind jedes Mal so spektakulär, dass ich auf näheres Kennenlernen nur zu gerne verzichtet hätte. Ich werde nie vergessen, dass ich, nach zweieinhalb Stunden auf Stühlen, die für Zwerghintern gemacht sind, noch Theas Vortrag über Filzstifte und ihr Für und Wider lauschen musste. Auch beeindruckend die Abhandlung über »Wie schneide ich am besten aus«. Thea ist eine der Frauen, die öffentliche Auftritte lieben. Leider hat's für die große Bühne nicht gelangt, deshalb konzentriert sich Thea auf Elternabende, Laternenumzüge und Basare jeder Art. Natürlich könnte mir Thea vollkommen schnuppe sein, aber dummerweise hat sich meine Claudia ihre Belinda als Freundin ausgeguckt. Das bedeutet zwangsläufig Kontakt. Wenigstens organisatorischer Art. Wer geht zu wem spielen, und wer holt wen wann wieder wo ab? Thea ist es lieber, die Kinder treffen sich bei ihr. Mir eigentlich auch. Das, was Thea nachmittags an Programm bietet, würde den gesamten Animationsstab vom Robinson Club in Depressionen stürzen. Von Kastanienmännchen bis Knetschildkröten, Kerzenhaltern und Batikarbeiten – Claudia bringt von jedem Ausflug zu Belinda irgendwas mit. Ein Kleinkunstwerk, mit dem ich dann, wenigstens für die nächsten Tage, die Wohnung dekorieren muss. Alles aufzuheben ist unmöglich, schließlich leben wir in einer Wohnung und nicht in einer 27-Zimmer-Villa. Bei Thea zu Hause sieht es aus wie in einem Kinderkleinkunstmuseum. Jeder Raum ihrer Wohnung ist voll mit dem Kram. Tannenzapfenmännchen, Fingerfarbentapeten, das Ganze wirkt wie ein Mammutsetzkasten. Dazu kommt: Thea hat alles, was ein Bastelgroßmarkt hergibt. Es gibt kein Zimmer, in dem nicht Tonnen von Spielzeug herumliegen. Man hat das Gefühl, in einer TOYS "Я" US-Filiale zu sein. Ich habe mir mal den Knöchel verstaucht, weil ich über ein Legogebilde in Theas Gästeklo gefallen bin. Thea war das kein Stück peinlich, denn sie findet, Kinder brauchen ausreichend Input. Um Kreativität zu entwickeln. Phantasievolle Menschen zu werden. Ich finde, Kinder haben ein Kinderzimmer und können auch dort Kreativität entwickeln. Im Klo kann's auch mal ohne Kreativität gehen. Sogar ohne Lego. Und ohne permanente Bespielung durch die Mutter.

Außerdem: Habe nicht auch ich, als erwachsener Mensch, ein Recht auf Räumlichkeiten ohne Barbies, Playmobil und Kuscheltiere? Müssen Kaufladen und Bobbycar mitten im Wohnzimmer stehen, damit man als Mutter sein Plansoll erfüllt und die lieben Kleinen zu glücklichen Menschen heranwachsen?

Wenn Belinda bei uns ist, ist sie jedes Mal regelrecht verstört. So, wie wenn man einem Fernsehjunkie nicht nur die Fernbedienung, sondern gleich den ganzen Apparat wegnimmt. Sie ist es gewohnt, unterhalten zu werden. Eine Mutter wie ich, die sagt: »Geht in Claudias Zimmer und spielt was Schönes«, ist ihr fremd. Unheimlich. Auch Claudia spielt lieber bei Belinda. Natürlich beschämt mich das, aber ehrlich gesagt, nur ein ganz klein bisschen. Ich bin froh, wenn Claudia ihre Basteldefizite anderswo aufarbeiten kann. Thea, eine Art lebendes Kasperletheater, ist auch froh, wenn die Kinder unter ihrer Obhut sind. Meine

Adresse gilt als Synonym für intellektuelles Verwahrlosen. Was schon leicht übertrieben ist: Schließlich putze ich Nasen und Hintern, reiche Kekse und Apfelsaftschorle und spiele sogar gelegentlich Memory oder Schneckenrennen.

Thea wäre normalerweise um die Zeit nicht im Kindergarten. Ihre Belinda bleibt nicht über Mittag. »Man sollte Erziehung nicht ständig delegieren« ist ihre Begründung. Und: »Wer A sagt und Kinder kriegt, muss auch B sagen und sich dann auch ausreichend kümmern.« Ich glaube nicht, dass Claudia das Mittagessen im Kindergarten schadet. Im Gegenteil. Wer je bei mir gegessen hat, wird sofort verstehen, was ich meine. »Was machst du denn hier?«, frage ich Thea. Unter Müttern wird geduzt. Selbst unter solchen, die so wenig gemein haben wie Obermutti Thea und ich. »Ich musste noch die letzten Besprechungen mit den Erzieherinnen wegen des Flohmarkts halten«, erklärt sie mir mit wichtiger Miene. Staatstragend. Man könnte meinen, sie plant den gesamten Hessentag oder die Bundesgartenschau. »Aha«, antworte ich mäßig interessiert. Das hat als Reaktion gelangt. Jetzt aber, Ihr Auftritt, Frau Thea: »Die Tische werden in Hufeisenform aufgebaut, und jeder zahlt pro Tisch fünf Euro. Und einen Kuchen. Ich mache Smartievollkornmuffins, und sag mal, Andrea, hast du dich eigentlich schon auf der Liste eingetragen?« Eine heikle Frage. Die Listen, die im Kindergarten ausgehängt werden, sind Teil eines groß angelegten Mütterwettkampfes. Thea steht jedes Mal als Oberste drauf. Ganz Eifrige schreiben dann in die Kuchenliste noch rein, welches Prachtmodell sie spendieren. Himbeer-Sahne-Baiser oder Käsemürbeteigschnitten. Schnöder Marmorkuchen gilt nicht wirklich viel. Es ist ähnlich wie bei Spendensammlungen. Wo neben dem Namen noch die Summe steht und man damit die Mitspendenden zart unter Druck setzt.

Ich weiß nicht, ob das Sams warten kann, bis Thea fertig ist. »Thea, wir wollten noch zum Sams, ich trag mich gleich morgen ein«, unterbreche ich vorsichtig. Schließlich will ich Thea auch nicht komplett verärgern. Claudia mag sie nämlich. »Die ist doll nett«, hat sie schon kurz nach dem Kennenlernen verkündet. Kinder können so verblendet sein. Ich trage es mit Fassung. Belinda und Claudia stehen Hand in Hand da. Niedlich. Darf ich diese wunderbare Freundschaft wegen kleiner Befindlichkeiten Belindas Mutter gegenüber zerstören? Nein, Schnidt, bin ich streng mit mir. »Gehen wir jetzt«, betteln die zwei unisono. Wir fahren gemeinsam.

Die Aufführung ist ganz nett und dauert nur eine knappe Stunde. Viel länger schaffen es die Kinder auch nicht. Selbst bei einer Stunde muss mindestens ein Drittel zwischendrin mal aufs Klo oder dringend was trinken. Das mit dem Trinken ist kein Problem, denn Thea ist natürlich perfekt ausgerüstet. Großherzig bekommt auch meine Tochter was ab. Ich krame aus meiner Handtasche, von Christoph gerne spöttisch »Welt der Wunder« genannt, noch zwei angegammelte Maoam. Immerhin. Gleichstand. Thea war nicht zufrieden mit dem Sams. »Dieses passive Zuschauen ist doch nichts für Kinder«, hat sie direkt nach der Aufführung rumgenörgelt. Mir hat genau das gefallen. Beim so genannten Mitmachtheater habe ich jedes Mal richtig Stress. Weil Claudia eigentlich gerne hoch auf die Bühne will, sich aber nicht traut. Was dann dazu führt, dass ich meinem Kind Ermunterungsparolen zuflüstere und sie sanft zur Bühne dränge. Am Ende steht sie meist heulend da. Weil sie sich eben doch nicht getraut hat und ihre Freundin Belinda beneidet. Denn Belinda traut sich immer. Ich bin dann hin- und hergerissen zwischen: Was soll's, sie ist nun mal keine Bühnenschlampe oder Rampensau, wie man beim Fernsehen sagt, und einem latenten Schamgefühl, dass mein Kind nicht genug Selbstvertrauen besitzt, um den kleinen Schritt auf die großen Bretter zu wagen. Das mit dem Selbstvertrauen ist etwas, das mir Thea mal so ganz nebenbei untergeschoben hat: »Kinder, die ein liebevolles, kreatives Zuhause haben, machen mit. Andere, na ja, andere eben nicht.« Das hat gesessen. Ich bin schuld. Klar, wer auch sonst. Dabei war Claudia von Anfang an keine große Draufgängerin. Schon bei den ersten Sportstunden nicht. Wenn ich da nur dran denke:

»Heute ist Badetag«, wecke ich Claudia. Knapp vier Monate ist sie alt, und die erste Schwimmstunde ruft. Das Badetäschchen ist gepackt. Täschchen ist gut gesagt. Es sieht aus, als wollten wir zwei auswandern und nicht eben mal schwimmen gehen. Handtücher für Mutter und Kind, frische Windeln, Fläschchen, Babycreme, Fön …

Um 10 Uhr beginnt der Kurs: Mutter-Kind-Schwimmen mit E. Tatschler. Als könnten Väter nicht schwimmen. Wahrscheinlich nur die Anpassung an die Realität.

Es regnet. Auf dem Weg zum Auto werde ich so nass, dass ich aussehe, als hätte ich den Kurs schon hinter mir. Kinderwagen rein ins Auto, Claudia in den Maxi-Cosi-Autositz, Badetasche auf den Rücksitz. Einfach so wegfahren wie früher, das gibt's nicht mehr. Nur mit Handtäschchen auf dem Beifahrersitz. Was waren das noch Zeiten. Herrlich! Mein Täschchen und ich, frei, leicht und ungebunden. Jetzt sehen wir auf jeder Fahrt zum Supermarkt aus wie andere auf dem Weg in den vierwöchigen Italienurlaub. Ich fange schon wieder an, mich zu bejammern. Das muss ein Ende haben, Schnidt, ermahne ich mich in Gedanken.

Wir finden einen Parkplatz nahe am Klinikhallenbad. Der Kurs findet im Schwimmbad der Klinik statt, in der ich entbunden habe. Sofort habe ich ein merkwürdiges Ziehen im gesamten Unterleib. Die Psyche vergisst nicht. Jedenfalls meine. Angeblich ist ja schon nach der letzten Presswehe für die meisten Frauen jedwede Erinnerung perdu. Spätestens, wenn man mit dem Erpressten zu Hause ist, regiert nur noch das Glück, behaupten so genannte Experten. Meistens männliche – wen wundert's. Das Erstaunliche ist ja, dass sich Männer auch mit Schmerzen super auskennen, die sie nie gehabt haben und auch nie haben werden. Als ich einem Bekannten von meinem Geburtstrauma erzählt habe, fing der doch glatt an, über seinen eingewachsenen Fußnagel von vor sieben Jahren zu sprechen. Fast hätte er, an der Stelle, wo der Nagel gezogen werden musste, das Heulen angefangen. Und da sollen wir Frauen, wir Mütter, direkt nach der Entbindung unser Hirn zum Vergessen bringen.

Ha, ha, kann ich da nur sagen. Ich habe jede einzelne Wehe, das Gepresse und auch den Schmerz noch sehr gut im Kopf, und ich glaube nicht, dass mir diese grausige Erinnerung auf einmal abhanden kommt. Die einzige Möglichkeit wäre Alzheimer.

Der tolle Parkplatz ist im Parkverbot. Egal, hätte noch schlimmer kommen können. Halteverbot zum Beispiel oder Behindertenparkplatz. Ich parke nie, wirklich nie, auf Behindertenparkplätzen. Das bring ich einfach nicht. Wäre mir zu peinlich, wenn mich einer erwischt. Obwohl Männer in solchen Dingen wesentlich weniger Schamgefühl haben. Die kennen ja auch nichts und stellen sich mit Vorliebe auf Frauenparkplätze. Wenn ich einen dabei erwische, dann ist er dran. Da werde ich zur Furie. »Haben Sie dermaßen viele weibliche Anteile, sind Sie operiert oder warum parken Sie hier?«, keife ich bei solchen Gelegenheiten gern mal aus dem Seitenfenster. Komischerweise interessiert das die Frauenparkplatzparker überhaupt nicht. Im Gegenteil: Die sind noch pikiert und brüllen zurück. Meist was in der Richtung: »Was geht dich das an, alte Kuh.« Sehr originell. Christoph geniert sich aufs Schlimmste, wenn ich so was mache. Er ist jedes Mal kurz davor, sich ins Handschuhfach zu verkrümeln, aber das ist mir dann auch egal. Ich war mal *Emma*-Abonnentin, und die Frauenbewegung braucht mich, da kann ich auf Einzelschicksale mit rotem Kopf an meiner Seite keine Rücksicht nehmen.

Das Parkverbot ist mir jetzt aber ehrlich gesagt schnuppe. Ich habe wahrlich keine Lust, mit Maxi-Cosi und Monster-Badetasche noch sieben Kilometer weit zu laufen. Engagement kennt auch Grenzen. Außerdem gehen wir ja zum Sport, und da soll man sich vorab nicht völlig verausgaben.

In der Umkleide herrschen subtropische Temperaturen. Und es ist voll. Voll mit Müttern und Kindern. Ein Geschnatter wie in einer Vogelvoliere. Na dufte, hier scheinen sich alle zu kennen bis auf mich. »Ich bin Andrea Schnidt«, versuche ich eine erste Kontaktaufnahme, aber keine Reaktion. »Hallo«, probiere ich es noch einmal etwas lauter, »ich bin Andrea Schnidt.« Geschafft, alle gucken. Eine ganz besonders, und da schießt sie auch schon hinter einer Spindtür hervor. Rennt auf mich zu und schließt mich in ihre Arme. Inge. Inge Müller-Wurz, meine Eso-Krankenhausbettnachbarin. Inge, die am Waschbecken lag, die Inge mit dem schönen Ehemann Sebastian und dem mickrigen Sohn. Samuel David Konstantin. Inge war im Krankenhaus nicht das, was man meine beste Freundin nennen könnte. Aber besser eine Bekannte als nichts. Wir herzen uns ab, als wären wir Zwillinge, die nach der Geburt getrennt wurden und sich nun in einer dieser unsäglichen Überraschungsshows wieder treffen. »Ja, das ist lustig«, meint Inge, »so schnell sieht man sich wieder. Ich hätte ja nie gedacht, dass du hier bist. Nee, so was.«

Ich weiß zwar nicht, warum es so irre lustig und erstaunlich ist, dass ich hier bin, aber sei's drum. Ihr Sohn hat sich nicht großartig verändert. Er war eines dieser mickrigen Babys. Die, wenn man gemein ist, ein bisschen aussehen wie Tiefkühlhühnchen. Ist mir schon damals gleich aufgefallen. Er ist immer noch mickrig. Und pickelig. Wahrscheinlich muss er schon jetzt selbst geschrotetes Müsli zum Frühstück essen. Armer Kerl. »Ist er nicht irre ausdrucksstark?«, fragt mich Inge. Ausdrucksstark! Haben die Pickelchen eine Botschaft, oder was meint die? Ist es Blindenschrift? Er, in Wirklichkeit eine lebende Kurzgeschichte? Ich nicke freundlich. Ohne Kommentar. Es fällt mir schlicht keiner ein. Jedenfalls keiner, der unsere zart aufkeimende Freundschaft nicht sofort abrupt beendet hätte.

Wir sind zehn Frauen mit ihren Kindern. Tatsächlich, kein einer Kerl ist dabei. Wie die das immer schaffen, sich vor so was zu drücken. Hut ab, das muss man erst mal hinkriegen.

Ich bin schnell umgezogen, aber ratlos, was ich mit Claudia machen soll. »Windel aus, Unterwäsche wieder an«, erkennt eine Kursteilnehmerin meine Unsicherheit. Aha. »Damit kein Kacka im Wasser landet«, fügt sie mit einem Grinsen erklärend hinzu. Schlau, sonst könnten wir ja gleich in einer Kläranlage schwimmen.

Claudia schreit mal wieder. Ist sie hyperaktiv oder nur eine Schreiliesl oder vielleicht eine Wasserphobikerin mit düsteren Vorahnungen? »Jetzt sind wir hier, Mama hat einen neuen Badeanzug, und jetzt wird auch geschwommen, mit Geschrei oder ohne«, ermahne ich meine Tochter. Das wäre ja noch schöner.

»Auf, auf, die Damen, das Wasser wartet nicht gerne«, kommt eine kernige Stimme vom Beckenrand. Wer ist denn der Typ? Der Bademeister? »Kennst du den?«, frage ich Inge. »Logo«, strahlt sie, »das ist der Ede, der Kursleiter. Ede Tatschler. Ein toller Typ. Und so verständig. Meine Freundin Jasmin war mal mit dem zusammen. Ich sage nur oh, là, là.«

Na, das fehlt mir ja gerade noch zu meinem Glück. Ein Oh, là, là-Mann, der noch dazu recht lecker aussieht, leitet das Babyschwimmen. Auf die Idee wäre ich nie gekommen. Reflexartig versuche ich, meinen Bauch im lila Badeanzug etwas einzuziehen. Das Fett wehrt sich. Will nicht.

Nichts wie ins Wasser, möglichst bis zum Kopf, damit er das Elend nicht gleich ganz sieht.

Das Wasser ist tatsächlich piwarm. Dass es nicht gelb ist, wundert mich. Schließlich finden hier dreimal die Woche Babyschwimmkurse statt. »Nicht dran denken, nicht dran denken«, bekämpfe ich meinen leise aufkommenden Ekel. Claudia schreit weiter. Während ich sie auf Ede Tatschlers Anweisung ganz sanft durchs Wasser schwinge, habe ich Zeit, die anderen Frauen einer genaueren Musterung zu unterziehen. Du meine Güte, sind die alle schon dünn! Ein stummer neunköpfiger Vorwurf. Oder ist das hier der Kurs für Adoptivmütter? Normalerweise sagt man, Konkurrenz belebt das Geschäft, diese Art der Konkurrenz hat auf mich allerdings eine eher lähmende Wirkung. Ich bekomme schlagartig Hunger. Obwohl ich mühelos nur aus den Fettreserven meines linken Oberschenkels vier Monate überleben könnte. Nicht zu ändern.

Ede Tatschler ist symphatisch. Und hat lustige Löckchen, die sich über dem Bund seiner klassischen dunkelblauen Badehose kringeln. Löckchen, die Phantasien wecken, die quasi verheirateten Jungmüttern nicht erlaubt sind. Phantasien, die ich in letzter Zeit so gar nicht hatte. Die aber eigentlich Spaß machen. Unser Schwimmlehrer sieht aus wie ein gealterter Sportstudent, der sich erstaunlich frisch gehalten hat. Und magische Hände hat er. Findet jedenfalls meine Tochter Claudia. »Lassen Sie mich mal«, nimmt er mir Claudia, die seit der Umkleide am Stück schreit, ab.

Sanft legt er sie auf seine Hand, eine riesige braun gebrannte Hand, auch mit zarten Härchen, und schwingt sie hin und her. Sie mag es. Hebt ihr Köpfchen und sieht zum Fressen süß aus. »Ein hübsches Kind«, sagt er lächelnd, als er sie mir wieder übergibt. Er ist wirklich sehr sympathisch. Ich habe es doch gleich geahnt. Die anderen gucken ganz neidisch. 1:0 für mich. Claudia schneidet hier um einiges besser ab als ihre Mutter. Vom Anfangsgeschrei mal abgesehen. Mittlerweile wirkt sie ganz entspannt, und wenn das so weitergeht, hat sie in ein, zwei Jahren bestimmt schon ihren Rettungsschwimmer. Ob die Kinder hier, nach Beendigung des Kurses, auch so nette Aufnäher für die Badehose kriegen wie wir früher? Freischwimmerabzeichen, was war ich da stolz. Ich hätte es mir am liebsten auf die Stirn getackert.

Zwanzig Minuten dauert der Kurs. Am Ende müssen wir singen. Im Kreis laufen und singen. Wassertreten à la Kneipp. »Alle meine Entchen.« Was soll's – ich wusste ja, dass es kein Thomas-Mann-Seminar für Fortgeschrittene ist. Und den Entchen-Text kann nun mal jede.

Das Anziehen hinterher dauert länger als das Schwimmen. Ich habe vergessen, einen zweiten Body mitzunehmen, die Windel will nicht so wie ich, und bis ich Claudia einigermaßen verpackt habe, bin ich am ganzen Körper so lila wie mein Badeanzug. Nahezu erfroren. Aber – erstens fallen meine neusten Krampfadern dadurch kaum auf, und zweitens bin ich eine Mutter und weiß, was sich gehört. Besser ich friere als mein kostbar Erpresstes.

»Hast du noch was vor, sonst komm doch auf einen Roibuschtee mit zu mir«, lädt mich Inge ein. Wieso eigentlich nicht? Ob ich mich mit Inge oder allein langweile, ist wurscht. »Gerne«, antworte ich und lasse mir schnell noch erklären, wo Inge wohnt. Ede verabschiedet uns, und ich schenke ihm noch mal eines meiner bezauberndsten Lächeln. So angezogen fühle ich mich doch erheblich besser. Er lacht zurück. Ich glaube, er findet mich gut. Wie der guckt. Wow. Da geht man für die Kindsmotorik schwimmen und heimst nebenbei Komplimente ein. »Geht doch, Schnidt«, denke ich mir, »war doch eine feine Idee, die Sache mit dem Schwimmkurs.« Wie so oft im Leben sind Dinge, auf die man keinerlei Lust hat, nachher richtige Highlights. Ich fühle mich prima und schaffe es sogar, mir den Anruf in Christophs Kanzlei zu verkneifen. Soll er doch anrufen, wenn er wissen will, wie seine Tochter schwimmt. Bay Watch, wir kommen! Auch ohne Christoph.

Nicht mal der Strafzettel ärgert mich.

Inge wohnt genau so, wie ich es mir vorgestellt habe. Dritter Stock, Altbau. Eine Riesenwohnung. Wohngemeinschaft. »Wir sind zu sechst«, klärt sie mich auf. »Sebastian, Samuel und ich, die Rita, die Klara und der Bernd. Die Rita und der Bernd waren mal zusammen, bevor der Bernd gemerkt hat, dass Sex an sich überbewertet ist, und die Rita nach zwei Jahren Enthaltsamkeit Schluss gemacht hat. Sebastian, also Samuels Papa, war auch mal mit Rita zusammen, aber das ist schon ewig her. Das lief von der kosmischen Seite her schlecht. Und die Aszendenten der beiden haben auch null gepasst, war klar, dass das schief gehen musste. Jeder von uns hat sein Zimmer und den Rest benutzen wir zusammen.« Hmhm. Die Rita muss ja ein flotter

Käfer sein. Bernd und Sebastian vernascht und wohnt weiter munter mit ihren Exen zusammen. Ich könnte das nicht. Ständig meine Exfreunde um mich rum. Sehen, was die so treiben. Nee. Und was bedeutet »den Rest benutzen wir zusammen«? Schließt das auch die Menschen ein? Treibt's hier jeder munter mit jedem? Unappetitlich, aber spannend.

Wir setzen uns an den Küchentisch. »Alles Feng-Shui-ausgerichtet, merkst du wie klasse hier die Energie fließt?«, belabert sie mich, während sie ihren Roibuschtee aufgießt. Inge ist das lebende Komplett-Esoterikseminar. Aber es ist trotzdem nett, mal mit jemand anderem als meiner Mutter oder Schwiegermutter zusammen zu sein. Inge findet ihr Leben mit Samuel dufte. Alles läuft toll. Er ist *die* Bereicherung. Bei so viel Euphorie traue ich mich kaum zu sagen, dass mir oft die Decke auf den Kopf fällt, mich mein Kind sogar manchmal nervt und ich nicht sicher bin, ob ich zum Muttersein geboren bin. Also finde ich, Inge zuliebe und um meinen Ruf nicht zu ruinieren, auch alles toll.

Samuel David Konstantin hängt in einem Tuch vor Inges Bauch. »Körperwärme rund um die Uhr, das ist das A und O, Kinder müssen sich geliebt fühlen, sonst kann man es gleich vergessen«, plaudert sie munter vor sich hin, »wir tragen Samuel immer. Entweder Sebastian oder ich. Zur Not auch mal die Rita. Aber das ist natürlich eigentlich nicht gut. Eltern senden andere Signale, riechen auch anders. Und das mit deinem Kinderwagen, also, es geht mich ja nix an, aber das solltest du dringend überdenken. Die vereinsamt da ja völlig, deine Claudia. Wie soll die denn später 'ne funktionierende Beziehung führen? Da legst du jetzt den Grundstein, denk dran, das erste Jahr ist entscheidend«, hält sie mir eine Erziehungsansprache. Ich bin baff. Claudia wird vielleicht vereinsamen, aber dafür wird ihr Samuel Muttersöhnchen oder Klammeraffe. Sind wir Kängurus, oder wer hat sich den Beutel-Tuch-Kram ausgedacht? »Alle Afrikanerinnen tragen ihre Kinder so«, erahnt sie meine innerlichen Abwehrmechanismen. »Weil sie mit den Händen die Krüge voll mit Wasser auf ihrem Kopf halten müssen, wir haben fließend Kalt- und sogar Warmwasser«, wage ich einen klitzekleinen Konter. Als heitere Gesprächskomponente, denn Gegenwehr bringt nichts. Menschen wie Inge reden einen sonst noch zu Tode. Ich kenne ihr missionarisches Gehabe ja noch zu gut aus dem Krankenhaus. Inge ist einer der wenigen Menschen, die ich kenne, die auch stundenlang über blockierte Därme und daraus entstehende Schäden sprechen können. Mit den Inges dieser Welt hat man immer das Gefühl, die Welt ist voller Fallen, und man macht grundsätzlich alles falsch. Außer man ist Inge und weiß Bescheid, oder man hört wenigstens auf Inge.

Der Tee ist heiß, das ist aber auch schon das Beste, was man über ihn sagen kann. »Hast du vielleicht einen Hauch Süßstoff«, bitte ich Inge. Sie schaut mich an, als hätte ich sie gebeten, jetzt auf der Stelle animalischen Fesselsex in Latexklamotten mit mir zu haben. Es folgt eine lange Abhandlung über Süßstoff an und für sich. Ende vom Lied: Sie hat nur Honig.

Das Komische am Muttersein ist, dass man sich sogar mit Frauen versteht, mit denen man sonst so gar nichts gemein hat. Die kleinen Kerlchen bringen Gemeinsamkeit. Eine

Woge der Solidarität schwappt über mich. Ich glaube, ich mag Inge. Das Missionarische an ihr überhöre ich, denn zwischendrin hat sie echt gute Geschichten auf Lager. Vor allem über meinen neuen Schwarm, Schwimmlehrer Ede Tatschler. «Der Ede hat so was von Schlag bei den Frauen, der gräbt und baggert alles an, was nicht bei drei auf den Bäumen ist – oder besser gesagt unter Wasser«, kichert sie. »Und du? Hattest du schon mal was mit dem Ede?«, traue ich mich und schiebe ihr die indiskrete Frage unter. Sie lacht: »Na ja, nicht so direkt. Aber irgendwie schon. Also so ein bisschen.« Eine wahrhaft kryptische Antwort, die meine Neugier aber nicht ausreichend befriedigt. Was soll das heißen: Nicht direkt, aber irgendwie schon? Bedeutet das wildes Geknutsche oder gar schon zartes Petting mit Anfassen der entscheidenden Stellen? Ich gucke fragend. »Keine Schlüpfrigkeiten am Nachmittag, erzähle ich dir vielleicht mal bei Gelegenheit«, enttäuscht sie mich. »Aber eins, das kann ich dir sagen, der greift schon an, da hast du ihn noch gar nicht gesehen. Vorsicht. Und dann, ja dann geht's ran, und dann lässt er die Frauen sitzen. Deshalb kommen auch viele nicht mehr zum Schwimmkurs. Weil sie den Ede nicht mehr ertragen können. Der bricht die Herzen wie andere Haselnussschalen.« Sie seufzt. Was für ein Vergleich. Herzen wie Haselnussschalen. Gut, bei patentierten Müsliessern vielleicht adäquat. Aber warum hat sie mir das jetzt erzählt? Sieht sie mich als gefährdetes Opfer? Hat sie gemerkt, dass er mich toll findet? Mich geradezu angeschwärmt hat? Will sie ihn mir madig machen? Meinen Erfolg mindern?

Dann will ich das alles gar nicht hören. Das Kompliment hat mir schlicht gut getan. Genau genommen war es ja ein

Kompliment für meine Tochter. Aber wenn er sie hübsch findet, ist das indirekt sicher ein Lob an mich. Wenn ich für das Gebrüll verantwortlich bin, dann bitte auch fürs Hübschsein. So viel Gerechtigkeit muss das Muttersein schon bieten.

Claudia schreit. Ich habe kein Fläschchen mehr, schließlich war der Besuch ja nicht vorgesehen. Und jetzt? Inge bietet an, Claudia eben mitzustillen. »Wenn's für dich okay ist, gönn ihr doch mal was«, ermuntert sie mich und schiebt sofort den Pulli hoch. Ich gönne es Claudia nicht. Das geht zu weit. Ich bin nun mal keine Fürstin, und Inge ist nicht meine leibeigene Amme. »Nee, lass mal«, lehne ich freundlich ab, kann aber nicht anders, als entsetzt auf ihre Brüste zu starren. Die sehen aus, als würde Inge nicht nur den zarten Samuel Konstantin David damit beglücken, sondern zusätzlich noch die Raubtierabteilung der gesamten bundesdeutschen Zoos. Die Brustwarzen ein stilles Mahnmal für Mitgenommenheit und mütterliche Opferbereitschaft. »O mein Gott«, entfährt es mir. Zerklüftet und leicht blutig. Muss ich das Amnesty International melden? »Tja, das sind Schmerzen, aber da muss man durch. Man weiß ja wofür. Links, guck mal, da habe ich sogar fast eine Brustentzündung«, sie klingt nahezu stolz. »Mein Arzt wollte mir glatt Antibiotika verschreiben, aber nicht mit mir, habe ich gesagt, nicht mit mir. Die Frau von der La-Leche-League, der Stillliga also, hat mir dann verraten, wie man es auch so überleben kann. Sehr heiß duschen und die schmerzenden Stellen ausmassieren. BH oft wechseln und total auf Hygiene achten. Die Rita hat mir dann noch so 'ne Yoga-Übung empfohlen, Füße hoch, Kopf runter. Ich schlafe viel, trinke viel, aber natürlich keinen Kaffee.« Natürlich. »Gut tut auch, eine Wärmflasche aufzulegen und die Kleinen so oft es geht dranzulassen. Ich lege den Samuel eigentlich fast stündlich an.« Hobbys braucht Inge bei dem Programm sicher keine mehr. Ich habe mich oft dafür geschämt, dass ich nicht stille, jetzt ist es ein herrliches Gefühl. Im Selbstquälen bin ich nicht die Beste. Die Geburt hat mir eigentlich für den Rest meines Lebens gelangt. Masochismus soll ja Fans haben, ich gehöre definitiv nicht dazu.

Stillliga. Bisher kannte ich nur die Bundesliga. Faszinierende neue Welt. Wenn ich so über Stillliga nachdenke, fällt mir mein Christoph ein. Von dem hat sein Vater immer gesagt: »Hör ma, Andrea, der Bub, des glaubst de net, wenn mer den moins weckt, der rührt sich net. Erschreck dich net. Auch beim Schlafe – bewegungslos. En rischtische Stilllieger is des.« Damals konnte ich mit dem Wort nicht viel anfangen. Stillliga. War mir auch egal, dass der Christoph nachts wirklich erstaunlich still liegt. Hauptsache, er zeigt Mobilität bei den Tätigkeiten vor dem Schlafen. Das habe ich Rudi natürlich nicht gesagt.

Selbst Claudia hat aufgehört zu schreien. Es scheint, auch sie ist entsetzt von dem, was sie hier zu sehen bekommt. Inge hingegen meint, Claudia rieche die Muttermilch, und schiebt noch schnell einen klitzekleinen Vortrag über die erheblichen Vorteile von Muttermilch gegenüber Flaschennahrung hinterher: »Du züchtest dir eine Allergikerin mit fehlendem Urvertrauen heran, ich hoffe das hast du bedacht …« Das Schlimme: Vieles von dem, was sie mir da erzählt, stimmt wahrscheinlich, aber ich wollte schlicht nicht stillen. War bestenfalls das, was man als unentschlossen bezeichnen könnte. Meine Schwester hat sich damals direkt bös aufgeregt: »Mutti hat uns auch gestillt. Und ich habe die Desdemona selbstverständlich auch ein halbes Jahr gestillt. Das sind Traditionen. Und du trittst sie mit Füßen.« Schweres Atmen und bedeutungsvoller Räusper. Birgit, meine Schwester, hat stellenweise wirklich Sinn für Dramatik. Die Tradition mit Füßen treten. Als wäre ich die Erste im Schnidt-Klan, die zum Islam übertritt, ab jetzt verschleiert durchs Leben rennt oder Ostern kein morgendliches Eierdotzen beim Frühstück mehr macht. Nach ihrem salbungsvollen Vortrag war ich dann erst recht lustlos, was das Stillen angeht. Endlich war mein Moment gekommen, und ich konnte mich mal gegen meine große Schwester auflehnen. Miss »So macht man alles richtig« und Miss »Hier geht's lang« und Miss »Wo ich bin, da ist vorne«. Nach meinem Nein war sie nur noch Miss »Dumm gucken mit offenem Mund«. Ätsch. Außerdem bin ich tief in meinem Inneren eine erbärmliche Egoistin, die ihre Brüste am liebsten für sich hat. Oder für ein paar Auserwählte in meinem Alter. Nicht zuletzt gefiel mir der praktische Gedanke, dass Christoph dann auch mal aufstehen und unsere Tochter verpflegen kann. Was er allerdings eher selten tut. Weil er angeblich nichts hört. Nachts veranstalten wir regelrechte Wettkämpfe, bei denen beide beteiligten Parteien aber so tun, als wären sie nicht am Start. Das Szenario ist folgendes: Claudia schreit. Ich warte, liege still und hoffe, Christoph steht auf und macht ein Fläschchen. Er stellt sich tot. Wer zuerst mangels Geduld aufgibt oder das meiste Mitleid hat, steht auf und hat den Wettbewerb damit leider verloren. Meistens bin ich es. Ich werde vom Schreien nämlich sofort wach. Christoph kann es perfekt in seinen Schlaf integrieren. Ich glaube, er hört es manchmal wirklich nicht. »Dann weck ihn, weise ihn auf seine Vaterpflichten hin«, hat mich meine Freundin Heike aus München ermahnt. »Wenn du jetzt schwächelst, prägt das die Arbeitsaufteilung für die nächsten Jahre.« Sie hat Recht, wie meistens, und ich habe es auch zwei-, dreimal probiert. Das mit dem Wecken. »Christoph, deine Tochter ist wach. Ich glaube sie hat Durst oder will ein bisschen Wohnungs-Sightseeing machen«, habe ich ihn sanft an seine vorgeburtlichen Versprechungen erinnert. Bis der wach war oder jedenfalls nicht mehr hartnäckig so getan hat, als ob er noch schliefe, das hat gedauert. Und dann war er richtiggehend beleidigt. »Was soll denn das, du warst doch eh wach. Was bringt das jetzt, dass ich auch noch mitten in der Nacht senkrecht im Bett stehe. In der Zeit hättest du sie doch schon längst gefüttert. Moin muss ich für Recht und Gesetz kämpfen. Und ich kann's dir doch eh nie recht machen.« Da ist leider was dran. Nicht an dem Recht-und-Gesetz-Gesülze, aber es stimmt, ich habe Schwierigkeiten, entspannt im Bett liegen zu bleiben, wenn Christoph sich zwei Zimmer weiter einen abwurschtelt. Obwohl ich insgeheim den Verdacht habe, dass er sich genau deshalb so doof anstellt. Damit ich angeschlurft komme, motze, ihm Claudia abnehme und er dann wie der aufopferungsvolle, aber verschmähte Superpapi wieder unters warme Plumeau kriechen kann. Dabei weiß ich natürlich, dass solches Verhalten grob fahrlässig ist und man sie machen lassen muss. Ihnen was zutrauen. Aber das ist leicht gesagt mit dem Zutrauen, gerade wenn man den Kerl kennt. Außerdem neige ich zu dem typisch weiblichen Gefühl, nur ich könnte alles perfekt und kindgerecht erledigen. Wie sagt meine Mutter immer so schön: »Eine Mutter ist eben eine Mutter, Emanzipation hin oder her.« Jetzt zitiere ich schon meine Mutter. Nicht mehr lange, und ich rede den gleichen Mist.

»Was ist jetzt, soll die verhungern, deine Süße«, reißt mich Inge aus meinen selbstherrlichen Gedanken.

Wir machen uns schleunigst auf die Socken. »Komm doch nächste Woche mal vorbei, Dienstag am besten, da ist hier Treff. So um drei.« Sie packt obenrum wieder ein. »Obwohl Frischluft das Beste für sie ist«, tätschelt sie nochmal an ihren Brüsten rum. »Aber ich muss noch ’ne Kleinigkeit einkaufen gehen.« Dienstag, so um 15.00 Uhr. Warum eigentlich nicht? So voll ist mein Terminkalender ja zurzeit nicht. Obwohl ich mich beschäftigt fühle wie nie.

Claudia schreit. Im Auto fällt sie allerdings nach zehn Minuten endlich in den wohlverdienten Schwimmschlaf. Uff. Nachts träume ich von Ede, seinem lockigen Flaum über der Badehose, und habe am nächsten Morgen ein schlechtes Gewissen. Aber nur ein ganz kleines. Denn unangenehm war der Traum nicht gerade. Hhm. Lecker – und so kalorienarm.

Montag, 17.40 Uhr

Das Sams hat Claudia gefallen. Sie will auch Wunschpunkte im Gesicht. Und das bitte sofort. Gut, wenn es das Kind glücklich macht. Ich male ihr mit dem Augenbrauenstift Wunschpunkte. Jetzt muss ich noch Frau Rotkohl sein, und dann ist Claudias Welt in Ordnung. Auch mit kleinen Sachen kann man Kindern Freude machen. Männern auch. Ich koche Spaghetti, Christoph freut sich und bestätigt meine These, dass man mehr Aufmerksamkeit mit weniger und unregelmäßigeren Dienstleistungen erhält. Überraschungseffekt. Was ich damit meine: Jeden Abend ein restauranttaugliches Drei-Gang-Menü, Kerzenleuchter und Stoffservietten werden von Männern meist nicht wirklich gewürdigt. Im Gegenteil: Kommen sie einen Abend nach Hause und man hat es mal nicht geschafft, sind sie entsetzt und enttäuscht, weil man in den Wochen zuvor Standards gesetzt hat. Verwöhnte Männer werden schnell unbescheiden. Also Vorsicht. Mein Christoph freut sich auch über Spaghetti. Selbst über die von Miracoli. Gerade über die. Er mag die Sauce so gerne. Ich weiß bis heute nicht, welche Würzzaubermischung da drin ist, aber ich kenne fast niemanden, der Miracoli nicht mag. Beim Abendessen muss er Herrn Taschenbier geben, ich die Rotkohl, und die Sams-Besetzung ist nahezu komplett. Ich fühle mich wie die Bilderbuchmutter: Arbeiten, Theaterbesuch und lecker Essen zubereitet, und es wird ein richtig schöner Abend. Ich bin wie ein Positiv-Beispiel aus einer Elternzeitschrift. Bis ich Claudia die Samspunkte entfernen will. »Die werden weggewünscht«, erklärt sie kategorisch und zornrot, so als hätte ich die nachmittägliche Kindertheater-Aufführung nicht verstanden. Sie beruhigt sich erst, als ich ihr erlaube, dann eben mit Wunschpunkten ins Bett zu gehen.

Konsequenz ist mein Erziehungsziel, schwache Nerven sind das Hindernis. »Wer einmal nein sagt, muss das einhalten. Nachgeben ist der Anfang vom Ende«, meint meine Mutter. Wieder mal ist also das Ende sehr, sehr nah. Wegen ein paar klitzekleiner Wunschpunkte. Nur welches Ende eigentlich? Das der Zivilisation? Der Erziehung an und für sich? Was wird passieren, wenn ich ab und an nachgebe? Wird das Kind Fingernägel kauen, andere hauen oder am Ende noch den Drogen verfallen? Ist es vielleicht schlauer, erst gar nicht so dermaßen viel zu verbieten, statt dann doch zu schwächeln? Ähnlich verhält es sich mit Drohungen. Meine Schwester Birgit fährt gern mal richtige Geschütze auf. Nach dem Motto: ›Wenn du jetzt weiterschreist, dann lässt dich die Mami hier stehen‹ oder ›… dann gibt dich die Mami bei der Schreipolizei ab‹. Natürlich passiert das nie, denn so vermessen ist nicht mal meine Schwester, dass sie ihr Kind einfach im Supermarkt stehen lassen würde. Und die Schreipolizei nimmt ihr nicht mal mehr ihre Desdemona ab. Unglaubwürdige Drohungen, die niemals zum Einsatz kommen, bringen nichts. Weil die Kinder das, wie alle anderen auch, merken. Deshalb habe ich mich auf realistischere Drohungen verlagert: zwei Tage kein Fernsehen, ohne Geschichte ins Bett, keine Kassette mehr hören oder Lackschuhverbot. Das kann man dann als Mutter auch durchsetzen. Obwohl Drohungen generell kein anerkanntes Erziehungsmittel sind. Mir ist allerdings unklar, wie andere Mütter ohne zurechtkommen.

Diskutieren die alles aus? Mit ihren Dreijährigen? Oder hauen die? Hauen konnte ich bisher vermeiden. Selbstverständlich lehne ich Gewalt in der Erziehung ab. Wo kommen wir denn da hin? Allerdings, Drohungen habe ich in der Theorie auch abgelehnt. Vor der Geburt nimmt man den Mund ja schnell mal ganz schön voll. Was man da alles plant. Wie man alles machen wird. Wie sanft und liebevoll. Und wie viel besser als alles je Dagewesene.

In den Prämuttergedanken sind Kinder allerdings auch zauberhafte Wesen, nie biestig, frech oder nervig. Geben keine patzigen Antworten, rufen nie unverschämtes Zeug oder geraten in anfallartige Zustände an Supermarktkassen.

Im Bett hätte ich übrigens auch gern mal Wunschpunkte. Zwei Erwachsene und ihre Bedürfnisse unter eine Bettdecke zu kriegen, ist nicht immer leicht. Vor allem nach Entbindungen. Vor dem ersten Mal danach hat es mir fast mehr gegraut als vor dem ersten Mal überhaupt. Und das war wahrlich kein Highlight in der Geschichte der Sexualität:

Nach dem Schnitt und den Schmerzen wollte ich die gesamte Unterleibsregion am liebsten zu lebenslangem Sperrgebiet erklären. Vermintes Gebiet. Betreten und Betatschen verboten. Bitte halten Sie sich fern. Ab Nabel runterwärts – Erkundungsverbot.

Christoph war geduldig. Bedingt geduldig. Eine Weile. »Hör mal, ich kann nicht Tag und Nacht kalt duschen, irgendwann muss es mal wieder losgehen, ich weiß ja kaum mehr, wie es geht«, hat er liebevoll insistiert, nachdem ich auf seine abendlichen Sofaattacken eher verhalten reagiert habe.

In der Endphase der Schwangerschaft war es umgekehrt. Da wollte er nicht mehr. Ich war zwar für akrobatische Einlagen auch nicht mehr zu haben, aber die Klassik-Nummer hätte mir schon noch Spaß gemacht. Oder die seitliche Variante. »Das bring ich nicht«, hat er mir gestanden, »der Gedanke, unser Kind ständig an den Kopf zu poppen, nee, also das ist nichts für mich.« Ich war verständnisvoll. So sind wir Frauen eben. Wer will schon den Liebsten traumatisieren? Und: Muss Frau ihre Triebe aus Rücksicht nicht auch zügeln können? Jetzt stellt der sich umgekehrt so an. Undankbares, vergessliches Stück. Dabei gibt es angeblich Männer, die ihr ganzes Leben lang Verzicht üben. Und meiner macht nach zwei Monaten schon Affenzirkus. Tut so, als wäre die Enthaltsamkeit, selbst die partielle, lebensbedrohend. Es soll ja Männer geben, die nach einer Geburt überhaupt nicht mehr wollen. Wegen der Geburt. Und Frauen, die deswegen nicht wollen, dass ihre Männer zur Geburt mitkommen. »Ich will sexy für ihn bleiben, das leidenschaftlich schöne Wesen, und nicht eine gequälte, wenig anziehende leidende Gebärerin, deren Muschi Ausmaße einer mittleren Garagentoreinfahrt erreicht«, hat mir mal Sabrina, eine aus dem Vorbereitungskurs, ihre Entscheidung gegen den Mann im Kreißsaal plausibel zu machen versucht. Die Argumentationskette hat mich nicht überzeugt. Klang mir nach perfekter Ausrede für männliche Kreißsaalabstinenz. Ich finde, dass die, die einem die Sache einbrocken, wenigstens sehen sollten, was für ein mühsames Geschäft sich daraus entwickelt. Die meisten Männer sind danach auch einigermaßen beeindruckt.

Und außerdem: Ich glaube, die Trennung zwischen der leidenschaftlich Lust schenkenden, sexy Geliebten und der Rauspresserin gelingt Männern bestens. Ihre mangelnde Hirnhälftenvernetzung (nicht von mir, sondern aus dem »Spektrum der Wissenschaft«!!) hilft dabei natürlich immens. Männer können Geburtserlebnisse viel besser verdrängen als Frauen. Wen wundert's. Schließlich haben sie es ja nicht selbst rausgepresst. Obwohl es einige gibt, die danach auf den Putz hauen, dass man denken könnte, sie hätten die Hauptarbeit erledigt. Kurt, mein Schwager, ist so ein Exemplar: »Die Birgit hätte ohne mich mit Sicherheit aufgegeben. Da ging es erst wieder voran, als ich ein bisschen strenger wurde und gesagt habe: Jetzt gib aber mal Gas und streng dich mal richtig an. Andere wären längst fertig.« Phantastisch. Kurt, der Held. Ohne ihn wäre das Kind wahrscheinlich heute noch drin. Das Witzigste: Selbst Birgit, meine große Schwester, findet, dass Kurt bald mehr als sie geleistet hat. »Was der mich ermuntert, angespornt und ermahnt hat. Also ohne Kurt, da hätte ich ein Problem gehabt.«

Ich hätte eins mit Kurt. Aber mein Schwager ist sowieso ein Thema für sich. Kurt ist nämlich die Reinkarnation von Superman. Kurt kann alles und weiß alles. Kurt guckt auch jede Quizshow und war auf der Couch schon mehrfach Millionär. Meine Schwester betont bei jedem Familientreffen, was für ein Bombenkandidat ihr Kurt wäre, und strahlt dabei so stolz, dass man denken könnte, Kurt hätte soeben den Nobelpreis in mehreren Fachbereichen abgeräumt. »Dann bewirb dich doch«, habe ich ihm vorgeschlagen. Kurt würde ja auch, wenn da nicht das Problem mit dem Telefonjoker wäre: Wen soll er anrufen, es gibt niemanden, der mehr weiß als er. So einer ist Kurt. Egal, wie das Problem heißt: Kurt kennt die Lösung. Dabei spielt es keine Rolle, ob es um Marathonlauf, Gentechnik oder Badezimmerfliesen geht. Kurt ist Universalgenie und geht einem damit gewaltig auf den Keks. Christoph findet meine Animositäten lächerlich. »Der ist doch ein netter Kerl. Und passt doch auch perfekt zu deiner Schwester. Die gibt doch mindestens genauso an. Liegt irgendwie bei euch in der Familie.« Derartige Äußerungen sind ja wohl das Hinterletzte. Nicht, dass meine Schwester keine Angeberin wäre, aber wenn überhaupt, darf nur ich so was sagen. Nicht Christoph. Meine Familie beleidige ich schon gerne selbst. Tun es andere, werde ich zur Furie. Wir streiten uns, letztlich nur wegen Kurt, drei Stunden lang. Seine Familie gegen meine. Wer hat mehr Idioten und wenn ja, warum. Gemein ist, dass Christoph Einzelkind ist und ich deswegen nur an seinen Eltern rumnörgeln kann. Obwohl ich sie eigentlich mag. Sicher, sie sind keineswegs Intellektuelle, genauso wenig wie ich, aber patent, freundlich und hilfsbereit sind sie schon. Theoretisch ist meine Mutter auch sehr hilfsbereit. Wenn es aber wirklich drauf ankommt, hat sie leider schon einen Fußpflegetermin. Tja, im Leben muss der Mensch eben Prioritäten setzen. »Außerdem«, sagt meine Mutter gern, »ist es mein oder dein Kind? Ich hatte schon dreimal selbst das Vergnügen. Das hat mir gelangt.« Damit hat sie sicherlich Recht. Trotzdem: Wenn ich babysittermäßig auf dem Schlauch stehe und meine Mutter mir mit ihrer Hornhaut kommt, dann muss ich mich ziemlich zusammenreißen.

Zurück zum Sex. Drei Monate nach der Entbindung war es dann so weit. Ich habe mir im Laufe des Abends ein Fläschchen Prosecco in den Kopf gehauen. Als Christoph ins Bett geschlüpft ist, lag ich schon da. Neckisch drapiert. Nackt. Ehrlich gesagt: mit eingezogenem Bauch. Rund ums Bett habe ich Kerzen angezündet, schon weil ich auf die grelle Deckenbeleuchtung in meinem momentanen körperlichen Zustand wenig Lust hatte. »Hast du Hitzewallungen, oder bin ich mal wieder dran?«, hat er neugierig gefragt. Geschmacklos! Hitzewallungen. Und das mit dem »Dran sein« ist ja wohl das Allerletzte. Impliziert gleich den Vorwurf, dass er es, nach der Warterei, nun mehr als verdient hat. Schnidt, jetzt keine Zickerei, du hast alles eins a vorbereitet, heute ist es so weit.

»Komm her, mein Süßer«, raune ich mit leiser Stimme. Soll ja sexier klingen. »Wat mut, dat mut«, seufzt er wenig charmant, zieht sich in Rekordzeit aus und wirft sich neben mich. Die Socken hat er allerdings vergessen. Christoph ist ein Sockenschläfer. Da hilft alle Nörgelei nichts. »Ich verkühl mich doch nicht, nur weil du Socken im Bett unerotisch findest. Sind wir zwei vielleicht Fußfetischisten?«, hat er mich zu überzeugen versucht. »Bitte«, bettle ich, »auch die Socken.« Ich mache mein Schmollmundgesichtchen, was mit nicht aufgespritzten Lippen gar nicht so leicht ist. Er lässt sich erweichen. Und tatsächlich, als er so ganz ohne daliegt, keimt etwas wie Lust auf. Wir knutschen erst mal ausgiebig. Christoph war von Anfang an ein talentierter Küsser. Manche sabbern sich da ja was weg, dass man denken könnte, sie wären Hunde und man selbst das Schnitzel. Jetzt kommen seine schönen Hände zum Einsatz. Uih. Es macht Spaß. Gefällt mir. Gut, dass ich nicht stille. Bei der Brust-Intensivbehandlung hätte Christoph sicherlich schon die Kalziumration für die nächste Woche intus. Als es an die unteren Regionen geht, werde ich ein wenig nervös. Aber Christoph ist vorsichtig. »Tu so, als wäre ich eine zarte kleine Jungfrau und du der erste Mann in meinem Leben«, bitte ich ihn. »Kein Problem«, kichert er, »vor allem das mit dem zart und klein«, und zwackt mich demonstrativ in meinen Oberschenkel. Depp.

Aber es funktioniert. Und ist lange nicht so schlimm wie erwartet. Im Gegenteil, es ist ein eher erfreuliches Erlebnis. Sanft schaukeln wir uns in der Erregung. Uff, wir können es noch. Alles läuft prima. Bis, ja bis Christoph auf einmal grässlich schreit. Das hat er noch nie. Lockt die Ekstase dermaßen animalische Töne aus ihm raus? Liegt es daran, dass er seine Libido so lange zügeln musste? Oder ist Sex mit einer Mutter eben aufregender?

Weit gefehlt. Er hat seinen sockenlosen Fuß in eine der Kerzen gehalten. Es riecht auch etwas streng. Sofort ist alles beendet. Der Mann an meiner Seite rennt zum Badezimmer und wimmert vor sich hin: »Mein Zeh, mein Zeh, total verkohlt.« Das allerdings ist total übertrieben. Der Fußzeh ist ein bisschen rot, aber er stellt sich an, als wäre er frisch frittiert. »Ich kann nie mehr Sandalen tragen«, jammert er. Als wäre das ein Drama, wenn Männer keine Sandalen tragen können. Er gebärdet sich, als wäre er Fußmodel und seine Einnahmequelle mit einem fürchterlichen Unfall für immer zunichte gemacht. »Wenn mir der Zeh abfällt, ach, hätte ich doch bloß die Socken angelassen«, geht das Lamentieren weiter. Männer, die zum Extremjammern neigen, darf man keinesfalls noch unterstützen. »Was soll denn da Reinhold Messner sagen«, herrsche ich ihn an, »der kann Socken in Kindergröße tragen, so wenig Zehen hat der noch. Können wir jetzt weitermachen?«, schiebe ich freundlich hinterher und kraule ihn ermunternd an den entscheidenden Stellen. »Ich habe tierische Schmerzen, und du, du denkst nur an das eine, das ist ja wohl unglaublich«, meckert er mich an. »Lass jetzt los.«

Na toll. Da überwinde ich mich, trotz Traumatisierung der herben Art, und der Gnädigste dreht kurz vor dem Ziel ab und erklärt die Vorstellung für beendet. »Mist«, schimpfe ich, und dann fängt Claudia auch noch an zu schreien. Damit ist die Nacht gelaufen. Christoph kann leider nicht mehr aufstehen und denkt stundenlang darüber nach, ob er doch besser in die Notambulanz fährt, ob er mit dem Zeh überhaupt fahren kann, ob er so arbeiten gehen kann usw., und Claudia hat beschlossen, dass die Nacht beendet ist. Mein Schwerverletzter kann sich selbstverständlich nicht kümmern. Sex hat eben seinen Preis. Selbst unvollständiger.

Christoph humpelt vier Tage lang.

Kerzen im Schlafzimmer sind ab jetzt gestrichen. Man sieht ja, wo das mit der Romantik hinführen kann. Männer und Romantik: Es gibt Sachen, die sind schlicht nicht kompatibel.

Dienstag, 7.30 Uhr

»Ich will keine Cornflakes«, plärrt Claudia. Seit Wochen will sie nichts außer Cornflakes, und jetzt das. Ein bisschen beständiger könnten Kinder doch sein. Das würde das Mutterleben enorm erleichtern. »Gut, mein Schatz, dann macht die Mami dir ein Brot mit Marmelade.« »Nein. Ich will Nutella.« Nutella ist leider aus. Außerdem gehört Nutella nicht zu den Lebensmitteln, die Kinder essen sollten. So viel habe ich in den drei Mutterjahren immerhin gelernt. »Voll mit Zucker und Kalorien«, hat mir Müsli-Inge verklickert. Eine wahnsinnig neue Erkenntnis. Aber wie soll man seinem Kind erklären, dass Papi jederzeit zentnerweise Nutella essen darf, es selbst aber keinesfalls. Schwierig. »Wir haben keine Nutella mehr, Claudia, es gibt Erdbeermarmelade oder Schinken«, erkläre ich meiner Tochter die Sachlage. Mit der Ernährung war das schon immer so eine Sache. Direkt nach dem Krankenhaus war, jedenfalls theoretisch, alles leicht.

Babys trinken. Feste Nahrung gibt's noch nicht. Also Milch, Milch und wieder Milch. Dazwischen höchstens mal Tee. Selbstverständlich ungesüßt, denn wer will schon ein Kleinkind mit braunen Stummelzähnchen. Sehr abwechslungsreich ist das Nahrungsprogramm nicht, aber übersichtlich. Ich bin komplett ausgerüstet. Vorbereitet auf jede Widrigkeit. Habe einen Einkaufsmarathon in einem Babygroßmarkt gemacht. Das Resultat: Fläschchen aus Glas und Plastik mit lustigen Janoschfigürchen und ohne, der dazu passende Fläschchenständer, auch mit Dekomotiv, Sauger aus Kautschuk und Silikon, Flaschenbürstchen länglich und gebogen besorgt. In meiner Küche ist kaum mehr Platz. Das größte Stück ist der Sterilisator. »Aus hygienischen Gründen für die engagierte Mutter unverzichtbar«, hat mir die Verkäuferin im Baby-Wunderland das Gigateil ans Herz gelegt: »Nur so wird alles wirklich keimfrei, und die lieben Kleinen bekommen keine Infektionen. Jede nimmt den Sterilisator.« Wenn ihn jede nimmt, kann ich ja wohl nicht ausscheren. Bei dem Pathos in der Stimme der Verkäuferin. Man muss nicht gleich als Außenseiterin auffallen. Und für 45 Euro vor den Schrecken der bösen Keimwelt geschützt zu sein, ist doch fast ein Schnäppchen. Wo ich schon mal da bin, kaufe ich eben noch einen Babybadeeimer (den auch jede nimmt), ein Schaffell (das unverzichtbar ist), lustige Schnuller (man will ja auch was fürs Auge), Bettwäsche für den Kinderwagen, fürs Bett und eine kleine Spielzeugauswahl. Das Kind soll sich ja nicht langweilen. Wenn schon der Speiseplan so wenig Abwechslung bietet.

Die große Frage war dann: Was kommt rein ins Fläschchen? »Ja, Milch natürlich«, hat Christoph unbedarft von sich gegeben. Männer! Der hätte doch glatt einen Viertelliter Vollmilch da reingeschüttet. Die Auswahl an Milchpulver ist etwa so groß wie die Auswahl an Waschmitteln. Bei Waschmitteln nehme ich das billigste. Aber für mein Kind? Da sorgt man sich neun Monate lang wie verrückt und schüttet dann das Billigste rein, was es gibt? Nein. Da muss es schon was Gutes sein. Soja, gegen Blähungen, mit

Zusatz oder ohne? Stiftung Warentest, hilf mir! »Wenn ich nicht stillen würde, was an sich undenkbar ist, aber wenn, dann würde ich die Milch nehmen, die die im Krankenhaus auch nehmen«, hat mir meine Schwester vorgeschlagen. Manchmal hat sie tatsächlich schlaue Einfälle. Die Milch aus der Klinik ist eine der teuersten. Die sind schon schlau, diese Babyproduktehersteller. Wahrscheinlich bemustern sie die Krankenhäuser, weil sie wissen, dass Neumütter wie ich brav weiterhin die Milch geben, die es schon auf der Station gab. Raffiniert.

Generalstabsmäßig koche ich die ersten Portionen. Abgekochtes Wasser, abgekühlt auf 50 Grad, mit dem Portionslöffelchen die richtige Menge Pulver – schütteln und abkühlen lassen. Jetzt heißt es Sinn fürs Timing haben. Die Milch darf keinesfalls zu heiß – aber eben auch nicht zu kalt sein. Sonst schlägt es dem Kind auf den Magen. Bei früheren unbeteiligten Blicken auf diverse Fläschchen hätte ich nie gedacht, dass hinter so einem unschuldig aussehenden Fläschchen ein dermaßen logistischer Aufwand steckt. Beeindruckend. Claudia mag die Silikonschnuller nicht. Aber: Sollte sie sich nicht frühzeitig an Silikon gewöhnen? Wird nicht, wenn Claudia groß ist, jede Frau irgendwelche Teile aus Silikon mit sich rumschleppen? Sie will trotzdem keine Silikonschnuller. Schade, ich finde, sie sehen hübscher aus. Properer. Sauberer. Diese bräunlichen Kautschukdinger haben so was Angegammeltes. Ein weiterer taktischer Punkt ist die Lochgröße des Saugers. Ist sie zu klein, müht sich das Kind ab, ohne jedes Resultat, wird frustriert, verhungert oder landet auf der Couch wegen mangelnder Erfolgserlebnisse. Ist das Loch zu groß, schießt die Milch raus, das Kind verschluckt sich, muss husten und dann im schlimmsten Fall spucken. Claudia spuckt gern mal. Auch so schwallartig. Besonders beim Bäuerchen machen. In der Bäuerchenzeit hatte ich eigentlich immer eine versabberte linke Schulter, denn egal, wo ich die Stoffwindel zum Schutz hingelegt habe – Claudia hat mit enormer Treffsicherheit vorbeigespuckt.

Mit der Zeit hatte ich es dann im Griff. Man lernt ja fast alles. Kann selbst nachts im Halbschlaf eins a Fläschchen zubereiten. Im nächsten Leben kann ich als Nanny gehen. Obwohl ich mir nicht vorstellen kann, bei fremden Kindern die Geduld an den Tag zu legen, die es nun mal braucht. Bei aller professionellen Zubereitung und Ausrüstung – so ein Kind ist eben wenig berechenbar. Und Kind ist nicht gleich Kind. Insgesamt gesehen: Unkonstante Komponenten.

Was habe ich mich auf den Tag gefreut, an dem sie endlich mal was Festeres zu sich nehmen konnte. Immer nur Milch, das kann ja auf die Dauer nur fade sein. Und wenn die Kleine irgendwie nach mir kommt, dann wird ihr Essen viel Spaß machen. Das erste Mahl besteht aus Karotten. Natürlich Bio-Karotten. Ich weiß, was sich gehört. Obwohl die Karotten etwa so viel gekostet haben wie eine Ladung Trüffel. Ein Kartöffelchen dazu, alles fein püriert mit dem neu angeschafften Zauberstab, und fertig ist das Menü. Ein Reißer ist es geschmacklich nicht. Etwas Salz und vielleicht ein Frikadellchen dazu, dann könnte es gehen.

Als ich in einer Untersuchung von Ökotest lese, dass Gläschenkost gut abschneidet, Babynahrung extrem streng untersucht wird, schwenke ich um. Ich kaufe Gläschenkost. Manche sind wirklich recht lecker. Spinat-Kartoffeln und Spaghetti sind meine persönlichen Favoriten. Viele ekeln sich vor Gläschen. Dabei muss man es nur etwas nachwürzen, und dann geht es. Außerdem ist es herrlich praktisch. Kein Kochen und Pürieren, einfach nur Warmmachen. Das schaffe sogar ich. Viele Mütter behaupten, ihre Kinder würden Gläschen nicht mögen. Claudia fällt da aus dem Rahmen. Sie liebt jedes Essen. Kommt halt doch nach ihrer Mutter, jedenfalls in der Hinsicht. Ein Traum sind die Obstvarianten. Heidelbeer-Apfel macht zwar fiese Flecken, schmeckt aber himmlisch. Ich könnte mich fast ausschließlich davon ernähren. Würde mir auch figurmäßig gut tun. Angeblich essen viele Models gerne Kindergläschen. Weil sie eben wenig Kalorien haben. Keinen Zucker und kaum Fett. Leider klappt das mit der Ausschließlichkeit nicht so recht. Ich esse normal und zusätzlich die Reste von Claudia. Wäre doch schade um das teure Zeug.

Dienstag, 7.40 Uhr

»Warum haben wir keine Nutella«, heult Claudia immer noch. Kinder können extrem beharrlich sein. »Weil dein Vater sie leer gegessen hat«, schnauze ich sie an, »wir müssen essen, was er übrig gelassen hat.« Soll das Kind doch ruhig mal die Realität der Frauenwelt kennen lernen.

Christoph ist heute Morgen schon richtig früh los. Ein großer Prozess wirft seine Schatten voraus. Christoph muss alles vorbereiten, damit einer der selbstherrlichen Partner dann im Gerichtssaal was zu erzählen hat. Das würde mir ziemlich stinken. Im Hintergrund die Schufterei machen, und vorne erntet ein anderer die Lorbeeren. »So ist das nun mal«, sieht Christoph das Ganze weitaus pragmatischer. Bitte sehr, wenn es ihm nichts ausmacht, ich hoffe allerdings, dass wir, Claudia und ich, das mit dem Partnersein noch erleben. »Wenn ich erst mal Partner bin, dann können sich andere für mich abplacken«, fügt er noch hinzu. »Och, wäre das schön«, habe ich ihm ins Ohr gesäuselt«, dann hätte ich endlich mal einen wirklichen Partner.«

Ich fand es witzig, er war beleidigt.

»Der Papa ist gemein«, schreit Claudia. Sie fügt sich anscheinend nicht problemlos in die Rolle der Frau. Verzicht gehört noch nicht zum Bestandteil ihrer Persönlichkeit. Erfreulich. Ein kluges Mädchen. »Heute Mittag kaufe ich ein Riesen-Monsterglas Nutella, und wir zwei verstecken es vor Papa«, schlage ich ihr zur Beruhigung vor. Es wirkt. Manchmal muss man Kinder nur geschickt ablenken. Was kann ich raffiniert sein. »Und wenn Mami vom Arbeiten kommt, gehen wir zwei auf den Spielplatz«, werfe ich noch ein Leckerchen hinterher. »Mit der Belinda?«, fragt sie mich schon milder gestimmt. Mit der Belinda heißt für mich auch mit der Thea. Kinder verlangen einem wirklich das Äußerste ab. Aber gut. Wenn's der Laune dient. »Von mir aus«, sage ich.

Wir sind heute Morgen eins a in der Zeit. Ich habe beschlossen, ein bisschen früher beim Sender aufzulaufen, weil ich gestern etwas getrödelt habe. Dienstag geht es immer voll zur Sache. Inhaltliche Planung. Wann machen wir was für dämliche Spielchen mit dem Promi. Ich schaffe es, mein Kind, sogar mit Kindergartentasche und Brotration, im Kindergarten abzugeben, und, schon fast in der Tür, erwischt mich Thea. »Du wolltest dich doch noch in die Kuchenliste für den Flohmarkt eintragen«, ermahnt sie mich. Verloren, Schnidt. Die Freundschaft meiner Tochter mit Belinda soll ja nicht an ein paar Muffins scheitern. Mist, Muffins macht ja schon Thea. Dann halt Marmorkuchen. »Gehst du heute Nachmittag mit auf den Spielplatz?«, frage ich gleich noch bei Thea nach. »Du weißt doch, dass Belinda dienstags musikalische Früherziehung hat«, antwortet sie. So, als wäre es selbstverständlich, dass ich den straffen Wochenplan ihrer Tochter im Kopf habe. »Na denn«, stammle ich, »dann eben nicht.« »Wir kommen nach der Früherziehung«, zeigt sie sich gnädig. »Und denk dran, der Flohmarkt ist Sonntag ab 14.00 Uhr. Die Kuchen müssen aber vorher da sein.« Ich nicke. Ja, du selbst ernannte Muttidomina, wird gemacht.

Gegen 8.30 Uhr bin ich im Sender. An manchen Tagen läuft einfach alles. Kein Stau und kein vergessenes Kindergartentäschchen. Eine logistische Glanzleistung. Heute würde es mir wirklich gefallen, wenn es Stechuhren gäbe. Das glaubt mir doch sonst keiner. Sieht auch doof aus, wenn man ungefragt erzählt: Hah, ich war schon soo früh heute Morgen da. Bitte sofort loben!

Morgens ist es herrlich im Sender. Ich gucke parallel zum E-Mailschreiben und Post sortieren ein bisschen Frühstücksfernsehen. Der Moderator von der ARD ist ein echter Schnuckel. Schlau und gut aussehend. Es gibt doch noch Ausnahmeerscheinungen in der Glotze. Ich schwärme ein wenig vor mich hin. Den muss ich unbedingt mal als Promigast für die Sendung vorschlagen. Wäre doch interessant zu sehen, wie der privat so ist. Ich mache mir sofort einen kleinen Merkzettel. Gert Scobel einladen. Was ich mir nicht aufschreibe, flutscht mir direkt wieder aus dem Hirn. Das wird von Woche zu Woche schlimmer. »Ganz normal altersbedingt«, meint Sandra, die vier Jahre jünger ist als ich und sich mit ihren 29 Jahren fühlt wie eine, die gerade so aus der Pubertät raus ist. Unter uns gesagt: Sie kleidet sich auch so. »Über 30 geht das mit dem Hirnzellenverfall rapide voran«, hat sie mir schon mehrfach sehr ernst mitgeteilt. Eigentlich immer, wenn ich irgendwas vergesse. Vergisst sie was, hat sie eben zu viel um die Ohren. Wenn das so weitergeht, kann ich ältere Menschen bald gut verstehen. Die regen sich ja oft drüber auf, dass ihnen niemand mehr was zutraut und sie wie senile Trottel behandelt werden.

Kaum denkt man an jemanden, steht er auch schon auf der Matte. Sandra ist fast so früh dran wie ich. Sie strahlt mich erwartungsvoll an: »Moin, meine Beste, heute ist Tag X, du weißt ja, der erste Tag in unserem neuen Leben.« Ist die über Nacht wahnsinnig geworden? In eine Sekte eingetreten oder unter akutem Drogeneinfluss? Als sie ihre Tupperschüssel mit Schmackes auf den Tisch knallt, dämmert es mir wieder: Wir haben ja gestern, beim Schokopudding in der Kantine, beschlossen, ab heute strengste Kohlsuppendiät zu machen. Bis zu fünf Kilo Gewichtsabnahme in nur einer Woche. Hatte ich doch glatt verdrängt. »Oh, ja, die Kohlsuppe«, versuche ich Zeit zu schinden. »Du hast es vergessen«, mosert sie. Einer studierten Psychologin macht man eben nichts vor. Das ist Sandras großes Plus. Viele Menschen sind so geplättet vom Psychologiestudium, dass sie geradezu ängstlich Sandra gegenüber reagieren. So als könne sie Gedanken lesen. Und die Leute sind ehrlicher, weil sie glauben, dass Sandra Lügen und andere Missetaten sonst sowieso direkt bemerkt. Ich bin da mittlerweile entspannter, denn Sandra hat mir mal in einer stillen Stunde gestanden, dass das beileibe nicht so ist. Mit der Kohlsuppe lag sie aber verdammt richtig. »Macht nichts«, verzeiht sie mir großherzig, »ich teile meine Ration mit dir. Ich habe zu Hause noch genug, um ein Männerwohnheim satt zu kriegen. Es schmeckt echt nicht schlecht.« Jetzt kann ich keinen Rückzieher mehr machen. »Toll«, versuche ich etwas wie Freude aufkeimen zu lassen, »das ist nett von dir.« Mit den Worten: »Ich mach dir gleich mal was warm«, öffnet sie verheißungsvoll die Schüssel. Kohlsuppe, von ihren Anhängern auch liebevoll Magic Soup genannt, ist nichts anderes als Gemüsesuppe, die zum Großteil aus Kohl besteht. Kartoffeln sind keine drin. Ich liebe Kartoffeln in Gemüsesuppen. Sie machen so schön satt.

Noch feiner wird so ein Süppchen mit einem Ring Fleischwurst oder wenigstens einem Paar Frankfurter. Sündige Gedanken. Ich verschweige, dass ich heute Morgen noch schön zwei Toasts mit dick Erdbeermarmelade gegessen habe, und lehne die erste Portion freundlich ab: »So auf nüchternen Magen Kohlsuppe, ich glaube, da macht mein Magen-Darm-Trakt nicht mit«, rede ich mich raus. »Dann eben zum Mittagessen«, lacht Sandra und drückt den Deckel wieder aufs Tupperschüsselchen. Uff, noch mal Glück gehabt. Obwohl die Sekunden gelangt haben, das ganze Zimmer riecht schon nach Kohl.

Der Vormittag läuft ruhig vor sich hin. Bis 11 Uhr. Die große Sitzung ruft. Sogar Will taucht rechtzeitig auf. Ist ein Wunder passiert oder fällt das schon unter senile Bettflucht? »Weder noch«, raunt mir die hellseherische Sandra augenzwinkernd zu, »heute kommt doch der neue Praktikant, so ein süßer junger Hüpper, Oskar oder so ähnlich. Den hat der Will aus irgend so einer Schwulenlocation.« Junge süße Praktikanten sind Wills Leibspeise. Und er ist raffiniert. Lockt sie mit immensen Karriereversprechen. »Ich hab das Gefühl, aus dir könnte echt mal was werden«, ist sein Standardsatz schnuckeligen Praktikanten gegenüber. Männlichen Praktikanten natürlich. Der Satz müsste eigentlich heißen: »Ich habe das Gefühl, du wirst in meinem Arsch enden!« Oft tut es das nämlich. Danach dürfen die Jungs wieder Kaffee kochen und ihrer vermeintlichen Karriere nachweinen. Das Spiel ist jedes Mal gleich. Da ist Will unerbittlich. Besonders wenn einer Talent zeigt, und sei es auch nur einen Hauch. Das mag Will gar nicht. Da kriegt er sofort mega Konkurrenzangst. Wird richtiggehend böse. Manchmal erdreistet er sich, nach einer weiteren missglückten Affäre zu sagen: »Das war ja wohl mehr für den Arsch«, und dabei richtig bekloppt zu lachen. Fies. »Der hat da hinten einen Verkehr wie am Frankfurter Hauptbahnhof, und viele fahren auf Jobticket«, hat Sandra mal ganz beiläufig gesagt, und mir ist, je mehr ich drüber nachgedacht habe, richtig übel geworden. Ich weiß, dass sich das krass anhört, aber es ist nun mal so.

Der neue Praktikant, den Will uns dermaßen stolz vorstellt, als hätte er ihn selbst erschaffen, ist niedlich. Ein kleines Strahlemännchen, Asi-Toaster gebräunt und mit keckem Knackpo in hautengen Jeans. »Ich schwör dir, der hat einen eins a Waschbrettbauch«, raunt mir Sandra zu, und ich denke, das könnte sogar stimmen. »Spätestens morgen wird er ihn uns vorführen«, macht sie uns Hoffnung auf mehr. Als alle vollständig versammelt sind, geht's los.

Will, wie gestern, auch heute wieder mit Sonnenbrille, hält erst mal eine Ansprache. In einem Tonfall und voller Pathos, als wären wir bei Greenpeace und die nächste Anti-Öltankeraktion ein lebensgefährlicher Einsatz: »Meine Lieben, jetzt gilt es. Wir werden es dem Programmdirektor Haken und dem Sender überhaupt beweisen. Mit der Mock will ich eine zweistellige Quote. Also, was steht an, was habt ihr erdacht? Gibt's diesmal gescheite Spiele, lustige Aktionen? Na los.«

Tim, der Redaktionsleiter, räuspert sich und legt los. »Tja, wir haben jetzt erst mal die Anreise von der Mock organisiert. Ein Staatsakt geradezu. Und auch die Sache mit dem Hotel.« Pause. Der hat sie doch nicht alle! *Er* hat also die Anreise organisiert. Und was habe ich gemacht? Waren die unsäglichen Gespräche mit der Mock-Agentin Phantomtelefonate? Die Damen und Herren Redakteure tun wirklich alles, um die eigene Faulheit zu kaschieren. Mistpack. Will sieht allerdings auch nur mäßig begeistert aus: »Schön, schön, die Mock kommt, aber was mache ich mit der? Über ihre frisch aufgepritzten Lippen reden?« Das war definitiv Giselles Stichwort: »Den Arsch im Gesicht, genauer gesagt im Mund, für mich wär das nichts«, lästert sie sofort ab. Angeblich hat sich die Mock nämlich Eigenfett aus der Poregion in die Lippen spritzen lassen. »Die knutscht ja dann mit dem Arsch«, hat Will nach Giselles Erklärungen messerscharf geschlussfolgert. »Na und«, hat Tim lakonisch gemeint, »viele reden ja auch nur Scheiß, und das ohne Arsch in den Lippen. Die sehen nur arschig aus.« Will war daraufhin sofort beleidigt. Als hätte Tim ihn gemeint. »Nimm doch nicht alles so persönlich«, hat Tim dann gegrinst. Natürlich hat er es persönlich gemeint.

Giselle kommt vom Radio. Haken, unser Programmdirektor, hat ihr auf einer Weihnachtsfeier im alkoholisierten Zustand mal gesagt, dass sie da auch hingehöre. Jedenfalls ihr Gesicht. Ein richtiges Radiogesicht wäre das. Da ist selbst Giselle für einen kurzen Moment das Lächeln eingefroren. Gesichtsgefrierbrand quasi. Aber immerhin, Giselle hat die Fassung behalten. So eine Bemerkung hätte mir die Tränen in die Augen getrieben. Ich habe nah am Wasser gebaut. Seit der Schwangerschaft besonders. Ich habe in den neun Monaten selbst bei den Waltons-Wiederholungen heulen müssen. Aber seit ich beim Fernsehen bin, ist es besser geworden, schließlich hat mir Will schon gleich beim Einstellungsgespräch gesagt, dass er auf dieses Weibergetue keine Lust hat. »Da kann ich ja auch einen kaputten Staudamm beschäftigen«, hat er geblafft, als mir mal bei einem Redaktionsstreit die ersten Tränen die Wangen runterliefen, und seitdem versuche ich mich zusammenzureißen. »Ich kann nicht jedes Mal, wenn du hier warst, der Hausverwaltung einen Wasserschaden melden«, hat er ein anderes Mal Sandra an den Kopf geworfen. So viel zum Thema »Weinen am Arbeitsplatz«.

Giselle ist eine schräge Type. Fragt man sie nach ihren Hobbys, kommt als Antwort: »Aerobic und Ficken.« Eine gewagte Kombination. Ob sie beides auch gleichzeitig ausübt, weiß ich allerdings nicht. Das könnte dann ja schon wieder interessant sein. Giselle ist eine der wenigen Frauen, die das Wort »ficken« benutzen, als wäre es ebenso harmlos wie »spazieren gehen«. Das Wort »Geschlechtsverkehr« findet Giselle abtörnend. »Wer will schon Verkehr, ich jedenfalls nicht. Ich will richtig ficken«, erklärt sie besonders gerne Menschen, denen ihre Wortwahl Probleme bereitet. Derb und direkt. Bei Männern führt das zu merkwürdigen Reaktionen. Irgendwo zwischen Begierde und Abscheu. »Giselle ist eine ekelhaft ordinäre Person mit einem Scheißgesicht«, hat Sandra mal zu mir gesagt. Auf einem ihrer Weiberabende. Mit Recht. Giselle ist ordinär. Absichtlich und nicht etwa aus Versehen. Heute: diese glänzenden schwarzen Satinleggings, hauteng und dazu dieser Spitzenbody, wie immer, ebenfalls ein Tick zu klein. Peinlich. Mode interessiert Giselle nicht, Trends lassen sie kalt. »Kleidung muss einzig und allein meinen Körper betonen«, sagt Giselle gerne, und wer ihren Körper je gesehen hat, weiß warum. »Sie sieht aus wie Pamela Anderson, vom Body her. Aber eine mit echten Titten, einfach geil. Dieser Hauch Schlampigkeit, wow«, hat Tim die Gedanken der meisten Heterokerle im Sender mal in einem Gespräch mit Sandra zusammengefasst. »Und sie hält, was sie verspricht«, hat er augenzwinkernd ergänzt.

Kotz. Sandra hat es empört weitererzählt. Natürlich auch mir. Mittlerweile ist es im Sender rum, und es läuft selbst dem Pförtner morgens bei Giselles Auftritt fast der Sabber aus dem Mund. Giselle genießt dieses Begehrtsein. Anzügliche Bemerkungen sind in ihren Augen Komplimente. Ich habe mit so was immer Schwierigkeiten gehabt. »Du bist eben prüde«, hat Giselle mich schon ausgelacht. Und es stimmt, im Vergleich zu Giselle bin ich verdammt prüde. Die hat eine fast aggressive Sexualität. »Giselle sieht aus, als lebe sie nur fürs nächste Mal, als wäre Sex ihr einziges Ziel, ihr Lebensinhalt«, hat mir Tim mal auf dem Weg in die Kantine erklärt. »Bei dir denkt man an Beziehung, bei ihr wird man geil«, hat er noch hinzugefügt. Ob das ein Kompliment oder eine Beleidigung war, darüber denke ich bis heute nach.

Giselle ist alles, nur keine Frauenfrau. Sie ist stutenbissig. Ihr Leben regieren die Männer. Frauen sind Konkurrenz und ansonsten langweilig. Giselle ignoriert andere Frauen, so weit es geht. Mit mir ist sie einigermaßen nett. Gibt mir ab und an Sextipps. Ungefragt. Wahrscheinlich ist das kein Kompliment, und sie hält mich nicht mal für Konkurrenz.

Als Redakteurin ist Giselle nicht schlecht. Sie geht auch gedanklich gerne zu weit, und wenn man ihre Ideen ein bisschen abspeckt, kommt oft was Gutes bei raus. »Also Leute«, sie zwinkert in die Runde, »die Mock ist eitel. Tut alles, um gut dazustehen. Das ist das eine. Und so dürr wie ihre Schenkel ist auch ihr Hirn, ausgetrocknet wie die Sahelzone. Lasst uns was machen, damit das endlich auch andere merken. Vielleicht was mit Geographie, die hat doch mal in einem Interview nicht mal gewusst, was die Hauptstadt von Mecklenburg-Vorpommern ist.« Ich kriege direkt einen roten Kopf, denn leider habe ich momentan auch nicht den Hauch einer Idee. Deswegen hasse ich Quizsendungen. Sie bestärken meine Urängste, sich vor versammelter Mannschaft richtig zu blamieren. Der Gedanke, vor 10 Millionen nicht zu wissen, wo der Rhein in was mündet – ein Albtraum. Und deshalb würde ich nicht für Geld und gute Worte in so eine Sendung gehen. »Dich lädt doch eh keiner ein«, beruhige ich mich selbst. Selbst mit Freunden vermeide ich Quizspielrunden, so gut es geht. Dieses überhebliche Lachen der anderen, schon wenn die Frage verlesen wird. »Hach, das ist ja wohl total einfach …« Ulkigerweise sind es immer die Fragen der anderen, die total einfach sind.

»Schwerin«, flüstert mir Sandra zu. Sie kann doch Gedanken lesen. Außerdem kommt sie aus dem Osten. »Schon klar«, nicke ich zurück.

»Geographie ist gut, sehr gut«, fabuliert jetzt Tim vor sich hin, »ein riesiges Puzzle von Europa, und sie muss die Hauptstädte einfügen. Mit bunten Leuchtpunkten. Weil sie doch so viel unterwegs ist.« Will ist noch zögerlich. »Und dann singt ihr gemeinsam jedes Mal einen Hit aus dem entsprechenden Land«, ergänzt Sandra. Zeit für Will-Ekstase. Man hat das Gefühl, eine imaginäre Federboa schwingt um ihn herum. Er mag es zu singen. Und die

Mock singt eh auch. »So machen wir es, Andrea, ruf die Requisite, die sollen herkommen. Ach, das wird klasse aussehen, die Mock und ich auf Europatournee. Wir brauchen auch Kastagnetten, Dirndl und so Zeug. Passend zu den verschiedenen Ländern.« Man könnte aufgrund seiner überschwänglichen Freude meinen, er würde tatsächlich in wenigen Tagen die Stadien der Welt bereisen. Manche Leute haben eine Vorstellungskraft, das ist Wahnsinn. Die Requisite findet seine Idee auch Wahnsinn. »Wie stellt ihr euch des vor«, brummt mich der Oberrequisitenchef an, »wie soll ich in drei Tagen ein Europapuzzle zum Draufrumspringen basteln? Bin ich en Zauberer oder was? Ihr spinnt euch einen ab und ich hab des Malheur.« »Wenn es einer schafft, dann Sie«, gebe ich alles. Herr Lorenz von der Requisite ist anfällig für Schmeicheleien. Welcher Mann nicht? Ich lege noch was drauf: »Sie werden doch nicht zu Unrecht Zauberer genannt, Herr Lorenz. Die Teile können ja aus Styropor sein oder aus Sperrholz. Die sind ja nur für eine Sendung.« Er knoddert was von wegen: »Für 'ne Sendung, die keiner guckt«, lenkt dann aber ein. »Weil Sie es sind, Frau Schnidt, für Ihrn Herrn Moderator tät ich mir kein Bein ausreißen. Ich mach's für Sie. Eine Hand wäscht die anner.« Ich habe den Lorenz mal in einer Produktionssitzung vor Will in Schutz genommen. Da waren in der Sendung zwei Metallplatten abgekracht und kurz vor der deutschen Hoffung auf dem Volksmusiksektor, Frau Bianca Setzler, auf den Boden geknallt. Der Will ist bald ausgerastet. Hat dem Lorenz mit Frührente und allem gedroht. Dabei war es der Regisseur, der kurz vor Setzlers Auftritt die Schmuckplatten verschoben hat. Das habe ich dann todesmutig in der Sitzung erwähnt. Worauf mich der Regisseur bald gesteinigt hätte. Aber ich musste mich zwischen beiden entscheiden, und für meine Arbeit ist ein guter Draht zur Requisite wichtiger als das Wohlwollen des Regisseurs. So ist das hier mit dem Arbeiten. Man muss sich entscheiden, gibst du mir, geb ich dir. Anders läuft es nicht. Wenn man das mal verstanden hat, dann geht es. »Er macht es«, kreische ich stolz rüber ins Sitzungszimmer. »Wir kriegen Europa.« Ich beschaffe in Minuten einen Kontinent, und niemand ist sonderlich beeindruckt. Von mir wird einfach erwartet, dass die Sachen funktionieren. »Kreativ kann man deine Arbeit ja nicht nennen, mehr so Organisationskram«, hat mir Tim mal gesagt. Na was soll's, ich arbeite für Geld. Dankbarkeit und Lobeshymnen habe ich mir abgeschminkt.

Mittlerweile ist es 14 Uhr, und der Feierabend ruft. Überstunden für die undankbare Bagage sind heute weiß Gott nicht drin. »Ich mach mich auf den Weg, bis morgen«, verabschiede ich mich. »Die hat vielleicht einen flotten Lenz«, höre ich Will noch sagen, aber ich lösche die Äußerung direkt von meiner Festplatte. Bis der seinen Hintern aus dem Bett hebt, habe ich schon die Hälfte meines Tagewerks erledigt. Aber: Selbst wenn ich mich jetzt aufrege, wird das seine Sicht nicht verändern. Nix wie raus hier. Der Kindergarten ruft.

»Heute gab es was mit lecker Fleisch, richtigem Fleisch«, kreischt mir Claudia begeistert zur Begrüßung entgegen. Erstaunte Blicke der anderen Mütter und Erzieherinnen. Man kann in ihren Gesichtern lesen: »Och, die ärmste Kleine, kriegt daheim nix Gescheites zu essen. Wie weit muss es sein, wenn sich ein Kind schon über Fleisch freut.« Ich bin kurz davor, den heimischen Speiseplan der letzten Wochen zu kopieren und im Kindergarten auszuhängen. Zur Vitamin- und Nährstoffanalyse. »Schatz, auf geht's, wir wollen doch heute noch auf den Spielplatz«, locke ich Claudia. Vorher gehen wir einkaufen. Zum Metzger. Ich bin anfällig für Beschwerden, selbst wenn sie so subtil vorgetragen werden wie von meiner Tochter. Auch die Zutaten fürs Kohlsüppchen vergesse ich nicht. Muss ich heute Abend unbedingt noch kochen. Für die Familie werfe ich dann einfach ein Bröckchen Fleisch rein.

Auf dem Spielplatz herrscht Hochbetrieb. Thea ist noch nicht da. Belinda wird noch früherzogen. Musikalisch. »Für die Entwicklung unabdingbar«, hat mir Thea erklärt. Ebenso wie Kinderturnen und Kinderschwimmen. Nicht zu vergessen: Frühenglisch. Belinda hat einen Terminkalender, der mir Schwitzringe verursacht. Vier Nachmittage sind verplant. Da Belinda mit ihrem Stützrädchenfahrrad selbstverständlich nicht selbst fahren kann, ist Thea gefordert. Rein in den Kombi, raus aus dem Kombi. Ihr Aufkleber hinten drauf sagt alles: »Muttitaxi«. Mir ist das zu viel. Zu viel Stress. Ich bin doch nicht die Agentin meiner Tochter. »Du wirst sehen, was dabei rauskommt«, hat mich Thea schon mehrfach ermahnt, »jetzt werden die Grundsteine für das gesamte Leben gelegt«. Dann erziehe ich eben nach Fertigbaumethode. Trotzdem habe ich einen latenten Anfall von schlechtem Gewissen.

»Torben-Hase, nicht dem Mädchen den Sand in die Haare schütten, das ist nicht schön«, schreit eine Mutter rüber zum Sandkasten. Das Mädchen ist meins. Sehr empfindlich ist Claudia nicht. Sie schüttelt sich kurz und knallt dann dem Torben-Hasen ihre Plastikschippe auf den Kopf. Torben-Hase fängt grauenvoll an zu weinen. Richtiggehend hysterisch. Torben-Hasens Mutti springt auf und rennt auf meine Claudia zu. Ich sitze angespannt da. Krieg im Sandkasten. Die Hasenmutter schnappt ihren Torben und beschimpft Claudia: »Wie kann ein großes Mädchen wie du so böse sein? Hör sofort auf, den Torben zu hauen.« Jetzt reicht es. Es war doch nur ein einziger gezielter Hauer. Die Übertreiberin, mittlerweile hysterischer als ihr Sohn, hält meine Claudia am Arm und labert auf sie ein. »Wären Sie so nett und würden mein Kind auf der Stelle loslassen«, verteidige ich Claudia. »Ihre Tochter hat meinem Sohn brutal auf den Schädel geschlagen, das sind Aggressionen, die zu weit gehen«, raunzt sie mich an. Wir sind die Attraktion des Spielplatzes. Haben die ungeteilte Aufmerksamkeit aller Mütter. »Ihr Sohn hat meiner Tochter eine Riesenladung Sand über den Kopf geschüttet, da muss der mit einer Reaktion leben«, kontere ich noch einigermaßen beherrscht. »So ist das also, da wundert einen ja nichts«, echauffiert sich die Hasenmutti, »Gewalt ist für Sie also ein zulässiges Argument bei Kindern?« Sie läuft rot an. Will ich das jetzt wirklich? Eine Diskussion mit einer Irren? Es geht um deine Tochter, Andrea, ermahne ich mich: »Ich halte Gewalt natürlich für kein Mittel, aber ich finde, meine Tochter muss sich von Ihrem Sohn auch nicht alles gefallen lassen«, eröffne ich Runde zwei im Sandkastenring. »Torben ist ein kommunikativer Mensch, der wollte nichts als Kontakt mit Ihrer Tochter, und die hat ihn in seinem Urvertrauen erschüttert«, klagt sie mich an. »Männer können nicht früh genug lernen, dass wir Frauen auch bei der

Kontaktaufnahme Wert auf gewisse Umgangsformen legen«, reagiere ich schnell. Ich glaube nicht, dass die Hasenmutti und ich enge Freundinnen werden. Die Diskutiererei langt mir jetzt. »Das ist ja total gestört«, empört sie sich. Ich nicke. Bin ganz ihrer Meinung.

Unsere Kinder sitzen längst wieder im Sand und spielen vor sich hin, und wir zwei stehen hier wie Kampfhennen bei der Schlacht ums beste Ei. Sie zieht, vor sich hin brabbelnd, Leine. Wer Siegerin bleibt, ist unklar. Ich weiß schon, warum mir Spielplätze auf den Keks gehen. Und wenn ich ehrlich bin: Eigentlich hätte ich, statt rumzuquaken, ihr auch lieber eben mal die Schippe auf den Kopf gehauen.

Thea und Belinda sind angekommen. Gerade noch rechtzeitig, um den Schluss des Spektakels mitzubekommen. Natürlich kennt Thea die Torben-Hasenmutti und schätzt sie auch sehr. Dass sie mit mir verabredet ist, mit der Mutter eines schlagenden Kindes, stürzt sie in ein tiefes Dilemma. Pech. Sie winkt rüber zur Vorsitzenden des Spielplatz-Debattierclubs, Torben-Hasen-Mutter, die, wie mir Thea sagt, Verena heißt. Auch recht. Ich glaube nicht, dass ich mir den Namen merken muss. »Hör mal«, meint da Thea, »die Verena, die ist hier in der Gegend nicht unwichtig.« Oh, ich bin tief beeindruckt, nicht unwichtig. Ist sie beim Finanzamt, vergibt sie die Bundesverdienstkreuze oder Kindergartenplätze? Jetzt will ich es aber wissen. »Wieso?«, frage ich schnell mal nach. »Der Ingo, der Ehemann von der Verena, hat einen Bruder.« Macht das allein schon berühmt? Einen Bruder zu haben. Da kann ich ja hoffen. Einen Bruder habe ich auch. »Na ja, und der ist Konrektor des besten Gymnasiums hier im Viertel. Der St.-Angela-

Schule.« Ich gucke anscheinend genauso verständnislos, wie ich mich fühle. »Ja kapierst du es denn nicht«, blafft Thea mich an, als wäre ich kurz vor der Grenzdebilität. »Von der Mädchenschule. Der Privatschule. Wo alle hinwollen. Auch Belinda. Also, das wäre phantastisch, wenn sie einen Platz kriegen könnte. Aber ohne super Noten und so läuft da nix. Und ich denke, Beziehungen könnten da hilfreich sein.« Belinda ist noch nicht ganz vier Jahre alt, und Thea sorgt sich schon um die Wahl des richtigen Gymnasiums. Das ist Lebensplanung. Ich bin eigentlich immer ganz froh, wenn ich den nächsten Tag meistere. Außerdem: Wer weiß, ob Claudia eine Leuchte in der Schule sein wird? Wenn sie nach mir kommt, dann sieht es nicht wirklich viel versprechend aus. Noch heute wache ich morgens manchmal schweißgebadet auf, weil ich vom Matheunterricht geträumt habe und wieder mal zu blöd war, einen Dreisatz zu lösen. »Geht Claudia eigentlich dann auch auf die St.-Angela?«, fragt mich Thea. »Na ja«, entgegne ich, »wenn sie das Zeug dazu hat. Von mir aus.« Thea ist schon wieder empört. »Was soll denn das heißen, wenn sie das Zeug dazu hat. Etwas mehr Vertrauen musst du in deine Tochter schon haben. Sonst klappt das nie. Aber natürlich wird ihr das Frühenglisch fehlen. Hoffentlich scheitert es nicht daran.« Sie schaut streng.

Theas Freundin Verena kommt auf uns zu. »Vielleicht sollten wir uns mal bekannt machen, dann können wir uns das nächste Mal mit Namen beschimpfen«, schlägt sie grinsend vor. »Andrea Schnidt«, sage ich, lache und strecke ihr meine Hand hin. »Verena Hase«, antwortet sie, und auf einmal dämmert es mir. Sie nennt ihren Sohn nicht Hase, der heißt so! Sie hat ihn mit Vor- und Nachnamen gerufen.

Wahrscheinlich, um die Dringlichkeit der Situation zu unterstreichen. Ich schäme mich. Nehme in Gedanken das »Hasenmutti« sofort zurück. Sehe sie in komplett neuem Licht. »Vergessen wir die Sache einfach«, leite ich eine Quasientschuldigung ein. »Abgemacht, Muttischlacht beendet«, strahlt sie versöhnt. »Sofortige Abrüstung«, schiebt sie hinterher und wirft demonstrativ ein Förmchen in den Sand. Nette Person. Eben wollte ich ihr noch die Schippe auf den Kopf knallen, jetzt sehe ich uns schon gemeinsam beim Kaffeeklatsch. Und Claudias Schulplatz scheint auch mehr als gesichert. Was habe ich das gut gemacht.

Auch Thea wirkt zufrieden. »Lasst uns doch mal treffen und zum Opelzoo fahren oder so, macht doch zusammen viel mehr Spaß«, schlägt sie vor. Wir, die ruhig gestellten Kampfhennen, nicken, und der Nachmittag wird somit glatt noch erfolgreich.

Der Abend auch. Christoph ist gut gelaunt, der große Chef hat den Prozess durch seine Vorbereitungen gewonnen, und wir trinken ein Fläschchen Schampus auf das Ereignis. »Es sieht alles sehr erfreulich aus, bald wird mein Name auf dem Schild stehen. Ich sehe es schon vor mir«, freut sich mein Liebster. »Und finanziell, wird das dann richtig lukrativ?«, erkundige ich mich nach den echt interessanten Details und überlege schon mal, welche Fliesen ich für die Veranda unserer Traumvilla am Meer haben möchte. Ich glaube, Terrakotta wäre hübsch. Alte Terrakottaplatten. Oder Sandstein. Eine Hollywoodschaukel auf der Veranda. Ein großer Pool und Holzliegestühle mit dicken teuren dunkelgrün-weiß gestreiften Polstern drauf. In Dunkelgrün auch die Klappläden an den Fenstern.

Profan, banal und raffgierig findet er mich. »Manchmal im Leben geht es auch um so was wie die Ehre«, versucht er mir klarzumachen. »Wenn ein Türschild dich so ehrt, dann stell dich doch mal 'ne Weile in unseren Hauseingang. Da steht doch auch dein Name drauf«, schlage ich schnippisch vor. Man wird doch als Frau an seiner Seite, Mutter des gemeinsamen Kindes, über merkantile Aspekte des Berufs sprechen können. Oder arbeitet Christoph am Ende nur für Ruhm und Anerkennung? Wofür hat der jahrelang studiert? Um seinen Namen auf einem Türschild zu lesen? Da wäre er besser mal Schlosser geworden, dann hätte er sich Türschilder bis zur Ekstase selbst anfertigen können. Ich beende die Diskussion mit dem klassischen: »Man wird ja mal fragen dürfen«, und gehe leicht beleidigt zu Bett. Ein Will reicht mir. Zu Hause habe ich keine Lust, mich abwatschen zu lassen. Der kann mich mal. Der Herr Partner in spe.

Kaum liege ich, fällt es mir ein: die Kohlsuppe. Morgen bin ich für Sandras und meine Tagesration verantwortlich. Zum Abendessen hatten wir Grießbrei. Ging schneller, schmeckt besser, und wer will schon ein Kind, das sich nach Kohlsuppengenuss vor Blähungen schüttelt.

Abends um 23 Uhr Kohlsuppe kochen, ein Heidenspaß. Als ich alles geschnippelt habe und das Süppchen auf dem Herd vor sich hin brodelt, bin ich hundemüde. Ich bitte meinen »Partner«, das Süppchen in einer Stunde auszustellen und schleiche ins Bett.

Mittwoch, 8.00 Uhr

Danke, Christoph, danke. Er hat vergessen, die Suppe rechtzeitig auszustellen. »Kann ja mal passieren, ich hab ja noch anderes im Kopf als Gemüsesuppe«, brummt er, als ich ihn anmeckere. Viel anderes kann da nicht sein, in seinem Kopf. Bravo. Der Herr Jurist: Zu doof, einen Herd auszuschalten. Sehr zuverlässig. Mal davon abgesehen, dass uns die ganze Bude hätte abfackeln können.

Suppen mögen keine nächtelangen Brutzeleien. Nicht mal auf kleinster Flamme. Das in meinem Kochtopf sieht aus wie ein Rest schleimiger, dicker, undurchsichtiger Matsch. Von Magic Soup hat es, jedenfalls optisch, wenig: Zerkochte, pürierte Kröten mit Bröckchen, die sich nicht mal mit viel Phantasie als Gemüse identifizieren lassen, wäre eine genauere Beschreibung. Ich kann es jetzt nicht mehr ändern und fülle das, was mal 'ne Suppe war oder sein sollte, ab. Spezialvariante Magic Soup. Sandra isst eigentlich alles.

Ein bisschen beschämt ist Christoph schon. »Ich fahre Claudia in den Kindergarten«, bietet er als Wiedergutmachung an. Immerhin: Er ist reumütig. Das muss ich gleich nutzen: »Bitte, sei so gut und hole noch unsere Sachen von der Reinigung ab.« Welch schlauer Schachzug.

Kaum im Sender, geht das Theater schon los. »Will hat angerufen«, tönt es mir entgegen, »ob du ihn mal eben vom Arzt abholen kannst, seine Bindehautentzündung ist schlimmer geworden.« Wieso ist der um die Zeit überhaupt schon wach und – hat der noch nie was von der Erfindung der Taxis gehört? »Du weißt doch, Will mag keine Taxis«, ergänzt die Gedankenleserin Sandra. Will mag vor allem keine Taxiuhren. Will ist ein Sparbrötchen. Wenn er mal einen ausgibt, dann in der Kantine. Ansonsten schnorrt der sich locker durchs Leben. Wird ständig eingeladen. Das ist ja das Fiese an diesen so genannten Promis: Sie verdienen gut, und zusätzlich wird ihnen alles für lau hinterhergeschmissen. Ich gebe nach. »Gut, ich hole ihn ab.« Wenigstens habe ich dann eine Weile Ruhe vom Büro.

Der Augenarzt ist mitten in der Innenstadt. Natürlich gibt's keinen gescheiten offiziellen Parkplatz. Egal. Für den kurzen Moment stelle ich mich eben mal auf einen nicht ganz so legalen. Ich soll Will in der Praxis abholen. Er will Begleitschutz – gut, soll er haben. Sieht ja auch wichtiger aus. Das Wartezimmer ist gerammelt voll. Hat er sich versteckt? Ist das ein kleines Spielchen? Versteckte Kamera? Ich frage am Empfang. »Guten Tag, ich suche Herrn Heim, Will Heim.« – »Will ich auch«, kichert die Sprechstundenhilfe, »aber Moment mal. Wo ist denn der mit den korrigierten Schlupflidern«, ruft sie ihrer Kollegin zu. »Nachsorge in der drei«, brüllt die zurück. Bindehautentzündung, ick hör dir trapsen. Der hat sich die Lider liften lassen! Oh, welch ein Segen, dass ich zum Abholen gefahren bin. Herrschaftswissen ergattert habe. Das wird der Klatsch der Woche. Geliftete Schlupflider. Deswegen also die Sonnenbrille und die hartnäckige Weigerung, uns besorgte Kollegen die Bindehautentzündung begutachten zu lassen. Ich freue mich diebisch. Am liebsten würde ich sofort per Handy die gesamte Redaktion verständigen. Das wird der absolute Knaller. Eine Spitzengeschichte. Der eitle Gockel.

Will kommt um die Ecke. Im Agentenlook mit Sonnenbrille. »Und was macht die Bindehautentzündung?«, frage ich voller Raffinesse. Seine Chance, doch noch mit der Wahrheit rauszurücken. »Es geht«, kommt die karge Antwort. Wenn der wüsste, dass ich weiß. Wie gern würde ich ihm mit einem Ruck die Brille vom Kopf reißen und ihn entlarven. Das blöde Gesicht sehen. Die Sprechstundenhilfe zwinkert mir zu, legt den Finger auf ihre Lippen und nimmt mir ein stummes Schweigegelübde ab. Auch gut. Dann genieße ich eben erst mal stumm.

Mein Auto hat einen fetten Strafzettel. Das wird richtig teuer. Wäre Will ein Chef, der wüsste, was sich gehört, würde er das Ding mit einer ritterlichen Geste an sich nehmen und sagen: »Lass mal, ich erledige das.« Leider ist »Wärst du mal lieber ins Parkhaus« sein einziger Kommentar.

Was soll's, mein Informationsvorsprung ist mir die Knolle wert. Dieses Wissen ist mit Geld gar nicht zu bezahlen. Jetzt ist nur noch die Frage – wem erzähle ich die Neuigkeit zuerst? Vor allem – wer sorgt für die schnellste Verbreitung? Sandra ist nicht geschwätzig genug. Giselle wäre geeignet. Am besten, ich sage es beiden. Natürlich unter dem Siegel der Verschwiegenheit. Beide plappern es dann unter vorgehaltener Hand mindestens zwei Leuten weiter. Und nach drei bis vier Stunden ist es locker im Sender rum. Wäre auch eine feine Schlagzeile für die *Bild*-Zeitung: *Hessischer Moderator liftet nicht Sendung, sondern Schlupflider!* Während ich den frisch Gelifteten zum Sender chauffiere, überlege ich, ob das eigentlich arg böse ist, was ich da vorhabe. Wäre er ehrlich gewesen, entschuldige ich mich vor mir selbst, dann hätte ich nichts gesagt. Dann wäre es natürlich auch keine Neuigkeit gewesen und der Klatschverzicht keine große Sache. Will ist ziemlich schweigsam heute Morgen. Er will nur wissen, ob das Puzzle fertig ist und wann die Mock einfliegt. Kein persönliches Wort. Keine Frage nach Mann oder Kind. Oder wie es so geht. Ich bin nicht mal sicher, ob er weiß, welches Geschlecht mein Kind hat. Fremder Leute Privatleben interessiert Will nicht. Nicht etwa, weil er ein so feiner, dezenter Mensch ist, nein, sondern weil ihm nur sein eigener Kram wichtig ist. »Was macht eigentlich Oskar, der Praktikant?«, beginne ich eine Art Konversation. Er lacht. »Oskar macht sich, soweit ich das mit meiner Bindehautentzündung sehen kann, recht ordentlich. Super Body.« Aha. Sehr ausgiebige Antwort. Und wieder hat er mir volle Kanne ins Gesicht gelogen. »Soweit ich das mit Bindehautentzündung sehen kann.« Das war seine letzte Chance. Hätte er mir alles gestanden, hätte ich meine Schlechtigkeit eventuell zügeln können. Jetzt hat er Pech gehabt. Wenn man mich für blöd hält, kann ich auch richtig blöd sein. »Gut, dass es geklappt hat mit dem Abholen«, war sein Dankeschön. Hätte auch euphorischer sein können. Er ist dran.

Sandra ist begeistert. »Bist du dir sicher«, entzückt sie sich. »Ich habe zwar nichts gesehen, aber alles sehr genau gehört«, bestätige ich die Topneuigkeit. Sie ist nicht mal sauer über meine Kohlsuppe. »Ich hab ja gewusst, dass Kochen nicht deine größte Begabung ist«, kichert sie. »Aber essen kann ich das nicht«, ergänzt sie noch. »Da faste ich ja lieber.« Ich glaube nicht, dass irgendjemand mit Augen im Kopf die Pampe essen will. »Ich nehme es Christoph mit, der hat es ja zu dem werden lassen, was es ist, außerdem ist der für jedes Essen dankbar«, schlage ich vor, und wir sind beide recht froh, dass Sandra morgen wieder fürs Süppchen verantwortlich ist.

Giselle ist über die Schlupflidergeschichte nicht sonderlich erstaunt. Ich hätte mir mehr versprochen: »War doch nur 'ne Frage der Zeit, der konnte ja kaum mehr aus den Augen gucken. Wenn ich so einen Dackelblick hätte, würde ich mir die Dinger auch richten lassen«, verteidigt sie den eitlen Gockel auch noch. »Als meine Hüften so schwabbelig waren, habe ich sie mir einfach wegsaugen lassen. Fünftausend Euro, und weg waren sie«, mit einer sanften Bewegung über ihre Rundungen unterstreicht sie das Gesagte. Stimmt, jetzt, wo sie es sagt, fällt es mir auch auf. Ich habe doch in meiner grenzenlosen Naivität angenommen, sie hätte sie sich abtrainiert. Beim Tae Bo. Giselle macht Aerobic und Tae Bo. Weil man seine Aggressionen da so gut abarbeiten kann und weil Phil, ihr Trainer, laut Giselle das geilste Stück Mann ist, das sie je gesehen hat. »Den hol ich mir in die Kiste«, hat sie uns direkt nach der ersten Trainingstunde mitgeteilt: »Die Energie in meinem Schlafzimmer, das muss ich haben. Ihr solltet mal sehen, was der in der Hose hat. In diesem engen Trainingsteil sieht man alles. Hammer, sage ich nur.« Unsereins schmachtet nach ein paar Prada-Schlappen, Giselle geht in die Vollen. »Wollt ihr sie sehen?«, fragt sie die fassungslose Sandra und mich. Wir gucken erstaunt. Was sehen? »Ja, meine neuen Hüften natürlich!«, grinst sie. Neue Hüften! Bisher kannte ich nur eine mit neuen Hüften. Meine Großtante Edda. Die hat welche aus Edelstahl. Sehr modern. »Meine Leichtmetallfelgen hat auch jeder bessere Kampfjet«, hat sie damals stolz angegeben. Giselle scheint ähnlich stolz.

»Klar, zeig her«, sagt Sandra erwartungsfroh, und kaum hat sie es ausgesprochen, schält sich Giselle auch schon aus ihrem Gürtel, der wohl eigentlich ein Rock sein soll. Hüften zu beurteilen, die weg sind, ist schwer. Es sieht alles ziemlich gut aus. Aber ohne Vorher-Aufnahmen macht das Ganze keinen rechten Sinn. »Hier hatte ich so kleine Beulen«, zeigt uns Giselle die Stelle, an der das Übel gesessen hat. »Bei dir wäre auch gut zu tun«, mahnt sie mich und geht mit ihrem Blick einmal im Schnellverfahren über meinen gesamten Körper. »Schenkel, Bauch und noch 'ne Bruststraffung, dann hättest du wieder was Vorzeigbares«, ergänzt sie netterweise noch. Zicke. Nett, dass ich meinen Kopf behalten darf. Ich ziehe meinen Joker: »Ich habe gerade ein Kind bekommen«, versuche ich mich rauszureden. Sie kontert sofort: »Willst du damit bis zur Einschulung deiner Tochter argumentieren? Ist die nicht mittlerweile längst im Kindergarten? Guck dir mal Nadja Auermann an – dieses Topmodel. Die hat sogar zwei Kinder.« Treffer und versenkt. Ich weiß selbst, dass ich schon mal in besserer Form war. Allerdings ist das lange her. Und Hüftchen wie die von Giselle hatte ich das letzte Mal mit vierzehn. Von manchen Dingen muss man sich anscheinend lebenslang verabschieden. »Man muss nicht mit so Wülsten leben, Disziplin oder ein paar tausend Euro, und du kannst dich wieder im Schwimmbad sehen lassen«, will sie mich ermuntern. Schwimmbad. Jetzt kommt die mir auch noch mit meinem Neurosewort Schwimmbad. Seit meinem vermaledeiten Schwimmkurs beim Tatsch-Ede mache ich um nahezu jedes Schwimmbad einen großen Bogen. Ich erinnere mich nur zu gut an die oberpeinliche Angelegenheit. Die ich wohl nie mehr vergessen werde:

Claudia gewöhnt sich schnell ans Schwimmen. Wir gehen regelmäßig. Babyschwimmen macht ihr von Woche zu Woche mehr Spaß. Mir wird es langsam unheimlich. Denn die Signale von Ede werden offensichtlicher. Auffälliger. Er hüpft ständig um mich rum. Findet auch Inge. So übel kann der Badeanzug also doch nicht sein. Er übt mit keinem Kind häufiger als mit meinem. Nimmt sie für Demonstrationszwecke. »Bitte mal herschauen, meine Damen, so muss das gehen«, ruft er durch die Schwimmhalle, wenn er meine Tochter durchs Wasser wirbelt. Und sie: Lässt es gern geschehen. Mag den Mann mit den hübschen Badehosenrausgucklöckchen. Ich bin etwas angespannt. Schließlich weiß ich mittlerweile über Ede Tatschler genau Bescheid. Inge hat mir alles im Detail gebeichtet. Bei einem der angesagten Dienstagstreffen in ihrer Wohnung. Obwohl jede außer mir die Geschichte schon kannte, haben alle gerne noch mal gelauscht. »Du solltest es jetzt wirklich wissen, was der Ede so treibt, Andrea«, hat sie ihre Story begonnen. »Ich habe nämlich das untrügliche Gefühl, dass du bald dran bist. Und bevor dir passiert, was mir passiert ist, hör gut zu.« Na, das klingt ja richtiggehend dramatisch. Ist sie ihm hörig gewesen? Sexuell abhängig? Hat ihr Mann sie mit dem Schwimm-Ede erwischt? Steht er auf komische Sachen? Treibt er es mit Schwimmflügelchen, oder kann er nur im Wasser? Ich bin gespannt. Die Geschichte ist dann doch harmloser als erwartet. Inge hat mal mit Ede geknutscht. Nach der Schwimmstunde. In einer Umkleide. Als er sie, nachdem die anderen abgezogen waren, in die Familienumkleide locken wollte, »da haben wir viel mehr Platz«, ist sie abgerückt und hätte vor lauter Panik fast ihren Samuel Konstantin David liegen gelassen. Dafür hat sie sich dann fast mehr geschämt als für das Knutschen. »Da knabbere ich noch heute dran«, gibt sie seufzend zu.

»Ja und«, frage ich neugierig. »Und weiter?«

»Nix weiter«, zischt sie mich an. »Gar nichts weiter.« Allein die Erinnerung ans Knutschen scheint sie aufzuregen. »Hat er dich bedrängt, angerufen, ist er zudringlich geworden, wieso hast du dich von dem überhaupt küssen lassen?«, will ich zur genaueren Untermauerung der Geschichte noch wissen. Mich hat noch nie einfach so einer in einer Umkleide geknutscht. Ich bin wirklich ein ausgesprochen harmloses Frauchen. »Nein, also ja, ach Quatsch«, stammelt sie sich einen ab. Waren das die kompletten Antworten? Karin, eine ihrer besten Freundinnen, ist an Inge rangerückt, hat sie in den Arm genommen und gesagt: «Reg dich nicht so auf, Inge, ist doch vorbei, lass jetzt mal Andrea.« Na, das muss ja ein gigantischer Kuss gewesen sein, dass man noch Wochen später zitternd in den Armen einer Freundin aufgefangen werden muss. Das macht mich ja direkt neugierig. Sie sieht es mir an. »Weißt du«, ergänzt sie ihre Schilderung, »klar kann er küssen, nicht mal schlecht übrigens, aber er hat es vorher auch schon bei jeder im Kurs probiert. Ich war die Letzte und bei mir hat es dann endlich geklappt. Die anderen haben ihn abfahren lassen.«

Ich glaube jetzt zu wissen, wo das eigentliche Drama liegt. Sie war quasi die, die übrig war. Die Letzte, an die er sich rangemacht hat. Wie beim Völkerball in der Schule. Stehen gelassen bis zum bitteren Ende. Und die Einzige, die sich drauf eingelassen hat. Es ist ihre gekränkte Eitelkeit. »Na ja, was soll's, manchmal spielen halt die Hormone verrückt, gerade so kurz nach einer Entbindung«, versuche ich sie zu trösten. Man sollte sich nicht jahrelang an einem winzigen Kuss abarbeiten. »Ja, ja«, jammert sie weiter, »das sagt der Sebastian ja auch. War doch nur ein bisschen Geknutsche.«

Sie hat es ihrem Typ erzählt. Ist die denn eigentlich wahnsinnig? Wochenlanger Ärger für ein klitzekleines bisschen Küsserei in einer Umkleide! Wo garantiert niemand was gesehen hat. Von totaler Offenheit halte ich nicht so viel. Sicher sollte man sich in einer Beziehung die wichtigsten Dinge gestehen, aber ob das jetzt wirklich wichtig war? Wo sie sich doch sofort dafür geschämt hat. Ist die Sache damit nicht hinreichend gesühnt? »Ist er ausgerastet, dein Sebastian?«, erkundige ich mich vorsichtig. Nicht, dass ich noch eine emotionale Großbaustelle auftue. »Nee, ach nee, natürlich nicht. Er hat gemeint, wenn du Spaß hast, tu dir keinen Zwang an. Der macht ja auch noch manchmal mit der Rita, na ja, das ist wieder ein anderes Thema.« Oh weia. Das klingt mir aber überhaupt nicht gut. Null Eifersucht, weil er viel zu sehr mit der anderen WG-Mitbewohnerin beschäftigt ist. Ich erahne, dass ich hier gerade auf das eigentliche Problem gestoßen bin. Inge propagiert zwar die große Offenheit und die Abkehr von bürgerlichen Zwängen wie sexueller Treue, aber im wahren Leben ist das Durchhalten von solchen selbst auferlegten Regeln oft verdammt schwer. »Ja aber ist dann nicht der Sebastian das Problem, und nicht der Ede?«, frage ich nach. Jetzt langt es der Inge. »Du kapierst wirklich nichts. Ohne den Ede wäre es nie zu dieser Sache gekommen.« Hä? Zu welcher Sache? Ist jetzt der Ede mit seinem harmlosen Kuss auch noch schuld an Sebastians Rumgemache mit Rita? Ganz so einfach sollte man es sich ja auch nicht machen. »Ob du es verstehst oder nicht, du solltest gewarnt sein. Komm mir nicht hinterher und jammere mir die Ohren voll, wenn mit dem Ede irgendwas schief läuft«, schnieft sie abschließend. Als ich nochmal genauer nachhorchen will, bekomme ich Ärger mit Karin. »Lass jetzt, du siehst doch, wohin das führt«, warnt sie mich und streichelt dabei weiterhin der armen Inge über den Kopf. Als hätte ich mit dem Thema angefangen. Hätte ich das geahnt. Ich dachte, ich bekomme eine herrliche schlüpfrige Lovestory, und dann endet das mit frustriertem Geheule.

Aber trotzdem: Angefangen hat die Inge schön selbst. Alles muss man sich auch nicht unterschieben lassen.

Jedenfalls bin ich gewarnt. Wenn der Tatschler Ede ein Kerl war, der noch im Nachhinein solche Wellen schlagen kann, muss ich mich wahrlich in Acht nehmen.

Als dann, zwei Wochen später, am Abend vor dem Schwimmkurs das Telefon klingelt und Ede Tatschler dran ist, weiß ich – der Moment ist da. Er robbt sich ran. Wahrscheinlich hat er schon die passende Umkleide für mich rausgesucht. Aber nicht mit mir, denke ich. Nicht mit mir. Mach deine lustigen Spielchen, mit wem du willst, aber mich kriegst du nicht. Ich bin keine leichte Beute. Ich bin nicht die Inge. All das habe ich nicht etwa nur gedacht, sondern dann auch direkt ins Telefon gebrüllt. Der soll schon wissen, mit wem er es zu tun hat. Ich habe dann noch was in der Richtung schwanzgesteuerter Obermacho hinzugefügt, zerre in die Umkleiden, wen du willst, aber nicht mich, und den Hörer aufgeschmissen. Großartiger Auftritt. Ich, Andrea Schnidt – die Rächerin der Entehrten. Inge ist mir ab sofort zu ewiger Dankbarkeit verpflichtet.

Dem habe ich das Handwerk sicherlich dauerhaft verpfuscht. *Emma* sollte mir ein Titelbild widmen. Mindestens.

Zwanzig Minuten später erneutes Telefonklingeln. »Christoph, geh du mal ran«, rufe ich meinem Liebsten zu. Ich liege in der Wanne und feiere meinen Sieg. Bin total geschafft. Und rasend stolz. Bis Christoph im Badezimmer steht: »Sag mal, da war ein Ede irgendwie dran, der hat mich gefragt, ob du Drogen nimmst. Oder diese Krankheit hast, wo man so zuckt und Schimpfworte schreit. Keine Ahnung, wovon der da gesprochen hat. Ich habe nur gesagt, manchmal käme es mir auch so vor. Netter Typ. Hat ganz schön gelacht. Also, ist aber jetzt auch egal, er wollte dir eh nur sagen, dass morgen keine Schwimmstunde ist. Er hätte schon mal deswegen angerufen, wäre aber irgendwie nicht zu Wort gekommen. Also schönen Gruß, lässt er ausrichten, er hofft, es geht dir bald besser, und du sollst nicht umsonst ins Hallenbad fahren. Die Stunde fällt aus. Weil er die Windpocken hat.«

Ich fange an zu verstehen. Der wollte gar nichts. Der wollte tatsächlich einfach nur nett sein und die Schwimmstunde absagen. Was habe ich bloß getan? Frauensolidarität, wo führst du hin? Kann ich für immer in dieser Wanne bleiben?

Ich habe einen windpockenkranken Mann angeschrien und wahrscheinlich zu Unrecht verdächtigt und beschimpft. Wie soll ich je wieder mit Claudia in die Schwimmstunde gehen? Was wird aus ihrer Motorik durch meine Cholerik?

Ich bleibe verschämt in der Wanne, bis sich meine Hände und Füße fast auflösen. Wie soll ich dem je wieder vor Augen treten?

Andererseits: Er hat Inge geknutscht. Und er ist ein Mann. Und haben die nicht alle mal eine Abreibung verdient?

Aber peinlich ist es schon.

Giselles Hüften werden nach ausgiebiger Bewunderung von Sandra wieder eingepackt. »Wenn du die Nummer von meinem Arzt willst, dann sag es mir«, animiert sie mich. »Das geht ratz fatz mit dem Fettabsaugen, hinterher ein paar Wochen Stützhöschen, und dann ist alles wie neu«, versucht sie mich zu locken. Stützhöschen trage ich auch so schon ab und an. Genauer gesagt, so ein Bauchwegdrückteil. Wirklich helfen tut es nicht. Es verschiebt die Problemzone nur eine Etage nach oben. Man hat den Wulst dann über dem Höschenbund sitzen. Trotzdem fühle ich mich nach Giselles Demonstration besser. Ich trage immerhin noch Originalhüften, wer kann das heute schon noch von sich behaupten? Es ist wie mit klassischen Sportwettbewerben. Darf man überhaupt mitmachen, wenn man gedopt ist? Darf Giselle also ihre Hüften mit meinen vergleichen – oder ist das jetzt schlicht eine andere Liga?

Das Europapuzzle ist wirklich toll geworden. Es sieht richtig poppig aus. Ich lobe die Requisite ausgiebig. Herr Lorenz freut sich. Auch für ihn ist Lob etwas Besonderes. »Schön, dass es Ihnen gefällt, unser Azubi hat gestern Abend noch Überstunden bis zum Umfallen gemacht.«

Besonders stolz ist er auf Spanien. »Dieses Dottergelb, also das war meine Idee, und ich muss sagen, es sieht wirklich gut aus.« Wir freuen uns beide. So weit ist es schon mit mir. Ein dottergelbes Sperrholz-Spanien langt, um in Stimmung zu kommen.

Ein Anruf vernichtet die gute Laune. Die Mock möchte nicht im Interconti wohnen. Zu anonym. »Wenn die Atmosphäre nicht stimmt«, erklärt mir Frau Tritsch, die Agentin, »dann kann Anett Mock nicht auftreten.« Na und. Die soll ja erst auftreten und dann ins Hotel. Ob sie nachts noch in Auftrittsstimmung ist, spielt für uns keine Rolle. Frau Tritsch ahnt, was in mir vorgeht. »Es sollte Ihnen wichtig sein, denn was für Frau Mock wichtig ist, für die Anett, das kann für Ihre Sendung entscheidend sein.« Jetzt langt es mir. Das klingt ja fast nach einer Drohung. »Das übersteigt meine Kompetenzen«, gebe ich mich geschlagen. Ich verbinde zu Tim. Soll der sich doch mit dieser Pute rumärgern. Fünf Minuten später steht er an meinem Schreibtisch. »Sag mal, Andrea, was soll denn das? Wo liegt denn da das Problem? Bist du nicht in der Lage, ein Hotel umzubuchen? Sie will den Frankfurter Hof – dann kriegt sie den. Ruf an und buch ihr ein ordentliches Zimmer.« Der gleiche Mann, der gestern fast eine Herzattacke bekommen hat, als ich die Worte »Frankfurter Hof« nur in den Mund genommen habe, verlangt jetzt die sofortige Buchung. Manchmal übersteigt das hier meine Nervenkraft. Ich könnte ihm glatt ein paar reinhauen. Erst Giselles Hüften und jetzt das.

Der Frankfurter Hof ist dicht. Bis auf die Suite. Ich nehme sie. Bin gespannt auf die Gesichter in der Honorarabteilung.

Bei der Sitzung dann wieder kollektive gute Laune. Das Puzzle gefällt, Will übt schon Abba-Songs für den Hüpfer auf Schweden, und Oskar, der kleine Praktikant, ist berauscht, denn Will hat in einem Nebensatz erwähnt, dass es doch hübsch wäre, wenn Oskar in der Sendung die Getränke servieren könnte. Wir anderen wissen, dass es nie dazu kommen wird. Oskar sieht viel zu gut aus. Das könnte Wills Ego niemals verkraften. Auf der Mattscheibe hat Will nicht gern schöne Männer um sich rum. Privat kann ihm keiner schön genug sein. Aber sei's drum. Oskar ist für einen Tag glücklich und Will dadurch schon verdammt nah dran an den Teilen von Oskar, die ihn wirklich interessieren.

Um die Mittagszeit bin ich kurz vor dem Verhungern. »Bitte, Sandra, nur einen klitzekleinen Salat, ohne Dressing oder so«, beknie ich meine Kollegin. Ich muss keine großartige Überzeugungsarbeit leisten: Auch sie ein schwacher Mensch.

Als wir in der Kantine einlaufen, ist die Schlupflid-Geschichte schon ziemlich rum. Wir tun natürlich erschüttert. Heucheln Nichtwissen und Entsetzen. Selbst die Frau, die die Tabletts abräumt, weiß schon Bescheid. »Hör ma«, haut sie uns an, »is des wahr, des mit dem Will? Hat der sich die Auche mache lasse?« Wir zucken mit den Achseln. »Tja also, man munkelt so was, aber keine Ahnung.« »Sache Se ihm en scheene Gruß von mir, warum er dann net gleich noch de restliche Kopf hat mitmache lasse. Wer guckt en dem schon in die Auche.« Peng. Das hat gesessen. Will ist ein Mensch, den eher die Obrigkeiten lieben. Unser Programmdirektor. Der Unterhaltungschef. Die sülzt der regelmäßig dermaßen ein, dass sie gar keine andere

Wahl haben. Mir sagt man hingegen eher den Hang zum Küchenpersonal nach. Was vielleicht symphatischer, aber nicht unbedingt karriereförderlicher ist.

Wir nehmen noch ein winzig kleines Schnitzelchen ohne Panade zum Salat. Auf dem das Dressing leider schon drauf war. Oder zum Glück. »Kohlsuppe ist das nicht so ganz«, kommt der kleine Tadel von Sandra. »Aber Trennkost«, rede ich uns raus, und das Schnitzel ist so klein, dass wir es, kaum ist es gegessen, auch schon vergessen.

»Dreimal werden wir noch wach, heißa, dann ist Sendungstag«, begrüßt uns Will, als wir zurück in die Redaktion kommen. Macht der jetzt mentales Training, ist es eine versehentliche Endorphinausschüttung – unverhofft früher Nahkontakt zum Praktikanten – oder der erste Schritt zur beginnenden Demenz? »Was ist los, irgendwas passiert?«, fragt Sandra vorsichtig. Hat ihn der Klatsch schon erreicht? Wäre eigentlich erstaunlich, denn normalerweise erfährt der, um den es geht, die Geschichten immer erst Wochen später. Außerdem würde das Wissen um den aktuellen Tratsch wohl kaum Wills Laune derart in die Höhe treiben. Es ist auch nicht der Klatsch, sondern sein neues Jackett. Türkis. Samt. Und exakt die Farbe von Italien. Auf dem Europapuzzle. Will freut sich wie ein Zweijähriger: »Ich habe es schon ausprobiert, es sieht genial aus, besonders wenn ich auf Österreich oder der Schweiz stehe.« Dabei steht Will eigentlich auf Italien. Italien ist Wills Land. Allerdings nicht wegen der hübschen Gegenden, der Uffizien oder des Strandes, sondern wegen Gucci, Versace und Co. Seine Urlaube verbringt Will immer in Italien. Genauer gesagt in irgendwelchen Outlets von Prada und Konsorten.

Wir dürfen dann bei seiner Rückkehr wochenlang diverse Superschnäppchen bewundern. Die Welt ist voller Überraschungen. Womit man Menschen so erfreuen kann. Unglaublich.

Obwohl, Prada mag ich auch recht gern. Aber 240 Euro für ein Paar Slingpumps, deren Absatz ich dann auf Spielplätzen dieser Welt ablatsche? Außerdem habe ich Füße, die sich erdreisten, entgegen der aktuellen Schuhmode vorne nicht spitz zuzulaufen. Was bedeutet, dass Prada und ich nur selten kompatibel sind. Schade, aber bei mir trifft der alte Spruch: »Frankfurter Füß – Pariser Schuh« leider zu. Schuhe kaufen ist dennoch eine herrliche Angelegenheit. Fast alle Frauen, die ich kenne, lieben es, Schuhe zu kaufen. Und Millionen von Verhaltensforschern grübeln über die Gründe. Was treibt Frauen in Schuhgeschäfte? Würden sie mich fragen, wüssten sie Bescheid, die Antwort ist einfach: Weil Schuhkauf nicht frustriert. Füße haben, dem Himmel sei Dank, nicht die bedauerliche Eigenschaft anderer Körperteile, ihre Ausmaße ständig zu verändern. Ob Schuhe in Größe 39 oder 40 passen, ist außerdem kein Grund zum Schämen. Klamottenkauf ist was anderes. So erniedrigend. Da kann die Frage nach der Größe einen direkt in die Depression treiben.

Wir alle bewundern noch ausgiebig Wills neues Jackett von Dolce & Gabbana, und dann ist es Zeit. Zurück an die Leggingsfront.

Im Kindergarten ist schon riesig was los. Abholzeit. Ich treffe Lydia. Lydia ist Mitte zwanzig, Friseurin und eine äußerst attraktive Person. Lange blonde Mähne, hautenge Jeans und Hüftgürtelchen. Ich muss zugeben: Sie kann es sich leisten. Lydia ist, vor allem bei den Vätern der Kindergartenkinder, beliebt. Die meisten Mütter sind, was Lydia betrifft, eher skeptisch. Eine Frau, die mehr Sorgfalt auf ihre Gel-Fingernägel und Strähnchen verwendet als auf Aufzucht und Pflege der Brut, ist suspekt. Außerdem kommt erschwerend hinzu, dass Lydia allein erziehend ist. Und das ist, in einer klassischen Mittelstandsgegend, durchaus Anlass zur Sorge. Um den eigenen Mann. Deshalb muss Lydia gerne herhalten, wenn es um Mütter geht, die es irgendwie nicht richtig machen. Lydias Sohn darf zu viel fernsehen und gilt als komisch. Er mag keine Autos und spielt lieber in der Puppenecke. Fasching war er nicht etwa Cowboy, Ritter, Sams oder Harry Potter, sondern Zaubermaus. In einem weiß bestickten Kleid mit rosagrauen Öhrchen. Dazu seine blonden Löckchen und das zarte Körperchen – er sah aus wie ein Mädchen. Und dass er lieber eines wäre, hat er angeblich mal nachmittags bei einem Kindergeburtstag gesagt. Dazu kommt, dass seine Lieblingsfarbe Pink ist. »Wo das hinführt, ist doch eindeutig«, meint Roswitha, eine eher bodenständige Person, deren Sohn von morgens bis abends irgendwo runterspringt und aus jedem Hölzchen eine Pistole macht, schon zweimal den Arm gebrochen hatte und der absolute Draufgänger ist. »Eben ein richtiger Kerl«, wie Roswitha nicht ohne Erzeugerinnenstolz gern mal erwähnt. »Wenn das mit dem Kleinen von der Lydia so weiter geht, dann wird der schwul, liegt ja auch nahe, so ohne Vater«, spricht sie aus, was alle denken. Neulich hat Finn, Lydias Sohn, sogar seine Fingernägel lackiert gehabt, und das, also das sei ja wohl ein untrügliches Indiz.

Wenn die wüssten. Vielleicht ist Finn einfach nur schlau

und sieht, dass Frauen das bessere Geschlecht sind. Mehr Spaß im Leben haben. Außerdem: Will hat einen Vater, war laut eigener detailgenauer Schilderungen ein totaler Draufgänger, Rudelführer und hat als Kind mit nichts als Autos gespielt. Tja. So viel zu Roswithas Indizienprozess.

Das Komische ist ja auch: Alle wollen angeblich neue Männer, und verhält sich dann einer mal nicht artgemäß, ist das nicht etwa ein Grund zur Freude, sondern zu größter Panik. Alles was anders ist, ist nicht etwa interessant, sondern gefährlich. Falsch. Keine Mutter kennt nicht mindestens eine, die alles verkehrt macht. Berüchtigt sind Geschichten von armen Hascherln, die nie Süßigkeiten essen dürfen und, kaum sind sie zu Besuch bei normalen Menschen, wie irre Süßigkeitenmonster alles Verfügbare in sich reinschaufeln. Ähnlich verhält es sich mit denen, die aus Prinzip nicht Fernsehen gucken dürfen. Wenn die dann zu Gast sind, wollen sie nichts, als rund um die Uhr fernsehen. Diese Beobachtungen stärken die Mütter, die es anders machen.

Untereinander lästern gehört zum Mütterspiel. Obwohl es meist eher unterschwellig abläuft. Niemand sagt so direkt: »Ach, die Soundso, was die für einen Scheiß mit ihrem Kind macht, total gestört ist das.« Es sind immer eher kleine Anekdötchen, die als Beleg herhalten müssen. »Also, wie die Carla neulich bei uns war, die wollte nur raus in den Garten. Rädchen fahren, Roller ausprobieren. Na ja, ihre Mutter hat da ja selten Zeit für so Sachen, und die arme Carla, ist schon traurig, so blass, wie die ist. Nicht mal richtig Roller fahren kann die. Da ist die wirklich so was von hintendran. Schade um das an sich nette Mädchen.«

Dass der eigene Sprössling dafür nicht mal einen Kreis malen kann, es sich anhört, als hätte er eine Ladung Kies im Mund, wenn er spricht, und dass er nachts noch in die Hose macht, spielt bei solchen Schilderungen keine Rolle. Entscheidend sind die Defizite der anderen. Vor allem auf Gebieten, auf denen das eigene Kind glänzt. Ich habe schon Mütter erlebt, die beim Kinderturnen kurz vor den Freudentränen standen, weil Klein Sarah so toll ohne Festhalten auf die Matte hüpfen konnte. Aufgewertet wird diese Extremsportleistung natürlich durch Kinder wie meines, die schon beim Gedanken an den Sprung zu heulen anfangen. Stundenlang auf dem Kasten stehen, alle aufhalten und nur nach Versprechungen wie »Mami kauft dir gleich noch ein schönes Eis« sich erweichen lassen, an der Hand vom Kasten zu springen. Klein Sarahs Mutter habe ich dann im Gegenzug mal eben ein Gemälde von Claudia präsentiert. Schließlich weiß ich, dass Sarah nicht mal einen anständigen Kopffüßler hinkriegt. Claudia malt ab und an sogar schon Körper. Mutti-Ekstase. Stolzattacke.

Warum tun wir uns das eigentlich an? Sind wir Frauen so gemein?

Nein. Oder vielleicht nur zum Teil. Der Hauptgrund ist, dass es insgeheim beruhigt, dass keine das perfekte Kind hingekriegt hat. Und frau so über die Fehler der anderen das eigene Kind aufwerten kann.

Lydia fragt, ob Finn heute bei uns spielen kann. »Ich hab noch eine Dauerwelle reingekriegt, die echt eilig ist, es wäre klasse, wenn du den Finn mitnehmen könntest.« Im falschen Moment am falschen Ort, und schon hat man ein Kind mehr. Mit dem Bewusstsein «wir Berufstätigen müssen zusammenhalten« sage ich ja. Leider kann man ja nicht die große Solidarität predigen und dann im entscheidenden Moment kneifen.

Finn ist ein hübscher kleiner Kerl. Und an sich einfach zu halten. Dem muss man kein großes Programm bieten. Verwöhnt kann man ihn nicht nennen. Der einzige Haken an der Sache: Claudia macht sich nicht wirklich viel aus Finn. »Babyhaft«, nennt sie ihn. Ein halbes Jahr kann in dem Alter entscheidend sein. Vor allem ist es ein Alter, in dem man stolz drauf ist, älter zu sein als die anderen. »Jüngere Männer sind im Trend«, sage ich Claudia, »am besten, du gewöhnst dich frühzeitig dran.«

Es wird ein herrlicher Nachmittag. Alle Viertelstunde Geschrei. Von Claudia. Finn hat die falsche Barbie, will, wie ungeheuerlich, selbst bestimmen, was seine Barbie spricht, und gibt auch nicht nach. So weit her ist es mit seinen weiblichen Anteilen wohl doch nicht. Manche Kinderkombinationen funktionieren einfach nicht. Zeigen sofort Unverträglichkeitsspuren. Aber warum Erwachsene immer denken: »Ihr seid doch in einem Alter, also vertragt euch recht schön«, ist mir eh ein Rätsel. Schon früher habe ich Besuche von Freunden meiner Eltern gehasst. Besonders wenn sie Kinder hatten. Nur weil Eltern Freunde sind, müssen sich die Kinder doch nicht lieben. Ich habe Wochenenden mit der bekloppten lahmarschigen Pamela verbracht, nur weil sie zufällig die Tochter von Klaus und Jutta war. Klaus und Jutta sind die ältesten Freunde meiner Eltern. Kennen sich aus der Tanzstunde. Ihre Tochter habe ich auf Anhieb nicht leiden können. Und sie mich auch nicht. Boh, was war die blöd. Ist sie bestimmt immer noch.

So blöd, wie die war, kann sich das selbst in Jahrzehnten nicht verwachsen. Streber-Pamela. Zöpfchen, ordentliche Fingernägel und ein Superzeugnis. Immer brav. Ein echtes Vorzeigekind. Unvergesslich unsere zahlreichen Spaziergänge, bei denen Mama und Papa munter plaudernd mit Jutta und Klaus durch den Wald gezogen sind und Pamela und ich wie frisch zum Tode Verurteilte hinterher. Schweigend. Überhaupt spazieren gehen. Mein persönlicher Superhorror. Mit zwölf hat man keine Lust mehr, Tannenzapfen zu sammeln, und kann auch Ameisenhügeln und kleinen Bächen nicht mehr viel abgewinnen.

»Niemals werde ich meine Kinder zu so was Furzlangweiligem zwingen«, habe ich damals gedacht. Die dürfen machen, was sie wollen.

Heute gehen wir am Wochenende auch gern mal ein Ründchen. Man wird seine Meinung ja mal ändern dürfen. Ein bisschen Frischluft hat noch keinem Kind geschadet, und ich habe es ja auch überlebt. Letztlich bleibt man halt doch das Kind seiner Eltern. Manchmal rede ich sogar schon ähnlich wie meine Mutter.

Und noch mag Claudia Spaziergänge auch recht gern. Kann Tannenzapfen und Schleimschnecken einiges abgewinnen.

Aber Finn immer weniger.

Claudia haut ihm mit ihrer Glitzerbarbie auf den Kopf. Finn schreit, Claudia auch, weil die Krone der Barbie den Kopf von Finn leider nicht überlebt hat. Er zerreißt zu allem Überfluss auch noch den Prinzessinnenschleier. Dafür beißt ihn Claudia in den Unterarm. Ich hätte große Lust, beiden ein paar zu scheuern, entscheide mich dann aber dafür, sie vor dem Fernseher zu parken. Manchmal gibt es keinen besseren Ausweg. Biene Maja stimmt das Monsterpärchen wieder etwas versöhnlicher. Um halb sieben fahre ich Finn heim. In den Frisörsalon. Lydia hat angerufen und gesagt: »Hör mal, macht's dir was aus, mir ihn eben vorbeizufahren, oder kann er noch zwei Stündchen bleiben?« Noch zwei Stunden halte ich nicht aus. Vor allem, weil Finn meine Tochter jetzt nur noch Thekla nennt. Wie die fiese Spinne in Biene Maja. Nicht unwitzig. Statt sich verbal zu wehren, schlagfertig zu parieren, heult meine Tochter nur noch rum. Die beiden sind wirklich füreinander geschaffen. Ein Zwergentraumpaar.

Lydia ist tatsächlich noch am Arbeiten. Der Friseursalon schon abgeschlossen. Ich muss bestimmt viermal klopfen, bis sie öffnet. Mit hochrotem Kopf wurschtelt sie eifrig an einem Männerkopf herum. Den Kopf kenne ich. Es ist Belindas Vater. Theas Mann. Kriegt der etwa die erwähnte Dauerwelle, die sie so dringend noch machen musste? »Hi, Pius, bist du unter die Dauerwellträger gegangen?«, flachse ich. Erstaunlich, dass seine Ehefrau Thea, die ja sonst alles selbst macht, hier versagt. Aber: Wie soll Lydia in das Haar überhaupt nur einen Wickler reinkriegen? Er grinst verschämt, wirkt etwas angespannt. »Nee, nee, nur mal nachschneiden.« Aha. Merkwürdig. Der hat doch eh kaum Haar. Und kurz ist es auch. Und der Kittel von Lydia sitzt auch nicht so, wie er sollte. Das Ganze sieht mir nicht nach einem normalen Friseurbesuch aus. Auch Pius hat so einen auffällig roten Kopf. Gehen hier Sachen vor sich, die ich besser nicht wissen sollte? Vergnügt sich Lydia mit Pius, während ich ihren bösartigen Sohn hüte, der mir nichts, dir nichts Prinzessinnenschleier zerrupft? Zählt das hier als Arbeit, oder ist das irgendwas ganz anderes? Muss ich Thea was davon sagen?

Wahrscheinlich spinne ich nur. Habe einfach zu viel Phantasie. Wäre aber mit Sicherheit eine interessante Geschichte. Obwohl ich mir kaum vorstellen kann, dass Lydia auf Pius abfährt. Pius hat nicht nur wenig Haar, er sieht auch aus, als hätte er bisschen wenig Hormone. Testosteronarmut eventuell. Ob Frauen wie Thea Männern wie Pius das Testosteron absaugen? Einfach durch das Zusammenleben? Mit dem Testosteron ist das ja so eine Sache. Zu viel ist ganz grauslich, aber Männer komplett ohne taugen auch nichts. Er ist ein eher luschiger Typ. Mit laschem Händedruck, wässrigem Blick. Wirkt gänzlich ungefährlich. Hat was von einem Neutrum. Der zusammen mit Lydia, der Miss Kindergarten? Unvorstellbar. Vor allem, wenn man je den Ex von Lydia gesehen hat. Machismo in Reinkultur. Groß, breitschultrig, längeres Haar und Oberarme wie meine Schenkel. Wer meine Schenkel kennt, weiß, was das bedeutet. Trotzdem, astrein ist das hier nicht. Vor allem, weil die zwei augenscheinlich nichts mehr wollen, als mich loszuwerden. Lydia schenkt mir sogar noch eine Haarspülung. Fürs Aufpassen. Und fürs schnelle Verschwinden. Ich komme mir vor wie ein drittklassiger Babysitter. Hinter mir wird wieder abgeschlossen. Was da wohl jetzt abgeht? Wahrscheinlich Intensiv-Einzelhaarbehandlung. Haarmeditation.

Ich werde Thea nichts sagen. So eng sind wir zwei nun auch nicht.

Stattdessen erzähle ich es Christoph, der nur mäßig interessiert scheint: »Pius war beim Friseur, und weiter?«, ist seine Reaktion. Christoph neigt nicht zum Misstrauen. Ist für Anwälte wahrscheinlich praktisch, damit sie den Scheiß, den ihre Mandanten erzählen, auch ja glauben können. Ich halte eine gesunde Portion Misstrauen für sinnvoll. Gerade im Bezug auf Männer.

Wir machen uns einen netten Abend. Das heißt, genauer gesagt mach ich mir einen netten Abend. Christoph brütet noch eine Runde über seinen Akten. »Du weißt, Andrea, jetzt gilt es«, mit diesen Worten zieht er sich zurück. Ich spare mir jede Bemerkung. Der Herr Partner wird schon wissen, was zu tun ist. In mir keimt leise Hoffnung auf. Hoffnung auf Terrakottafliesen und Co.

Claudia schläft schon beim Essen fast ein. Der »babyhafte Finn« hat sie geschafft.

Sie schläft selig. Bis morgens um zwei Uhr. Dann Gewimmer. »Mama, mir ist heiß. Und mein Kopf tut so weh.« Na toll. Das fehlt ja gerade noch. Tatsächlich, sie ist knallheiß. Eine lebende Wärmflasche. Her mit dem Fieberthermometer. 39,5 Grad. Wo sind die Zäpfchen? Schnell rein damit, und dann darf Claudia mit in unser Bett. Obwohl ich sonst eher eine Verfechterin der »Mein Bett gehört mir«-Abteilung bin. Das Thema »Wo schlafen Babys am besten« war von Anfang an eines der am kontroversesten diskutierten Themen überhaupt.

»Kinder gehören in ihr eigenes Bett«, hat mir meine Mutter schon im dritten Schwangerschaftsmonat erklärt. Dann nochmal am Wochenbett. Mit strengem Blick auf Claudia, die ihr kleines Haupt neben mir auf das Kopfkissen gebettet hatte. »Wenn du einmal mit so was anfängst«, wieder ein tadelnder Blick, »dann hast du die Gören noch bei der Einschulung in deinem Schlafzimmer.« Meine Mutter hat sehr genaue Vorstellungen, was Erziehung angeht. Und das »im eigenen Bett schlafen« stellt eine der wichtigsten Grundlagen dar. »Du wirst dir ein verzogenes Etwas heranzüchten, und irgendwann liegen nur noch das Kind und du im Bett, und dein Mann tummelt sich woanders«, ihre abschließende Warnung.

Schon in der Schwangerschaft habe ich eine süße Wiege gekauft. Korbgeflecht mit weißer Spitze. Wirklich schmuck. Und ziemlich teuer. Christoph war unentschlossen, ich aber beharrlich. Wenn man etwas wirklich will, sollte man nicht aufgeben. Ich trage doch nicht neun Monate schwer und bekomme dann nicht mal die Wiege, die ich will.

»Sie kommt ins Schlafzimmer«, habe ich dann beschlossen. Neben unser Bett. »Wie schlau«, habe ich gedacht, »da schlage ich zwei Fliegen mit einer Klappe. Das Kind ist nicht im Bett, aber nah genug an uns dran, damit ich nur ja kein aufkommendes Bedürfnis überhöre.« Claudia in unser »Ehebett« zu legen, habe ich mich nicht getraut. Nicht wegen meiner Mutter, nachts sieht die uns ja nicht. Es ist eher die Sorge, beim nächtlichen Wälzen unser kostbares Kind zu zerquetschen. Drüberzurollen, ihr die Luft zu nehmen und dann noch der Gedanke, sie fällt aus dem Bett. Nein danke. Noch dazu hat das so was von totaler Muttimutation. Rund um die Uhr ans Kind gekettet. Nein. Also rein in die Wiege. Und die Wiege ganz nah ran ans Bett. Doch so durchdacht das Ganze auch war: Das Resultat war niederschmetternd. Ich hörte tatsächlich alles. Jedes Grunzen und Schmatzen. Und jedes Mal saß ich senkrecht im Bett. Aus Angst vor plötzlichem Kindstod oder anderen Scheußlichkeiten. Man liest ja so viel. Claudia allerdings hat bestens geschlafen. Dummerweise nur stundenweise. Mehr war anscheinend nicht drin. Und diese wenigen Stunden waren garantiert nicht die, die ich geschlafen habe. Es gibt ja immer wieder diese tollen Geschichten von Kindern, die, kaum vier Wochen alt, schon die Nächte durchschlafen. Claudia hat tagsüber wunderbar geschlafen, aber nachts einen Riesenzirkus veranstaltet. Drei Wochen halte ich es aus, dann verbanne ich die Wiege ins Kinderzimmer. Ich beschloss, dass es langt, wenn ich alle drei bis vier Stunden wachgebrüllt werde. Ich muss nicht noch bei jedem Röchler aufgeweckt werden und jedes Mal denken: Hilfe, sie erstickt, hat einen akuten Virusschub oder Ähnliches.

Der Schlafentzug in den ersten Monaten ist die Hölle. Mitten in der Nacht, wenn andere Menschen sich in der Tiefschlafphase befinden, durch die Wohnung zu wandern, Windeln zu wechseln und Fläschchen zu schütteln, eine echte Tauglichkeitsprüfung. Der finale Muttieignungstest. Die ersten Nächte ist Christoph noch mit aufgestanden. Nach einer Woche war Schluss. »Hör mal, Andrea«, warb er um Verständnis, «ich muss morgens frisch und ausgeschlafen sein, sonst kann ich nicht arbeiten.« Interessant. Und ich? Ist das, was ich hier mache, keine Arbeit, sondern mein Privatvergnügen? »Du kannst dich ja tagsüber ausruhen, wenn die Maus schläft, legst du dich einfach auch ein bisschen hin.« So. Toll. Männer und ihre einfachen Lösungsmodelle. Sich hinlegen, tagsüber. Und wer räumt

Waschmaschinen ein und aus, bügelt und kauft ein? Selbst ein Minimum an Hausarbeit erledigt sich leider nicht von selbst. Nach fünf Wochen fühle ich mich wie ein komatöser Zombie. Eine Bademantel tragende Schlampe, die erst um die Mittagszeit erste Lebenszeichen in ihrem Körper verspürt. Und keine guten. Die den Frühstückstisch gegen Abend abräumt. Wenn überhaupt. Ein Kind macht richtig viel Arbeit. Vor allem zu Beginn. Weil man sich noch nicht auskennt. Und als «Muttianfängerin« auch schnell mal in Panik gerät. Und vor allem, weil man die Ausmaße nicht erahnt. Von dem, was da auf einen zukommt. Sich das so idyllisch vorstellt. In Zeitschriften immer nur Bilder von rosigen Müttern sieht, die im Schaukelstuhl versonnen vor sich hin stillen. Und es sagt ja auch keine was: Jede tut so, als wäre das alles die reine, wahre, ultimative Freude.

Und vor allem, keiner würdigt die Arbeit. »Schon Millionen Frauen haben ihre Kinder großgekriegt, lass dich mal nicht so gehen«, ist der Kommentar meiner Mutter, als sie mich am späten Nachmittag völlig aufgelöst in meiner Wohnung besucht. »Und eins sage ich dir, Andrea«, sie guckt besorgt, »so wie du aussiehst, bist du bald auch noch allein erziehend«, präsentiert sie mir eine weitere Nettigkeit. Genau das, was ich jetzt brauche. Eine herrliche Überraschung, diese wohlmeinenden Besuche in der Anfangsphase des Muttiseins. Meine Mutter ist direkt für die harte Tour. Sie plädiert für den Klassiker: »Lass sie schreien, die Lungen brauchen das. Unsere haben ordentlich geschrien und – hat ihnen das geschadet?« Darauf gibt es keine passende Antwort. Wenn man sagt: »Ja, hat es«, dann greift man damit die eigene Mutter an. Behauptet, die hätte irgendwie einen an der Klatsche. Beleidigt die komplette Verwandtschaft. Sagt man nein, gibt es keinen Grund mehr, die eigenen Kinder nicht auch brüllen zu lassen. Ich kneife. Äußere mich überhaupt nicht zu den Verhaltenstipps. Kaufe stattdessen schlaue Bücher. »Jedes Kind kann schlafen«, empfiehlt mir die Buchhändlerin. Welch tröstlicher Titel. Aber keine atemberaubende Neuigkeit. Schließlich schläft auch meins. Nur eben zur falschen Zeit. Trotzdem: Ich versuche, mich an die Regeln zu halten. »Schreit Ihr Kind, gehen Sie hin, beruhigen es und gehen dann wieder hinaus. Jedes Mal warten Sie etwas länger.« Mit der Uhr in der Hand befolge ich die Buchratschläge. Christoph hält das alles für Quatsch. »Irgendwann wird die schon durchschlafen, alle machen das«, lautet seine Wahnsinns-Analyse. Sehr clever. Nur wann ist irgendwann – und werde ich den Tag beziehungsweise die Nacht erleben oder dann längst in einer beliebigen Psychiatrie voll mit Valium vor mich hin dämmern, aber dafür wenigstens in Ruhe schlafen?

Das Schlimmste ist, dass ich mir selbst gehörig auf den Nerv gehe. Mich unausstehlich finde.

Nach acht Wochen ist alles besser. Christoph hat trotz Unwissen Recht gehabt. Claudia schläft sechs bis sieben Stunden am Stück, und ich habe das Gefühl, wieder geboren zu sein. Bin ein neuer Mensch. Selbst Claudias Blähungen können mich nicht aus dem Konzept bringen. Ich gebe Saab Simplex, koche Fencheltee, der so fies riecht, dass mir sofort jegliche Blähungen vergehen würden, und massiere den kleinen harten Bauch. Den Knaller aber landet Inge, meine Quasischwiegermutter. Mit einem herzhaften »Lass misch ema ran« schnappt sie sich meine blähungsgebeutelte Claudia, das lebende Furzkissen, und legt sie auf die Wickelkommode. »So«, sagt sie, »jetzt her mit deim Fieberthermometer.« Ich reiche an. »Was soll en des sein?«, fragt mich Inge überrascht. Ich bin stolze Besitzerin eines dieser modernen Modelle. Fürs Ohr. Die sanfte Variante des Fiebermessens. Inge grummelt was von wegen »Hab isch mir eh gedacht«, und holt aus ihrer Handtasche ein klassisches Quecksilberteil. So wie aus meiner Jugend. »Das hatte schon de Christoph hinne drin gehabt, un jetzt guck ema gut hin. Du nimmst des Thermometer, machst Creme druf und schiebst es in den Popes enei. Aber nur en ganz klaa Stückche. Guck, so etwa. Un jetzt zart hin und herbewesche.« Ich bin unschlüssig. Leicht entsetzt. Wird das nicht zu einer analen Fixierung führen? Kann Claudia dann auch später nur noch pupsen, wenn ihr jemand was in den Po steckt? Wird sie das sexuell irgendwie festlegen? »Hast du das mit Christoph tatsächlich auch gemacht?«, erkundige ich mich nochmal vorsorglich. Schließlich kenne ich dessen sexuellen Neigungen und die sind, jedenfalls soweit ich sie bisher genossen habe, eher gutbürgerlich, eigentlich normal. »Lass mich ema mache«, schiebt sie mich zur Seite, und los geht's.

Ein Geknatter wie bei einem Mofafehlstart. Als würde man aus einer Luftmatratze die Luft rauslassen. Phantastisch. Es wirkt. Inge kriegt einen Schmatz auf die Wange, und anale Fixierungen sind mir jetzt erst mal egal. Manchmal sind Probleme leichter zu lösen, als man gemeinhin denkt.

Claudia hat so pupsfrei eine gute Zeit. Und ich dadurch auch. »Nur ein müdes Kind ist ein gutes Kind«, hat mein

Vater oft mal im Scherz gesagt. Aber auch ein waches kann Spaß machen. Ich fange an, mein Dasein wieder zu genießen. Mutter sein ist doch besser, als in der Anfangsphase erahnt. Claudia strahlt mich immer häufiger zahnlos an, und ich werde so langsam wieder zum Mensch. Ich bin gern Mutter.

Donnerstag, 5.30 Uhr

Claudia jammert und ist schon wieder richtig warm. 38,5 Grad Fieber. Das macht mir keinen guten Eindruck. Sie ist quengelig. Hat Durst. Und Kopfweh. Und in dreieinhalb Stunden muss ich im Büro sitzen. Der Donnerstag ist ein wichtiger Tag. Sendeabläufe werden festgelegt, Pläne getippt, vervielfältigt und Durchgänge geprobt. Freitag ist dann Generalprobe mit Statisten. Fehlen am Donnerstag ist mehr als ungünstig. Eigentlich geradezu ausgeschlossen.

»Christoph, wach endlich auf. Die Claudia kränkelt. Kannst du heute ausnahmsweise daheim bleiben und aufpassen. Einen freien Tag nehmen?« Der Mann neben mir, der eben noch wie tot dagelegen hat, setzt sich abrupt auf. »Wie, zu Hause bleiben, sag mal spinnst du, Andrea. Ich bin berufstätig. Ich habe eine Aufgabe.« Er macht ein Gesicht, als hätte ich ihm vorgeschlagen, auf dem Mond frische Brötchen zu besorgen. Guten Morgen, Gleichberechtigung. Hallo, Emanzipation. Auf Wiedersehen, neue Männer. Willkommen in den Fünfzigern.

Über die kranke Claudia hinweg fangen wir das Zanken an. »Du bist ein erbärmlicher Egozentriker. Lässt deine schwer kranke Tochter hier liegen, nur um Gehorsam am Arbeitsplatz zu demonstrieren«, fahre ich die ersten Geschütze auf. »Gleichfalls«, ist sein wenig orgineller Konter. »Andrea«, beschwört er mich dann schon eindringlicher, »deine Fernsehkumpels werden ja mal einen kleinen Vormittag auf dich verzichten können, wir bereiten heute ein

Plädoyer vor. Wie soll ich da fehlen? Nimm dir einfach einen halben Tag frei.« Er schnappt sich Claudia und streichelt sie sanft, als wolle er sagen: Hier schau mal, was ich für ein feiner, einfühlsamer Vater bin. Ich koche. Das ist mal wieder typisch. Das ist unsere Tochter – aber verantwortlich bin ich. Jedenfalls dann, wenn irgendwas außerplanmäßig läuft. Und das Beste: Der hat noch nicht mal ein schlechtes Gewissen, findet ganz offensichtlich meine Ansprüche grotesk und zieht ein Zuhausebleiben nicht mal in Erwägung. Was tun? Für den großen Generalstreit fehlt mir die Lust. Außerdem muss ich mich um Claudia kümmern. Wenn das Fieber unter 38 wäre, könnte ich sie eventuell noch in den Kindergarten schicken. Wäre natürlich gegen die Regeln und auch nicht wirklich fair den anderen gegenüber, aber immerhin eine Lösung. Beim Abholen würde ich dann so tun, als wäre am Morgen noch alles prima gewesen. »Fiebrig, nein, so eine Überraschung …« Von den Berufstätigen machen das einige so. Lydia ganz besonders oft. »Was soll ich denn machen«, hat sie mir in einem ehrlichen Moment mal gestanden, »wenn der bei jedem klitzekleinen Infekt daheim bleibt, kann ich meinen Salon aufgeben. Ich bin nun mal selbständig, und einen Mann, der einspringen könnte, den habe ich nicht.« Ich anscheinend auch nicht. Das nächste Mal werde ich Lydia vorschlagen, doch mal »die dringende Dauerwelle« namens Pius zu fragen! Ha.

Das Fieber tut mir den Gefallen nicht. Nämlich zu fallen. Im Gegenteil. Bis zur regulären Aufstehzeit um sieben Uhr habe ich nicht nur vier Samsgeschichten vorgelesen, Nasentropfen und Ohrentropfen eingeführt, sondern meine

Tochter hat auch noch 39 Grad Fieber. Jetzt bleibt nur noch ein Ausweg. Mutti oder Schwiegermutti Inge. Ich probiere es zuerst bei Inge. Meine Mutter ist wirklich der absolute Notnagel. Donnerstags spielt sie normalerweise auch gerne ein Ründchen Golf. Und da ist die Alternative des Kinderhütens wahrlich nicht sehr verlockend. Also erst mal die einfachere Variante. Ich rufe meine »Schwiegereltern« an. Rudi ist am Telefon. »Ja, Andrea, so früh am Tach. Moin, meine Beste. Was gibt's denn?« Mein Schwiegervater Rudi ist ein Engel. Ganz anders als sein Sohn. Ein ruhiger, freundlicher und vor allem hilfsbereiter Mann. »Ei die Ärmste. Unser klaa Mäusche, krank, o Gott, o Gott.« Er hat Mitleid und ich Hoffnung. Die beiden werden mir helfen. Würden sie auch gerne, aber leider hat Rudi heute seinen Augenarzttermin in der Uniklinik. »Wesche meinem Star, du weißt doch. Da wern mir die Pupille weitgetropft, un ich kann net Auto fahrn. Deshalb muss misch die Inge hifahrn. Habe mer euch doch letzte Woch erzählt.« Und ich habe es vergessen. Mist. Die fallen aus. Obwohl Rudi in seiner netten Art sofort vorschlägt, ein Taxi zu nehmen. Damit Inge das »Enkelscher« pflegen kann. Aber ich weiß, wie ungern er allein im Krankenhaus wartet. Rudi und sein Sohn haben eine große Gemeinsamkeit, die sie wahrscheinlich mit dem Großteil der männlichen Bevölkerung teilen: Sie sind schlimme Hypochonder. Inge und Rudi machen alles zusammen. Rudi kann auch gar nicht mehr viel alleine machen. Weil er so gewöhnt ist, dass Inge das Kommando hat. Der ist selbst schon zum Kind mutiert. Außerdem braucht er jemanden zum Händchenhalten. Da kann man fast eher Claudia allein lassen. Ich winke dankend ab. Verspreche aber, wenn es keine Lösung gibt, noch mal anzurufen. »Mir mache alles möglisch, für unser Claudia is uns nix zu viel«, mit diesen Worten verabschiedet er sich. Ich bin kurz vorm Heulen. Wie süß. Da könnte sich der Herr Kindsvater eine Scheibe abschneiden. Tut er aber nicht. Er delegiert eben gern: »Gib sie doch meinen Eltern, wenn sie es schon anbieten. Sonst soll mein Vater halt die Untersuchung absagen oder verschieben. Das wird doch mal gehen.« Ach, das wird dann mal gehen. Eine Untersuchung verschieben, auf die Rudi drei Monate gewartet hat. Weil dann der Herr Professor Zeit für seine Augen hat. Aber einen Vormittag freinehmen, eine Vormittag ohne Gerichtstermin, das ist unmöglich. Selektive Wahrnehmung, sage ich da nur. Christoph verkrümelt sich. Eine seiner Hauptproblemlösungsstrategien: Was ich nicht sehe, ist auch nicht da. »Wenn das nicht besser wird mit Claudia, musst du aber schon mal zum Kinderarzt«, beauftragt er mich netterweise noch vor seinem Abgang. Da wäre ich von selbst ja nie drauf gekommen. Dass ein krankes Kind eventuell zum Arzt muss. Gut, dass ich einen Lebensgefährten habe, der mich auf solche elementaren Dinge aufmerksam macht. Mit den Worten: »Jetzt mach mal nicht so ein Gesicht, meine Eltern springen doch ein, wenn alle Stricke reißen«, zieht er die Tür hinter sich zu. Ich könnte hinterherhechten und ihn im Treppenhaus in Stücke reißen.

Heute bin ich aber auch besonders geladen. Nicht nur, weil 5.30 Uhr nicht meine bevorzugte Aufstehzeit ist. Ich glaube, es ist auch PMS. Oder Föhn. Aber in Hessen gibt's ja angeblich keinen Föhn. Also dann PMS. Seit vier Tagen warte ich auf meine Tage. Kein Grund zur Aufregung, ich gehöre nicht zu den Frauen, bei denen alles uhrwerksmäßig abläuft. Mal vier Tage zu früh, mal fünf zu spät. PMS habe ich aber immer. Prämenstruelles Irgendwas. In der Phase explodiere ich schneller. Bin von null auf hundert in einer Zeit, die Ferraris frustrieren würde. Ich probiere meine Mutter zu erreichen. Der Anrufbeantworter läuft. »Hinterlassen Sie nach dem Signalton bitte eine Nachricht.« Ich lege auf. Bis die es geschafft hat, das Gerät abzuhören, ist Claudia wahrscheinlich schon eingeschult. Meine Mutter ist im Umgang mit technischen Geräten keine Koryphäe. Meine Schwester hat ihr den Anrufbeantworter zu Weihnachten geschenkt und das, obwohl meine Mutter ausdrücklich keinen wollte. »Wenn jemand mich erreichen will, kann er es doch noch mal probieren. Sonst wird es schon nicht so wichtig sein« ist ihr Argument gegen die Dinger. Aber meine Schwester interessiert sich nicht für anderleuts Meinung. »Du wirst dich schnell dran gewöhnen und dich in kurzer Zeit fragen, wie du je ohne ausgekommen bist«, mit diesen Worten hat sie meiner Mutter das Geschenk überreicht. Die beiden sind aus ähnlichem Holz geschnitzt. Das hat meine Mutter nun davon. Und ich auch. Oft schafft es meine Mutter nicht, das Telefon zu finden, bevor der Apparat anspringt. So ist es heute Morgen garantiert auch. Die ist doch um diese Zeit nie und nimmer schon auf dem Golfplatz. Jetzt wird es langsam eng. Entweder ich sage im Büro ab, oder ich nehme Claudia mit. Aber ein fiebriges Kind durch die Gegend zu kutschieren ist nicht gerade die krönende Idee. Und bei Will käme das auch nicht gut an. So hyperkeimphobisch, wie der ist. Zwei Tage vor der Sendung. Nee, das ist keinesfalls eine gute Idee.

Von meinen Freundinnen scheiden die meisten aus. Entweder sie haben selbst Kinder, die sich anstecken könnten, oder sie arbeiten.

Ha – da dämmert es mir. Sabine. Meine Freundin Sabine hat die Woche frei. Resturlaub. Und die ist mir eh noch den einen oder anderen Gefallen schuldig. Sie scheint es zu wissen, denn sie willigt ein. Nach etwas gutem Zureden und dem Hinweis auf ihren Lover, den sie eindeutig mir verdankt. Schließlich hat sie ihn auf *meiner* Wochenbettstation kennen gelernt. Und die beiden sind seitdem das Paradepaar. Das Glück auf vier Beinen. Die lebende Menschensymbiose.

»Du bist meine Freundin fürs Leben«, überschütte ich sie mit Dankbarkeit. »Ist das 'ne Drohung?«, macht sie einen kleinen Scherz und verspricht, in zwanzig Minuten bei mir auf der Matte zu stehen. Ich trällere »That's what friends are for« und fühle mich wahnsinnig geliebt. Sie hält Wort. Steht pünktlich und gut gelaunt vor der Tür, und das, obwohl sie an freien Tagen normalerweise nie vor elf Uhr auch nur die Bettdecke lüpft. Ich muss ihr auf jeden Fall ein paar Blümchen besorgen. Schnell erkläre ich ihr noch die Basics der Kinderkrankenpflege, gebe ihr alle Nummern, unter denen wir erreichbar sind, und mache mich auf die Socken. Zu spät bin ich heute auf jeden Fall. Aber besser als gar nicht da, tröste ich mich. Hätte mich ja auch krankmelden können. Ich bin eine wahre Arbeitsbiene. Die Inkarnation der Zuverlässigkeit. Schnidt, du bekommst die Arbeitsmedaille.

Donnerstag, 9.30 Uhr

Sandra und Tim sind vor mir da. Obwohl ich wenigstens keinen Schlenker über den Kindergarten fahren musste. Und wieder ohne Kohlsuppe dastehe. Das fällt mir aber erst ein, als ich Sandras erwartungsvolles Gesicht sehe. »Sandra, entschuldige bitte, Claudia ist total krank, ich habe die Suppe zu Hause vergessen«, gehe ich mit einer winzigen Notlüge in die Offensive. »Wieso vergessen, heute bin doch ich dran«, entgegnet sie erstaunt und zeigt auf ihre Tupperschüssel. Umsonst gelogen. »Was hat sie denn?«, fragt sie teilnahmsvoll nach. Sie ist die einzige meiner Kollegen, die sich heute danach erkundigt. Dem Rest der Belegschaft sind Krankheiten von irgendwelchen Kindern egal. Die meisten hier machen sich nichts aus Kindern. »Nervige, teure und undankbare Zeitverschwendung«, so charmant hat sich Will mal in einem Gespräch mit mir über Kinder ausgelassen. In Interviews dagegen beteuert er immer wieder, wie putzig er die lieben Kleinen findet. Kinderhass kommt öffentlich nicht sehr gut an, so viel jedenfalls weiß Will.

Ich bin heute nicht so recht bei der Sache. Mein Gewissen nagt. Im Halb-Stunden-Rhythmus rufe ich daheim an. Bis Sabine so gegen elf Uhr komplett genervt ist. »Sag mal, was denkst du von mir, ich hab alles im Griff, arbeite, und dann sieh zu, dass du heimkommst. Claudia geht es gut. Brauchst du eine eidesstattliche Erklärung, oder was sollen all diese Anrufe? Bisher haben alle Kinder mein Sitten überlebt, also lass uns endlich in Frieden. Wir spielen Memory. Und wenn du es genau wissen willst, ich verliere. Gegen eine Dreijährige. Da fehlen mir gerade noch deine Anrufe. Jetzt weiß ich nicht mal mehr, wo der Apfelbaum liegt«, schnaubt sie und legt auf. Ich will wenigstens nochmal mit meiner Tochter sprechen. Hören, ob es ihr gut geht. Am Telefon eine schwere Prozedur. Mehr als zwei Ja und ein Nein kriege ich aus dem Kind nicht raus. Kommt wohl, was das Telefonieren angeht, weniger nach mir und mehr nach Christoph.

Aber, immerhin, sie spricht, und sie spielt Memory, da scheint die Krankheit ja nicht so tragisch zu sein.

Als Muttianfängerin war ich da noch weniger entspannt:

Claudia ist vier Monate alt, und ich bin in einer Hochphase. Sie lacht, schläft am Stück, und das sogar nachts, und alle finden, dass sie ein wirklich hübsches Kind ist. Ich auch. Genau betrachtet ist sie das schönste Kind, das ich je gesehen habe. Wenn das so weitergeht, hängt die mich optisch locker ab. Macht aber nichts, da bin ich großzügig. Sie ist ja mein eigen Fleisch und Blut und kein Schneewittchen. Und all die Komplimente, die ich für Claudia bekomme, sind ja indirekt auch Komplimente für mich. »Obwohl das in dem Alter noch nichts heißt, hässliche Kinder können sehr niedliche Jugendliche werden und umgekehrt«, hat meine Mutter meine Euphorie gedämpft. Christoph hingegen ist ausnahmsweise mal meiner Meinung. Er sieht seine Tochter schon jetzt als Topmodel mit ellenlangen Beinen durch die Welt der High Society stapfen. »Wenn sie achtzehn ist, dann fahre ich mit meiner Kleinen mal zwei

Wochen durch Amerika, vielleicht auf einer Harley, nur sie und ich«, erzählt er schon jetzt jedem mit wohlig verzücktem Grinsen. »Da wird die mit achtzehn sicher ganz heiß drauf sein«, habe ich mit leichter Ironie entgegnet, aber er strahlt schon vor Vorfreude und merkt nichts. Männer und ihre tollen Ideen. Als wären Teenies verrückt darauf, mit ihren Eltern in den Urlaub zu fahren. Gibt es für 18-Jährige peinlichere Vorstellungen, als mit Papi auf dem Moped rumzudüsen? Nicht viele. Ich kann Christoph aber doch noch davon abhalten, jetzt schon die Reiseroute auszuarbeiten.

Trotzdem – wir beide sind zurzeit begeisterte Eltern. Alles, genau besehen bis auf meinen Bauch, hat sich bestens entwickelt. Nicht nur das Kind. Auch wir, als Eltern. Ich kann das Babyequipment mittlerweile bedienen, als wäre ich eins a Fachpersonal, und Claudia weiß das zu schätzen. Sie isst, verdaut, und das regelmäßig, und auch mein Kinderarzt ist vollauf zufrieden. »Alles nach Plan, Ihre Tochter entwickelt sich altersgemäß«, hat er bei der U4 verkündet. Uff. Geschafft. Obwohl ich das Gefühl habe, sie ist durchaus weiter entwickelt als altersgemäß. Nicht, dass ich schon an Hochbegabung glaube, aber von der Richtung her, so wie sie guckt und die Rassel schwingt, das lässt hoffen. Ich will aber keine Angebermutti sein und behalte mein Wissen schön für mich. Die anderen werden es noch früh genug merken.

Die Vorsorgeuntersuchungen sind Anspannung pur. Für mich. Muttitauglichkeitsprüfung. Wenn was nicht so ist, wie es sein sollte, fühlt man sich als Mutter sofort schlecht. Habe ich was verkehrt gemacht, hätte ich mehr spielen, das

Kind rumtragen oder weniger Gläschen füttern sollen? Für jedes Defizit gibt's Ursachen. Für fast jedes.

Dann werden beim Kinderarzt die großen Grundsatzfragen gestellt. Impfen – ja oder nein? Und wenn ja – was? Das ganze Standardprogramm oder nur einzelne Komponenten? Da hat man mit Anfang dreißig endlich raus, wen man wählen soll, und schon rollen neue schwierige Gewissensfragen auf einen zu. Natürlich habe ich mir deshalb vorab Gedanken zu dem Thema gemacht. Schließlich will man vor dem Herrn Doktor ja nicht wie eine tumbe, hörige, uninformierte Person wirken. Es ist also keine Riesenüberraschung, als mein Kinderarzt, Dr. Hiller, ein kleiner, moppeliger Glatzkopf, mir die Impffrage stellt. »Und, Frau Schnidt, wie sieht es aus? Impfen, ja oder nein?« »Was meinen Sie denn?«, frage ich engagiert zurück. Auch um ihm eine kleine Freude zu machen. Alle Männer präsentieren gerne ihre Meinung. Besonders kleine Männer. Da macht ein Kinderarzt keine Ausnahme. So sind sie halt. Dr. Hiller ist für das Impfen. Ohne Einschränkung: »Was man hat, das hat man. Und krank werden die Kinder auch so noch genug. Gucken Sie nur in mein Wartezimmer, da wissen Sie, was ich meine.« So richtig überzeugend finde ich das Argument nicht. »Und was ist mit den Impfschäden? Und den nicht ausgereiften Nervenverbindungen? Und dem Nutzen der durchgemachten Krankheiten?«, ballere ich ihn mit Fragen zu. Er schaut gelangweilt durch die Gegend. »Ach, Frau Schnidt, wenn Sie die Folgeschäden von, sagen wir Mumps und Masern schon mal gesehen hätten, dann stünden wir jetzt nicht hier. Hirnhautentzündung sage ich nur. Hodenentzündung.« Hodenentzündung ist bei Claudia sicher nicht die größte Gefahr. Trotzdem, noch weitere fünf Minuten, und ich bin überzeugt. Eine gewisse fachliche Kompetenz kann ich ihm ja nun auch nicht absprechen. Ich nehme das Komplettprogramm, bis auf Tuberkulose. Keuchhusten ist ja auch äußerst umstritten. Aber seit ich die Schauergeschichte von Doro, einer Nachbarin, gehört habe, deren Tochter Klara sechs Wochen lang gehustet und danach meistens noch erbrochen hat, weiß ich, dass ich das keinesfalls möchte. Dreimal nachts das Bett frisch beziehen? Ich finde, Kinder machen genug Arbeit. Keuchhusten brauche ich da nicht noch zusätzlich. Außerdem, sollte man die Errungenschaften der Wissenschaft nicht auch nutzen? Wasche ich noch per Hand? Nein.

Aber die Entscheidung beschäftigt mich. Habe ich mich von einer Obrigkeit, noch dazu ohne Kittel, einlullen lassen? Habe ich es mir zu leicht gemacht? Denke ich nur an mich und zu wenig an meine Tochter? Christoph beruhigt mich: »Wird schon richtig so sein, die meisten machen es doch«, ist sein Argument. Schöner Lemming. Zwei Frauen aus meiner Pekip-Gruppe finden meine Entscheidung beschämend. Egoistisch. Nicht langfristig gedacht. »Keiner kennt die Folgen der Impfwut«, ermahnen sie mich. Sie planen sogar schon Masern-Partys. Das kranke Kind lädt ein, und die Gäste tun alles, um sich ja anzustecken. »Jede überstandene Krankheit stärkt das Immunsystem«, legen sie noch einen drauf.

Ich bin verwirrt, aber die Sache ist gelaufen. Es ist zu spät: Claudia ist geimpft. Drin ist drin. Einmal angefangen, muss man die Sache auch zu Ende führen. Hoffen wir mal das Beste.

Seit vier Wochen gehen wir zum Pekip. Was sich anhört wie ein asiatischer Kampf-Kleinhund ist die angesagteste Mutter-Kind-Beschäftigung. Das so genannte Prager-Eltern-Kind-Programm. Was nicht heißt, dass Eltern und Kind gemeinsam nach Prag fahren, Altstadt gucken und Zwetschgenknödel essen. Nein, keineswegs. Es geht ums Spielen. Das Zusammenspiel von Eltern und Kind. Verstehen, was die Babys uns sagen wollen. Ein Pekip-Treffen dauert etwa eineinhalb Stunden. Wobei einige Zeit fürs An- und Ausziehen draufgeht. Erst mal wird sich bei Pekip nämlich nackig gemacht. Zum Glück müssen sich nur die Kinder ausziehen. »Können die nicht auch angezogen kommunizieren?«, frage ich beim ersten Zusammentreffen noch einfach so in die Runde. Schließlich würde das uns allen eine Menge Aufwand ersparen. Kein Kind lässt sich wahnsinnig gerne an- und ausziehen. Außerdem entspricht es doch mehr den realen Umständen. Kommunikation findet, jedenfalls im Anfangsstadium der menschlichen Beziehungen, doch meist angezogen statt. Die Kursleiterin ist erstaunt über meine Frage, guckt, als hätte ich was von wegen »die Erde ist doch eine Scheibe, oder?« wissen wollen, aber dann beantwortet sie doch recht gelassen meine Frage. Ist eben eine Profi-Pekiperin. «Frau Schnidt, Kleidung ist den Kleinen lästig, sie sind wesentlich bewegungsfreudiger, wenn sie diesen Ballast los sind. Ein gutes Körpergefühl setzt Nacktheit voraus.« Na, wenn dem so ist, von mir aus. Am Ausziehen soll es nicht scheitern. Claudia kann sich schließlich sehen lassen. Allerdings bin ich froh, dass diese Regeln in meinem Fitnessstudio nicht gelten. Wir alle nackt an den Geräten und beim Stepp, na, das wäre ja ein herrliches Bild. Ob mit diesen Pekip-Kindern eine neue

Generation von wilden Nudisten heranwächst? Versucht die FKK-Bewegung hier raffiniert neue Anhänger zu rekrutieren?

Beim Pekip beschäftigt man sich mit den Kindern. Streichelt, animiert zur Bewegung und zur Kontaktaufnahme mit den anderen Babys. Nichts Spektakuläres, aber den Kindern scheint es zu gefallen. Würde mir auch gefallen, wenn alle um mich rum sich für meine Erheiterung abrackern würden. Das Gute am Pekip ist, dass man andere Mütter kennen lernt. Welche, die ähnliche Probleme haben und ebenfalls Kontakt suchen. Wenn man zur Mutter wird, verabschieden sich viele. Aus dem Bekanntenkreis. Weil das Babygerede eben, freundlich ausgedrückt, nur auf begrenztes Interesse stößt, man als Mutter aber dermaßen Mitteilungsbedarf hat, dass man das Thema auch nicht komplett unterdrücken kann. Sabine, meine alte Freundin, hat es deutlich gesagt: »Hör mal, Andrea, ich finde es prima, dass Claudia so fein bäuert, aber abendfüllend ist es nicht. Sag mir lieber, wie du meine neuen Miu-Miu-Sandalen findest?« Ich bin empört und ein bisschen beleidigt, obwohl ich ihr insgeheim Recht gebe. Trotz der ziemlich hässlichen Sandalen. In meinem Vorleben als ledige junge Frau habe ich mich auch bei nichts mehr gelangweilt als bei Geschichten von stolzen Jungmüttern. Dass Lilli zahnt, Katharina nachts schläft und Hanno schon krabbelt, war mir schnurz. Schließlich machen das nahezu alle Kinder. Jedenfalls irgendwann. Sensationelle Dinge tun die wenigsten Kinder. Sobald eins mit zwei Jahren liest, Mozart spielen kann oder lateinisch parliert, dann könnte mich das interessieren, habe ich als Nichtmutter gedacht. Jetzt ist die

Sachlage allerdings etwas anders. Ist es nicht sensationell, wenn Claudia sich allein umdrehen kann? Schließlich konnte sie das am Vortag noch nicht. Außerdem: Wenn man den gesamten Tag mit seinem Kind verbringt, gibt's eben nicht mehr viele andere Neuigkeiten. Oder soll ich davon berichten, wie schön ich die Spülmaschine eingeräumt habe, wen ich im Supermarkt gesehen habe und wie phantastisch das neue Badezimmerspray funktioniert? Die Prioritäten verschieben sich immens, wenn man ein Kind bekommt. Besonders für den Elternteil, der zu Hause hockt. Also zu 95 Prozent die Mutter. Ist es da zu viel verlangt, dass man wenigstens darüber reden will? Hier beim Pekip darf man. Man soll sogar. Sich austauschen ist eines der Zauberwörter der Gruppe. Wir sind zu acht. Acht Frauen und unsere Gruppenleiterin Frau Krull-Krotzner. Karin Krull-Krotzner. Hat die ihren Ehemann nach den passenden Initialen ausgesucht? Und wieso hat sie nicht wenigstens einen der Namen abgestoßen? Sehr hübsch sind ja nun beide nicht. Obwohl, wer weiß: Wenn ich die Wahl gehabt hätte zwischen Krull und Krotzner, hätte ich mich wahrscheinlich auch nicht entscheiden können.

Conny und Eva sind die Nettesten im Kurs. Mir am sympathischsten. Stelle ich schon in der ersten Stunde fest. Es gibt da ja so Antennen. Ob man sich versteht oder nicht, klärt sich oftmals in Minuten. Conny ist eine, die jeder mag. Die wäre sofort Klassensprecherin. Sie ist eine hübsche Blonde mit welligem Haar, die gerne und viel lacht. Auch über sich selbst. Das hat man ja nicht sehr häufig. Conny ist neununddreißig und Leon ihr erstes Kind. »Und auch mein letztes«, teilt sie uns noch in der Begrüßungs- und

Vorstellungsrunde mit. Conny ist Architektin und will, so schnell es geht, wieder arbeiten. Halbtags tut sie es schon. Gleich in der ersten Stunde vertraut sie sich mir an. Sie sorgt sich um ihren Sohn. Seine Ausstattung. Untenrum. »Guck mal, was der für einen winzigen Pimmel hat. Riesige Klicker und dann dieser Mini-mini-Penis. Man sieht den ja kaum. Ob sich da noch was tut?«, fragt sie mich. Ich kenne mich mit Babypenissen nicht aus, aber viel macht der nun echt nicht her. Wir begucken die anderen Jungs im Kurs. Es stimmt, ihrer hat den Kleinsten. Hätte sie nicht gesagt, dass da was ist, hätte man ihn kaum gesehen. Daneben wirkt ein kleiner Finger wie ein Baumstamm. »Na ja«, versuche ich sie zu beruhigen, »dafür hat er die dicksten Eier. Außerdem wird das noch. Die wachsen ja auch. So Penisse. Wie der Rest des Körpers.« »Meinst du?«, fragt sie nochmal nach. »Na ja, ich denke schon. Oder ist dein Mann eventuell Japaner?«, will ich vorsichtig wissen. Nicht, dass ich was gegen Asiaten hätte. Aber angeblich müssen die sogar bei Kondomen Sonderanfertigungen tragen. Größen, die es in Europa gar nicht gibt. Größen, bei denen Afrikaner weinen würden. Ich persönlich habe allerdings keinerlei Erfahrung mit Japanern. Ehrlich gesagt nicht mal mit Afrikanern. Aber was mir meine Freundin Sabine zu dem Thema berichtet hat, war beeindruckend. Fast schon erschreckend. »Es ist schwer, danach nochmal mit einem Weißen ins Bett zu steigen. Wenn die dann die Hose runterlassen, kriegt man fast Lachkrämpfe. Oder muss heulen.«

Conny ist über die Asiatenfrage erleichtert und lacht. »Mein Mann ist aus Köln, er isst gerne Sushi, aber das allein kann's ja nicht sein.« Wohl kaum. Wir einigen uns darauf, dass es noch wird. Ich hoffe es für ihn, denn jeder kennt ja die Bilder von Drittklässlern, die gemeinsam in der Toilette überprüfen, wer den Längsten hat. Natürlich kann das Kurze auch was Erbliches sein. Genetisch bedingte Miniversion. Aber bei der Kürze unserer Bekanntschaft traue ich mich nicht, mich nach der Länge ihres Gatten zu erkundigen. Sie erahnt meine Frage: »Also erblich kann es nicht sein«, sagt sie, und das freut mich ehrlich für sie. An das ganze Geschwätz »Größe spielt keine Rolle« glauben eh nur die, die Kleine haben. Eine gewisse Größe ist schon von Vorteil.

Eva ist vierundzwanzig, das Küken der Gruppe und eine, die eher auf den zweiten Blick wirkt. Brünett, sehr zart und ziemlich ruhig. Mit schöner dunkler Stimme. Ihre Tochter heißt Lena, hat rehbraune Augen, lockiges schwarzes Haar und ist annähernd so hübsch wie Claudia. Eva studiert noch, hat einen älteren Mann und fühlt sich zu Hause recht wohl. »Wenn ihr E-Technik studieren würdet, wüsstet ihr warum. Die Typen. Introvertierte pickelige Cordhosenträger. Man fühlt sich wie eine Exotin. Schon weil man kein Mann ist. Und keine Pickel hat. Ich bin froh, dass ich die für eine Weile los bin.«

Wir drei gehen gleich nach der ersten Stunde noch einen Kaffee trinken. Die Babys schlafen. Pekip scheint sie anzustrengen. Im positiven Sinn.

Eva ist richtig froh, Anschluss gefunden zu haben. »Ich kenne niemanden mit Baby. Außer eine Freundin meiner Mutter. Die hat jetzt mit dreiundvierzig noch mal eins gekriegt. Aber ich kann doch nicht mit einer Freundin meiner Mutter, also nee. Ansonsten ist das bei niemandem, den ich kenne, bisher ein Thema.« »Wieso hast du dir nicht noch ein bisschen Zeit gelassen«, will Conny neugierig wissen. Mit dem Zeit lassen kennt sie sich ja aus. »Ach«, seufzt Eva, »der Karl war so heiß auf Nachwuchs. Und ich bin so heiß auf den Karl, dass ich dachte, auf drei, vier Jährchen kommt's nicht an.« Jetzt wollen wir aber Details. »Wie alt ist er denn, dein Karl?«, bohre ich nach. »Fünfundvierzig«, grinst sie, »aber er sieht höchstens aus wie vierzig. Bei dämmrigem Licht geht der sogar als Mittdreißiger durch. Ich habe ihn auf einer Party meiner Eltern kennen gelernt. Die waren natürlich ganz schön entsetzt. Aber meine Mutter hat sich dann schnell wieder abgeregt. Weil der Karl, wie sie immer sagt, ja 'ne echt gute Partie ist. Mein Vater und der Karl spielen zusammen Golf. Obwohl der Karl viel besser ist. Aber da ist der großzügig. Mein Karl.« Der scheint überhaupt großzügig zu sein. Wenn man sich die Hände und den Hals von Eva betrachtet. Der Diamant an ihrem Ringfinger hat locker ein Karat. Sie bemerkt meinen Blick. »Schön, gell. Hat mir der Karl zur Geburt geschenkt. Dem Karl macht Schenken ganz viel Spaß.« Und mich machen solche Aussagen ganz schön neidisch. Auch Conny starrt auf den Brilli. »Was macht er denn so beruflich, dein Karl?«, fragt sie nach. Jetzt wollen wir es aber wissen. »Seine Hauptkohle macht er mit Brückenbau«, informiert uns Eva. Wir sind beeindruckt. Vor allem das mit Brückenbau Einkaräter drin sind. Wer hätte das gedacht? Da sieht man diese Männer auf den Autobahnbaustellen und ahnt nicht, was für Juwelen sich da verbergen. »Ist er Statiker oder Bauunternehmer?«, treiben wir unsere Erkundigungen voran. »Ach Quatsch, weder noch«, kichert

Eva, »Zahnarzt, Spezialgebiet Brücken und Implantate. Wenn ihr mal was braucht, macht euch der Karl bestimmt einen super Preis.« Gut zu wissen. Ich bin stolz, heute Morgen Zahnseide benutzt zu haben. So eine Zahnarztgattin hat da bestimmt einen genauen Blick, und man will ja nicht als Oral-Schwein dastehen. Andächtig beglotzen wir den Diamanten. »Wollt ihr ihn anstecken?«, bietet sie uns großherzig an. Conny verzichtet dankend. »Man gewöhnt sich zu schnell«, wehrt sie ab, aber ich kann es mir nicht verkneifen. An meine Hand passt er fast besser als an Evas. Große Steine erfordern auch große Hände. Der Ring sitzt so gut, als wolle er nie mehr zurück an Evas Hand.

Wenn ich an die Schokoherzen denke, die ich zur Geburt bekommen habe, könnte ich vor Wut platzen. Das werde ich Christoph heute Abend sofort unter die Nase reiben. Einkaräter. Andere Frauen kriegen Einkaräter. Zur Geburt. Dem werde ich den Marsch blasen. Wenn auch nur telefonisch. Christoph befindet sich nämlich auf Fortbildung. Für eine Woche. In Paderborn.

Aber trotz aller Neidattacken ist es schön, Conny und Eva getroffen zu haben. Wir beschließen eine Art Jour fixe. Einmal die Woche, Treffen bei einer von uns. Reihum.

Wofür Pekip auch immer gut ist, mein Sozialleben steigert es sofort. Bei Claudia allerdings scheint es die Körpertemperatur zu steigern. Mit jeder Stunde zu Hause wird ihr Kopf röter und ihr Körper heißer. Claudia war noch nie krank. Mit kranken Kindern kenne ich mich nicht aus. Eher schon mit kranken Männern. Das hat mir gerade noch gefehlt. Kaum ist Christoph weg, kränkelt Claudia. Hektisch messe ich Fieber. Im Ohr. 38,5 Grad. So ein Mist.

Was mache ich denn jetzt? Christoph ist nicht zu erreichen. Ich spreche ihm auf die Mailbox. Wozu der ein Handy hat, wenn dann doch jedes Mal die Mailbox drangeht? In diesem Fall ist es wahrscheinlich egal, denn Erfahrung mit Kinderkrankheiten hat der nicht. Außer mit seinen eigenen, und die Schilderungen seiner dramatischen Scharlachgeschichte kann ich mittlerweile bald genauer erzählen als er, so oft habe ich sie schon gehört. Aber trotz allem, ein paar unterstützende Worte hätten mir sicher gut getan.

Ich beschließe: Das ist ein Fall für Mama. Ich rufe sie an. Immerhin sie ist zu Hause. Glück. »Mama, Claudia hat 38,5 Grad Fieber und sieht nicht sehr glücklich aus, was mach ich denn jetzt?«, suche ich Rat bei meiner Mutter. »Unterm Arm oder im Po?«, erkundigt sich die Fachfrau. »Im Ohr«, antworte ich. »Im Ohr, Andrea, bist du noch bei Trost? Seit wann wird Fieber im Ohr gemessen? Nur die Powerte geben wirklich Aufschluss, was Sache ist.« Gut, dass ich seit Inges Blähungstrick auch ein stinknormales Fieberthermometer in meinem Besitz habe. »Ich ruf dich gleich wieder an, wenn ich den Wert habe«, rufe ich in den Hörer und mache mich an die Arbeit. Entweder ist das Fieber in den letzten Minuten rasant gestiegen, oder im Po ist es einfach heißer als im Ohr. Ist ja auch tiefer drin. 39,4 Grad. Mama hilf.

Es ist besetzt. Die weiß doch, dass ich sofort wieder anrufen wollte. Ist die verrückt geworden. Nach zehn Minuten eine freie Leitung. »Endlich«, motze ich in die Muschel, »mit wem hast du denn da rumgeschwätzt? Du weißt doch, dass Claudia total krank ist.« Sie ist empört. Über meinen

Ton. »Jetzt mach mal halblang, Andrea. Obwohl es dich eigentlich nichts angeht, das war Karl. Ein Golfbekannter von mir. Kennst du noch nicht. Der hat auch Probleme. Allerdings kein krankes Kind. Oder doch irgendwie. Seine Frau. Na ja. So ein junges Ding. Und außerdem hatte ich noch Fragen zu meinem neuen Driver. Ich kaufe mir doch nächste Woche ein Einser-Holz. Wahrscheinlich von Taylor Made. Also er hat gemeint, die wären prima. Und, was ist jetzt mit Claudia?«, fragt sie dann doch noch nach ihrer Enkelin. »39,5 Grad im Po«, gebe ich Auskunft und runde mal eben etwas auf. Mehr macht mehr her. Nicht nur bei Diamantringen und der Karatzahl, sondern auch bei schnödem Fieber. »Aha«, kommt es ziemlich unbeeindruckt von Mutti, »gib ihr ein Zäpfchen, und wenn es nicht besser wird, machst du Wadenwickel. Nicht zu kalt. Leg was unter, sonst wässerst du noch euer neues Parkett. Gute Besserung und noch einen schönen Abend.« Sie beendet das Gespräch. Reizend. Da wünscht mir meine Mutter allen Ernstes einen schönen Abend. Sehr aufmerksam. Mit einem hochfiebrigen Kind. Das wird mit Sicherheit ein ganz bezaubernder Abend. Ein Highlight in meiner jungen Muttergeschichte. Ich fühle mich allein gelassen. Weiß nicht, wen ich anrufen könnte. Mit wem hat meine Mutter da eben angeblich telefoniert? Mit Karl, einem Golfbekannten. Ob das Evas Karl ist? Das wäre ja wohl der Knaller. Die Welt ist ja voller Zufälle. Da höre ich an ein und demselben Tag zweimal was von einem Mann, über den ich bisher nie was gehört habe. Könnte ja schon fast ein Omen sein. Karl. Und wieso hat der Probleme mit seiner Frau? Hat er sich mit dem Einkaräter übernommen oder vielleicht mit der ganzen Frau? Bei einer unserer nächsten Verabredungen muss ich mich mal vorsichtig an das Thema herantasten.

Claudia wimmert. Sie schreit nicht mal richtig. Das gibt mir erst recht zu denken. Ist sie schon so kraftlos? Kann sie nicht mal mehr schreien? Das ist doch sonst nicht ihre Art. Brütet sie vielleicht was ganz anderes aus? Was, wenn es nicht einfaches Fieber, sondern irgendein grauslicher Virus ist. Was Hochinfektiöses? Gefährliches? Ich nehme mir das Kinderkrankheitenbuch, das mir meine Schwester zur Geburt geschenkt hat. Scharlach, Keuchhusten, Pfeiffersches Drüsenfieber, Harnwegsinfekt und sogar Lungenentzündung sind alles Krankheiten, die mit hohem Fieber zu tun haben. »Vorsicht bei Fieber über 40 Grad, es droht ein Fieberkrampf«, verrät mir der schlaue Ratgeber noch. »Konsultieren Sie in diesem Fall sofort einen Arzt.« Fieberkrampf. Visionen von blau angelaufenen Säuglingen, die kaum mehr Luft bekommen, durchkreuzen mein Hirn. Darf man in solchen Fällen Zäpfchen geben? Wadenwickel machen? Oder ist das nachher noch kontraproduktiv? Ich lese weiter. »Hirnhautentzündung kündigt sich oft durch hohes Fieber an.« Na super, noch eine Hiobsbotschaft. Wenn Claudia jetzt Hirnhautentzündung hat, dreh ich durch. Ich lese gründlich nach: »Die Symptome der Hirnhautentzündung sind Fieber, ein steifer Hals, Lethargie, Kopfschmerzen, Mattigkeit und Lichtempfindlichkeit. Bei Kindern unter zwei Jahren wölbt sich die Fontanelle ein wenig vor. Die bakterielle Hirnhautentzündung ist eine sehr ernsthafte Erkrankung, die tödlich sein kann, wenn sie nicht behandelt wird.« Leichte Panik steigt in mir auf. Claudia wirkt tatsächlich ziemlich matt. Ich hebe ihren Kopf, um die Nackensteifheit zu überprüfen. Sie schreit. Scheint weh zu tun. Ich lasse sofort los. In dem Zustand muss ich Claudia ja nicht noch mehr quälen. Wo ist unsere Taschenlampe? Ich muss die Lichtempfindlichkeit testen. Zwanzig Minuten suche ich, mit der roten Claudia auf dem Arm, diese blöde Funzel. Ich finde sie beim Schuhputzzeug. Was das soll, weiß kein Mensch. Wieso verstaut Christoph eine Taschenlampe im Schuhputzkasten? Will er nicht, dass ich sie benutze? Sollte das etwa ein Versteck sein, weil er weiß, dass ich niemals Schuhe putze, oder nur zu hochwichtigen Anlässen? Das will ich doch gleich mal genau wissen.

Sein Handy ist immer noch aus. Verdammt. Da lebe ich anscheinend mit einem Neurotiker, der Taschenlampen unter Schuhbürsten verkramt, und noch dazu ist er nie erreichbar, wenn man ihn mal braucht. Oder sein verdammtes Akku ist mal wieder leer. Oder gibt's in Paderborn einfach keinen Empfang? Ich strahle Claudia mit der Leuchte in ihr knallrotes Gesichtchen. Sie kneift die Augen zu und weint. Keine Frage – da ist sie, die Lichtempfindlichkeit. Eindeutig. Ich habe es geahnt und merke, wie mein Unwohlsein ansteigt. Lethargie ist ein weiterer Punkt des Krankheitsbildes. Ist Claudia lethargisch? Vom Gefühl her ja. Sie macht einen apathischen Eindruck. Ist Apathie aber das Gleiche wie Lethargie? Ich denke ja, aber in dieser Situation ist Eindeutigkeit angesagt. Jetzt muss das Fremdwörterlexikon her. Wenigstens das steht da, wo es hingehört. Im Bücherregal. Immerhin. Nach den neusten Erkenntnissen über die Verstecksucht von Christoph hätte das Lexikon ja auch im Gemüsefach des Kühlschranks liegen können. Es gibt doch noch Hoffnung für meinen

Lebensgefährten. Komplett durchgedreht scheint er noch nicht zu sein. Ich lese nach. ›Apathie: Gleichgültigkeit, Teilnahmslosigkeit, Abgestumpftheit.‹ ›Lethargie: 1. Trägheit, Abgestumpftheit, Teilnahmslosigkeit. 2. Schläfrigkeit, Schlafsucht (bei Krankheiten).‹ Wieso es zwei Begriffe für quasi identisches Verhalten gibt, ist eines der ungelösten Rätsel der Menschheit. Oder unser Lexikon taugt nichts. So oder so: Claudia wirkt wirklich nicht gerade munter und bei genauer Betrachtung sogar eher träge. Schläfrig. Vielleicht war die Müdigkeit heute Nachmittag gar nicht das Pekip-Spielen, sondern das Aufkommen der Hirnhautentzündung. Mir schwant Schlimmes. »Schnidt, nicht durchdrehen, dein Kind braucht dich«, verabreiche ich mir eine Ladung gedankliches Valium. Nun ist die Fontanelle an der Reihe. Die Fontanelle ist die Knochenlücke am Kopf der Babys, die Stelle, die sich erst in den ersten Jahren von selbst schließt. Eine Stelle, die keine Mutter gern anfasst. Schon weil man denkt, wenn man zu fest auf die weiche Schädeldecke drückt, landet man direkt in der kindlichen Schaltzentrale. Trotzdem, jetzt gilt es. Es gibt Dinge im Leben, die sind unvermeidbar. Ich werde mein Kind doch nicht unter unentdeckter Hirnhautentzündung leiden lassen, nur weil ich zu zimperlich bin, eine Fontanelle anzufassen. Ist sie nach vorne gewölbt, wie im Kinderkrankheitenbuch beschrieben? Vorsichtig fasse ich Claudia auf den Kopf. Ertaste die Schädeldecke, so zart es eben geht. Ich bin unsicher. Da ich sonst nie auf dem Kopf rumtatsche, habe ich keinerlei Vorher-Nachher-Gefühl. Nach vorne gewölbt scheint mir die Fontanelle nicht zu sein, aber einen Eid würde ich darauf nicht ablegen. So oder so, auch ohne Fontanellenbeweis ist die Indizienlage erdrückend.

Mittlerweile ist es halb elf abends, und wäre mir nicht jeder Appetit vergangen, könnte ich heute locker jedwede Energie sparen und mir ein Spiegelei auf dem Körper meiner Tochter braten. Ich messe ungefähr zum elften Mal Fieber. Immer noch 39,4 Grad. Jetzt brauche ich keine Ratschläge mehr, jetzt muss gehandelt werden. Besondere Situationen erfordern besondere Maßnahmen. Ich rufe den Kinderarzt an. Natürlich glaube ich nicht wirklich, dass er nachts noch in der Praxis abhängt, aber man weiß ja nie. Es soll ja auch Workaholics in diesem Bereich geben. Er ist nicht da. Oder geht nicht dran. Immerhin, er hat einen Anrufbeantworter, und auf dem Band ist eine Nummer für Notfälle. Uniklinik Frankfurt, Kinderklinik Notambulanz. Die Nummer ist besetzt. Telefonisch kann meine Tochter sowieso nicht errettet werden. Warme Worte helfen mir in der Lage keinesfalls weiter. Da kann ich gut drauf verzichten. Ich packe die Kleine gut ein, und ab geht die Fahrt Richtung Krankenhaus.

Ich war in meinem Leben erst einmal als Patientin in der Uniklinik. Damals, als ich Christoph kennen lernte und mir auf einer öden Medizinerparty die Bänder im Fuß gerissen habe. Christoph hat mich dann, ganz gentlemanlike, in die Klinik gebracht und mir brav bei der Behandlung Händchen gehalten. Das war der furiose Auftakt unserer Beziehung.

Es ist wenige Minuten vor Mitternacht, als ich am Klinikum ankomme. Déjà-vu. Das gleiche Bild wie damals: Ein gelangweilter, schläfriger Pförtner sitzt in seinem Pförtnerhäuschen und bewacht die Schranke. In der Hand die *Bild*-Zeitung. Gehört das eigentlich zum Berufsbild, dass man bei der Arbeit die *Bild* lesen muss? »Was gibt's denn?«, fragt er aus dem kleinen Loch in der Scheibe. »Meine Tochter ist krank«, sage ich, und tatsächlich, er macht die Schranke hoch. Ohne Nachfragen, Wenns und Abers. Beim letzten Mal saß da ein oberzickiger Depp, der fast noch das Versicherungskärtchen überprüft hätte, bevor er seine Schranke gelüpft hat. Es gibt also doch noch so was wie Fortschritt. Oder er war auf Mitarbeiterschulung. Oder er hat selbst Kinder und kennt die Misere. Netterweise drückt er mir sogar noch einen kleinen Plan in die Hand, damit ich die Kinderklinik auch finde. Seit ich auf dem Gelände bin, geht es mir schlagartig besser. Die Rettung ist nah. Ich habe die Sache im Griff und finde sogar einen Parkplatz direkt vorm Eingang. Claudia liegt völlig apathisch in ihrem Maxi Cosi. Dem Himmel sei Dank – sie schläft. Einen kurzen Moment habe ich schon Wahnvorstellungen von komatösen Zuständen gehabt. Aber Autofahren ist bei Claudia schon von Anfang an eines der besten Einschlafmittel überhaupt. Sie lebt, und ich bin hier, und wenn alles weiter so gut läuft, ist die Hirnhautentzündung bald nur noch eine kleine Schauderepisode aus der Vergangenheit.

Wir warten knapp zwei Stunden. Es ist rappelvoll. Dreimal frage ich am Empfangsschalter, wie lange es noch dauert, bis wir zur Audienz gebeten werden. »Sie sehen doch selbst, was hier los ist«, raunzt die Frau hinter dem Glas mich an. Warum die alle in diesen Kabuffs sitzen, ist mir ein Rätsel. Zum Virenschutz? Oder um den Patienten gleich die Verhältnisse klarzumachen. Nach dem Motto: ›Ich habe die Macht – du bist Bittsteller.‹ Ich merke schnell, dass die motzige Tour hier nicht weit führt. Also harre ich der Dinge. Gucke durch die Gegend, zähle Deckenplatten, und Claudia schläft derweil auf meinem Arm. Wäre sie noch nicht so schlimm krank, hier würde sie es garantiert. Was in diesem Raum an Viren durch die Luft schwirrt, ist unglaublich. Alles hustet, röchelt, und das eine oder andere Kind hat sogar recht diffusen Ausschlag. Die meisten sind zu zweit da. Vater *und* Mutter. Haben die es gut. Können sich wenigstens ein bisschen unterhalten. Oder abwechselnd das Kind halten. Man wird ja in seinen Ansprüchen an Partnerschaft bescheiden. Die Frau neben mir ist auch allein. Die Warterei verbindet. »Und«, beginne ich eine Konversation, »was hat Ihr Kind denn?« »Wenn ich das wüsste, würde ich kaum hier abhängen«, kommt eine knappe Antwort. Das klingt zwar nicht wie eine heitere Aufforderung zur Unterhaltung, aber mit »Meine hat Hirnhautentzündung« gebe ich ihr eine weitere Chance. Ich habe durchaus dafür Verständnis, dass die Warterei einem auf die Nerven schlägt. »Hirnhautentzündung!«, kreischt sie durch den Wartesaal, »das ist doch extrem ansteckend.« Daran habe ich überhaupt noch nicht gedacht. Du liebe Zeit. Was ist mit meiner Pekip-Gruppe? Kann ich mich da je wieder blicken lassen, wenn ich direkt bei der ersten Stunde den kompletten Kurs infiziert habe? Ich muss morgen sofort allen Bescheid geben, um die gröbsten Schäden noch abzuwenden. Die Frau springt von ihrem Sitz, schiebt den Kinderwagen demonstrativ in die am weitesten entfernte Ecke und rennt zum Schalter. »Sind Sie wahnsinnig«, blafft sie die Schalterherrscherin an, »sollen unsere Kinder sich hier auch noch was am Hirn holen? Ich verlange, dass diese Person und ihr Kind sofort woanders untergebracht werden.« Die tut gerade so, als hätten wir Ebola. »Wer hier welche Krankheit hat, das wollen wir mal die Ärzte beurteilen lassen, Sie können sich aber entspannen, Frau Schnidt ist jetzt sowieso dran«, versucht sie die aufgeregte Frau zu beruhigen. Die Wirkung der Worte hält sich in Grenzen. »Wenn mein Kleiner sich angesteckt hat, verklage ich Sie«, schreit sie aufgebracht. Ich bin eine Idiotin und habe einer cholerischen, hysterischen Frau ein Gespräch aufzwingen wollen. Schnidt, das kommt davon. Selber schuld. Manchmal muss man im Leben einfach die Klappe halten. Oder bessere Menschenkenntnis haben. Gemeinsames Schicksal langt wohl doch nicht. Im Endeffekt denkt hier jeder nur an sich. Das Gute an dem spektakulären Auftritt, ich habe schnell viel Platz um mich rum. Und bin tatsächlich an der Reihe. »Frau Schnidt, bitte in die drei«, kommt es aus der Glaszelle. Nix wie weg hier. Ich komme mir ja vor wie eine Aussätzige. Gut, dass Claudia das hier nicht mitbekommen hat. Sehr förderlich für ihr Urvertrauen in die Menschen wäre es sicher nicht. In der drei warten wir nochmal 25 Minuten. Ich könnte glatt auf der Liege ein Schläfchen halten. Claudia ist klug und macht genau das. Sie schläft. Wie ein rotgesichtiger Engel. Dann endlich die Erlösung. Die Tür geht auf, und eine Ärztin erscheint. Eine Ärztin, die mir verdammt bekannt vorkommt. Tatsächlich, es ist die Verhärmte. Die, die damals meinen Bänderriss untersucht hat. Den Namen habe ich vergessen, das Gesicht ist es aber eindeutig. Wenn ich jemanden schon mal gesehen habe, kann ich mich erinnern. Ich weiß zwar oft nicht, woher ich die Leute kenne, aber dass ich sie kenne, fällt mir immerhin noch ein. Was war die damals doof. Hat mich wie eine Unmündige behandelt und Christoph angebalzt, als wäre er der letzte freilaufende Kerl unter dieser Sonne. Ich hatte damals das Gefühl, überhaupt nicht im Raum zu sein, so haben die sich angestiert. Das werde ich ihr gleich mal unter die Nase reiben, das mit Christoph. Dass wir zwei uns sogar schon vermehrt haben. Manchmal muss man auf Siegesgenuss sehr lange warten, aber wie sagt mein Vater so schön: »Man sieht sich im Leben immer zweimal.« Jetzt weiß ich, was er meint.

»'n Abend, Frau Schnidt, wo ist denn das Problem?«, begrüßt sie mich. In ihrem Gesicht kein Zeichen des Erkennens. Sie ist immer noch hübsch. Vielleicht noch ein bisschen verhärmter als damals. Aber die Nachtarbeit ist eben nicht das Teintfreundlichste auf Dauer. Bevor ich unsere alte Bekanntschaft aufwärme, ist meine Tochter dran. »Also meine Tochter Claudia hat hohes Fieber, Nackensteifheit, ist lethargisch, apathisch und lichtempfindlich. Ich nehme an, sie hat Hirnhautentzündung«, erkläre ich ihr schnell meine Diagnose. Die Arme hat es sicherlich mit genug unwissenden Laien zu tun. Da schadet es nicht, wenn sich mal eine auskennt. »Hirnhautentzündung«, kommt es erstaunt. »Da wollen wir mal nachsehen«, sagt sie, zieht die Augenbrauen bis fast zum Haaransatz und packt sich Claudia. »Also, auf den ersten Blick würde ich sagen, das Kind ist nicht lethargisch, sondern es schläft, was ja auch sehr vernünftig ist um diese Zeit.« Ich ahne, was das hier wird. Einlauf Teil eins. Das klingt ja sehr viel versprechend. Sie wirft mir einen strengen Blick zu und versucht, Claudia aufzuwecken. Bitte sehr, wenn sie es so haben will, ich kann auch eklig werden. Dann kriegt sie jetzt mal ihre große Niederlage aufs Brot geschmiert. »Übrigens, Sie erinnern sich sicher, als ich damals mit dem Bänderriss hier war, der Mann, dieser große Blonde, der ist jetzt der Vater von Claudia.« »Die Kleine hatte schon einen Bänderriss?«, sie scheint fassungslos. Stellt die sich doof oder erinnert die sich wirklich nicht mehr an mich? Ich muss ja einen irren Eindruck hinterlassen haben. Gar keinen. Null. Nada. »Ach, ist egal«, biege ich die Geschichte ab. Jetzt wollte ich mein Ego aufpolieren und habe mir das Gegenteil eingefangen. Claudia ist kaum wach, da schreit sie schon wieder. Sie rächt ihre Mutter, das gute Kind. Merkt instinktiv, dass die Verhärmte keine nette Person ist. Die lässt sich von einem schreienden Kind nicht aus dem Konzept bringen und misst Fieber, bewegt Claudias Kopf, tastet auf die Fontanelle und schaut ihr genau in die Augen. Hat die dasselbe Kinderkrankheitenbuch zum Studium benutzt, wie ich es daheim habe? Was macht die eigentlich in der Kinderklinik, wenn sie vor ein paar Jahren noch gerissene Bänder im Fuß versorgt hat? »Seit wann sind Sie denn hier in der Kinderklinik?«, erkundige ich mich vorsichtig. Nicht dass sich hier eine Orthopädin erstmals an einer Hirnhautentzündung ausprobiert. Natürlich müssen auch Ärzte trainieren, aber bitte nicht an meinem Kind. »Seit wann ich hier bin, wollen Sie wissen? Das Datum habe ich gerade nicht parat, aber seit ich meine Fachärztinnenausbildung mache. Eineinhalb Jahre, um genauer zu sein. Wie kommen Sie eigentlich auf die Frage?«, wird sie jetzt pampig, »oder haben Sie einen Herrn Doktor erwartet?« 1:1. Nun sind wir beide beleidigt.

Sie öffnet Claudias Mund und tastet drin herum. »Hirnhautentzündung, witzig, die Hirnhautentzündung ist – ein

Zahn. Ihre Tochter bekommt einen Zahn. Sehen Sie zu, dass sie die Kleine nach Hause bringen, und geben Sie ihr ein Zäpfchen. Haben Sie Zäpfchen?«, fragt sie mich. Als sie mein belämmertes Gesicht sieht, fängt sie an zu lachen. Sie lacht mich aus. Diese Frau, eine Ärztin, die Menschenleben retten soll, lacht mich aus: »Keine Sorge. Es gibt noch viel hysterischere Mütter als Sie. Neulich hatten wir eine, die hat ihr Kind nachts um vier gebracht, weil es so blass war. Ich wäre auch blass, wenn man mich nachts um vier wecken würde.« Haha. Was kann die da lachen. Ihr Geschichtchen scheint ihr selbst riesig zu gefallen. Sie legt noch mal nach: »Die hat doch echt gedacht, ihr Kind hätte Leukämie, und wollte sofort eine umfassende Blutanalyse und Blutkörperzählung. Als ich das abgelehnt habe, weil die Kleine einen total normalen Eindruck gemacht hat, wollte die Tante mich doch glatt verklagen. Unglaublich, was sich die Leute so einbilden. Rauschen hier nachts an und wundern sich, dass wir nicht vor Begeisterung in die Hände klatschen.« Die letzten Worte sind eindeutig für mich bestimmt. Was für eine hochnotpeinliche Situation. Sollte diese Frau Recht haben, bin ich total blamiert. Nächtlicher Ausflug in die Notaufnahme mit dem ersten Zahn. Das ist peinlich. Sehr peinlich. »Ja, sind Sie denn sicher?«, will ich, schon wesentlich freundlicher im Ton, doch noch wissen. »Ja«, sagt sie, »da bin ich mir sicher. Sogar ganz sicher. Ich habe schon mehr zahnende Babys gesehen. Geben Sie ihr einen kühlen Beißring, viel zu trinken, und morgen oder übermorgen ist es ausgestanden. Beim nächsten Zahn und beim nächsten Kind wissen Sie dann Bescheid.« Sie hat auch einen etwas versöhnlicheren Ton angeschlagen. Ich bedanke mich, ringe mir sogar so was wie eine zaghafte Entschuldigung ab und mache mich vom Acker. Im Wartesaal gehe ich ganz knapp an der Hysterischen vorbei, die immer noch rumsitzt. »Es tut mir sehr Leid, schlechte Neuigkeiten, wahrscheinlich ist Ihr Kind schon angesteckt«, mit diesen Worten rausche ich raus. Das war zwar nicht nett, hat mir aber gut getan.

Schnellstmöglich verlasse ich den Ort meiner persönlichen Schmach.

Mit dem Zäpfchen schläft Claudia tatsächlich recht gut. Ich versuche noch zweimal, Christoph ans Telefon zu kriegen, aber ohne Erfolg. Machen die Seminarnachtschicht? Wo treibt der sich rum – und vor allem, mit wem? Eine leichte Eifersuchtsattacke weicht der Müdigkeit. So nächtliche Ausflüge strapazieren mich ziemlich.

Als ich Christoph am nächsten Morgen endlich erreiche, hat der noch nicht mal ein schlechtes Gewissen. »Wir waren unterwegs, noch was trinken, und als ich später versucht habe, daheim anzurufen, ist keiner dran. Da habe ich gedacht, ihr schlaft schon. Ich meine, ich will euch ja nicht wecken. Das wäre doch blöd. Ich kann ja nicht ahnen, was du für Sachen machst. Auf so was muss man ja erst mal kommen.« Solche Aussagen von einem Mann, der Taschenlampen in Schuhputzboxen versteckt. Frech. Und auch sein Mitleid hält sich in Grenzen. Er schämt sich doch tatsächlich vor der Verhärmten. Will eben noch wissen, ob sie immer noch so lecker aussieht. Ich kann mir durchs Telefon seinen Blick vorstellen. Ich lüge: »Also, das war schlimm. Echt schade um die hübsche Frau. Die hat bestimmt zwanzig Kilo zugelegt und so einen kurzen Stoppelhaarschnitt. Aschbraun. Ich hätte die fast nicht erkannt. Wie schnell jemand sich so verändern kann. Unglaublich.« Er hat keine weiteren Nachfragen. Um ihn zu einem hübschen Mitbringselkauf zu überreden, kriegt er nach dem Krankenhausdrama, das ich ehrlich gesagt zu meinen Gunsten etwas schöne, noch die Einkarätergeschichte unter die Nase gerieben. Sein Kommentar zu dem Thema ist ernüchternd: »Wenn ich mit fünfundvierzig noch 'ne Vierundzwanzigjährige an Land ziehen würde, dann gäb's von mir auch 'nen Einkaräter. Hör mal, der Typ ist Zahnarzt und näher dran an der Pensionierung als am Abi. Und wir zwei sind fast gleich alt.« Charmant, mein Lebensgefährte, wirklich charmant. Andere wären nach so einer Nacht mit dem Helikopter eingeflogen, ja, auch aus Paderborn, und hätten dann noch einen Einkaräter zur Beruhigung der Gemüter mitgebracht. Aber Christoph ist eben Christoph. Und Einkaräter sind Einkaräter.

In Claudias Mund tut sich tatsächlich was. Die Verhärmte scheint nicht so falsch zu liegen. Da ist was Hartes am Gaumen. Meine Tochter bekommt Zähne. Wie schön für sie. Endlich mal was Festeres zu sich nehmen. Nicht ständig schleimige Gläschen und Breichen. Obwohl manche Sorten ja wie gesagt recht gut schmecken.

Donnerstag, 12.30 Uhr

Mir ist übel. Nicht vor Sorge um das kranke Kind, sondern einfach so. Blümerant. Wahrscheinlich ist es heute so weit. Meine Tage sind im Anmarsch. Oder es ist der Duft der Kohlsuppe, der durchs Büro wabbert. Oder Claudia hat mich angesteckt.

Mist, ich habe keine Tampons dabei. Das lerne ich wahrscheinlich bis zu meinen Wechseljahren nicht. Dass man prophylaktisch einfach immer welche dabei hat. Egal, wo ich welche deponiere, wenn es drauf ankommt, habe ich garantiert das falsche Täschchen dabei. Und dann bin ich jedes Mal wieder überrascht durch die einfache Tatsache, dass ich meine Tage habe. Man sollte doch meinen, eine Frau in meinem Alter hätte sich langsam dran gewöhnt. Pustekuchen.

Gott, ist mir heute schlecht. Aber meine Tage sind es eindeutig nicht. Die lassen sich mal wieder Zeit.

Dazu kommt, dass Tim und Sandra mich mit Arbeit überschütten. Ich tippe, was das Zeug hält. Abläufe. Beim Fernsehen ist alles genau getimt. Jede Moderation, jedes Spielchen und jedes Filmchen. Alles hat seinen Platz. Man sieht das den Sendungen zwar nicht unbedingt an, aber in der Planung ist alles perfekt.

Jeder, der irgendwie mit der Sendung zu tun hat, bekommt einen solchen Ablauf. Kameraleute, Ton, Regie, Aufnahmeleiter, Redaktion, Bildschnitt, Moderator usw. Mich würde es nicht wundern, wenn irgendwann sogar das

Kantinenpersonal und die Reinigungstruppe Abläufe bekämen. Für mich bedeutet das: ausdrucken, sortieren, heften und beschriften. Im Normalfall bis zu dreimal. Denn kaum habe ich die Abläufe komplett auf einem Stapel liegen, kommen die Änderungen. Woche für Woche. Egal, wie oft ich schimpfe und die Redaktion ermahne, mit Kündigung drohe oder rumschreie. Sie packen es einfach nicht. Kaum sehen sie den fertigen Ablaufplan, geht das Genörgel los. Sie ändern ein, zwei Positionen und fühlen sich dann, als hätten sie das Rad neu erfunden.

Gegen 13.00 Uhr lockt mich Sandra mit einem Teller Kohlsüppchen von der Arbeit weg. Oskar, der schmucke Praktikant, kriegt auch was ab. Wieso der Kohlsuppe braucht, ist mir allerdings schleierhaft. Abnehmen muss der nun echt nicht. Oskar hängt an Sandra dran, als wäre er ihr Schoßhund. Dass er nicht noch mit dem Schwanz wedelt, ist alles. Niedlich. Und Sandra scheint ihr Anhängsel zu genießen. Sie scherzt und schäkert, als wäre ihr nicht klar, dass Oskar Wills Trophäe ist. Gut, dass der noch nicht im Büro ist, das gäbe ja herrliche Eifersuchtsdramen. Oskar wirkt gar nicht besonders schwul. Aber das soll's ja auch geben. Vielleicht ist er mehrseitig orientiert. Bi, und das alles endet in einem flotten Dreier mit Oskar, Sandra und Will. Ich muss ein ernstes Wörtchen mit ihr wechseln.

Die Kohlsuppe bekommt mir nicht. Im Gegenteil. Sie ist fast so schnell wieder draußen, wie sie drin war. Ich neige normalerweise nicht zum Kotzen. Könnte auch nie als Bulimikerin Karriere machen. Allein der Gedanke: Man isst lecker, und dann steckt man sich den Finger in den Hals, und all die schönen Sachen kommen retour. Und sehen lange nicht mehr so schön aus wie zuvor. Obwohl Giselle behauptet, es wäre praktisch. »Du isst, aber es setzt nicht an. Das ist doch super-clever und vor allem, man gewöhnt sich dran«, hat sie Sandra und mir mal empfohlen. Geschmack ja, Kalorien nein. Ich glaube nach wie vor, wer Lebensmittel wirklich mag, für den ist die Kotzerei nichts. Davon abgesehen soll es ja wirklich sehr schädlich sein. Unter anderem für die Zähne. Was nützt mir dann die tollste schlanke Linie, wenn ich dafür braune Stummel im Mund habe? Außerdem wäre es mir mehr als peinlich, direkt nach dem Essen aufzuspringen, aufs Klo zu rennen und womöglich noch aus der Nachbarkabine belauscht zu werden. Und die guten Vitamine – sind ja dann auch mit in der Schüssel. Nein, zur Bulimikerin tauge ich mit Sicherheit nicht.

Sabine ruft an. Hat sie im Memory doch noch gewonnen? »Hör mal, Andrea, deine Tochter kriegt so merkwürdige Punkte am Körper und im Gesicht. Sie sagt, es seien endlich die Wunschpunkte, aber unter uns, gesund sieht das nicht aus. Und sie kratzt sich, als hätte sie Flöhe. Was hoffentlich nicht der Fall ist«, informiert sie mich über den aktuellen Krankheitsstand meiner Claudia. »Soll ich gleich kommen oder hat es noch eine Stunde Zeit, was meinst du?«, frage ich meine Freundin. »Angesteckt habe ich mich jetzt eh, also bleib ruhig bis Dienstschluss, munter ist sie ja. Wir haben schon siebenmal Memory gespielt, fünfmal gepuzzelt und siebzehn Knetmännchen geformt. Jetzt malen wir Wasserfarben und dann baden wir die Barbies. Du siehst, wir haben zu tun. Sie findet mich fast so nett wie Sonja und Gabi, ihre Erzieherinnen«, sagt sie mit Hobbypädagogenstolz und beendet das Gespräch. Mein schlechtes Gewissen nagt ein Weilchen, aber Claudia ist ja nun eindeutig in besten Händen. Außerdem hat Sabine ja einen Mediziner an ihrer Seite.

Von diesem Animations- und Spielprogramm wäre sogar Thea beeindruckt. Ach du Scheiße, Thea. Mit der waren wir ja noch gestern auf dem Spielplatz. Wenn Claudia jetzt die Windpocken, Scharlach, Röteln oder sogar die Krätze hat, muss ich Thea informieren. Thea und Verena Hase. Und den gesamten Kindergarten. Ich mache direkt einen Termin beim Kinderarzt. Erst mal hören, was der meint. Seit Claudia im Kindergarten ist, sind wir Stammgäste beim Kinderarzt. Eine schleimige Infektion jagt die nächste. Halsentzündung, Husten, Schnupfen und das Ganze immer wieder von vorn. Kaum ist Claudia gesund, fängt sie sich im Kindergarten was Neues. »Ganz normal im ersten Jahr im Kindergarten«, haben mir die Erzieherinnen beteuert. Ganz normal, aber trotzdem ganz schön lästig dieses Virenringelreihen.

Ganz schön lästig ist auch das Auftauchen von Will. Erst mal beordert er Oskar zu sich. Der ziert sich. »Soll ich nicht lieber Sandra helfen, also wir sind hier gerade noch dabei, was im Ablauf zu ändern«, versucht er sich Will vom Hals zu schaffen. »Das kann Sandra auch ohne dich, los komm«, zitiert Will Oskar herbei. In einem Ton, der wenig Widerspruch duldet. So was ist Will nicht gewöhnt. Dass jemand sich erdreistet, nicht zu springen, wenn der Meister Laut gibt. Oskar steigt in meiner Achtung. Vor allem, weil er nicht spurt. »Ich mache das hier eben noch fertig«, ruft er Will zu und bleibt tatsächlich an der Seite von Sandra sitzen. Die grinst nur und enthält sich jeglichen Kommentars.

Oh, oh, das riecht nach Ärger. »Bitte, wie du meinst, man muss Prioritäten setzen im Leben«, zischt Will und rauscht ab. Oskar lacht. Na, der Kerl traut sich ja was. Eine Viertelstunde später steht Will wieder im Raum. »Wegen der Getränke habe ich umdisponiert, es ist besser, eine Frau serviert die«, mit diesen kühlen Worten serviert er Oskar ab. Rachsüchtiger Despot. In null Komma nichts erstickt eine hoffnungsvolle Fernsehkarriere im Keim. »Und«, fragt er scheinheilig bei Oskar nach, »und jetzt?« Was erwartet Will? Devotes Winseln, Bitteln und Betteln um einen Minutenauftritt als Getränkeboy. Oskar bleibt cool: »Kein Problem, Will, wie du meinst. Sandra und ich haben jetzt aber noch alle Hände voll zu tun.«

Oskar, der neue Held des Alltags. Sandra grinst immer weiter, und Will, ganz beleidigte Diva, verlässt nach der klaren Niederlage den Ort des Aufstandes. Sandra und Oskar lachen. Neben Oskar wird sogar Sandra keck. Blüht richtiggehend auf. Ich glaube fast, ich muss sie erinnern, dass er nun mal weniger auf Mädels steht. Nicht, dass da falsche Hoffnungen heranreifen. Kurz vor Feierabend ruft die Tritsch an. Anett Mocks Agentin. Diese Superzippe. Möchte Frau Mock jetzt auf Rollschuhen kommen, per Segelboot den Rhein runterschippern oder was gibt's diesmal? Nichts dergleichen. Frau Trisch möchte nur noch mal erinnern, dass Frau Mock in ihrer Garderobe frisches Obst und Sushi braucht. Ich verspreche alles. Frau Tritsch sagt nur bedeutungsvoll: »Wir werden sehen.« Werden wir. Leider wirklich, denn Frau Tritsch begleitet Anett Mock zu ihren Auftritten. Nicht, weil die allein zu ängstlich wäre, sondern weil Prominente ab einem gewissen Grad nie allein anreisen. Das würde ja so normal aussehen. Wie bei Herrn und Frau Jedermann. Wichtig wird man durch Agenten. Außerdem kann man dann hübsch das Good Cop-Bad Cop Spiel veranstalten. Die Prominenten machen einen auf zuckersüß, und die Agenten nölen im Hintergrund rum. So gelten die Promis bei allen als irre sympathisch, und die Arschkarte haben die Agenten. Bestimmt ein ätzender Job. Agentin von lauter Willi Wichtigs. Mir langt ja schon der eine. Wenn man Tag für Tag mit diesem Pack zu tun hat, muss das das Grauen sein. Aber so, wie die am Telefon abnervt, kann ich nicht noch Mitleid mit ihr haben. Das geht dann wirklich zu weit. Ich bin gespannt, wie die im realen Leben ist. Samstag werde ich es wissen. Obwohl die Kohlsuppe draußen ist, rumort es in mir weiter. Da habe ich mir ja was Feines eingefangen. Wenn ich jetzt auch noch Punkte irgendwo bekomme, weiß ich immerhin, von wem.

Heute sind die Abläufe schon beim zweiten Mal so, wie die Herrschaften der Redaktion es wünschen. Welch ein Glückstag. Ich darf heim. Hurra.

Claudia sieht tatsächlich aus wie eine Hügellandschaft. Die meisten Pusteln sind auf ihrem Gesicht. Sabine lacht und sagt nur trocken: »Von wegen. Guck dir mal den Hintern deiner Tochter an, Jennifer Lopez würde sich aufhängen.« Tatsächlich: Der Po von Claudia sieht aus wie ein Streuselkuchen. Und unser Wohnzimmer wie nach dem Einfall einer Horde von Kleinkindern. Sabine kann anscheinend sehr schön spielen, aber sehr schlecht wegräumen. Sie sieht meinen entsetzten Blick: »Ich dachte, du kommst später. Außerdem, geht Amüsement nicht über Ordnung?« Ich nicke und sage artig danke. Hardcorespielen einen ganzen Vormittag lang, das kann nicht jeder. Als sie schon in der Tür steht, wage ich zaghaft den Versuch, sie auch für den morgigen Vormittag zu gewinnen. Wo sie jetzt so schön eingespielt ist. »Schau mal, jetzt bist du eh wahrscheinlich infiziert, da kommt es doch auf ein paar mehr Viren nicht an. Hättest du nicht Lust, morgen noch mal für fünf, sechs Stündchen vorbeizuschauen? Wo ihr zwei doch so viel Spaß hattet?« Sie kann sich fast nicht mehr halten vor Begeisterung. Auch Claudia jauchzt schon. Aber – zu früh gefreut. Sabine und Mischi, ihr Liebster, fahren morgen gemeinsam shoppen. Nach Wiesbaden. Mit anschließendem Lunch beim Nobelitaliener Luigi Farfalli. Ich verstehe, dass ein Krankensitting dagegen an Attraktivität etwas abstinkt.

Was die Punkte bedeuten, sagt mir der Kinderarzt. »Frau Schnidt, das sind eindeutig die Windpocken. Ich gebe Ihnen was gegen den Juckreiz – und halten Sie Claudia von anderen fern, bis der Schorf von den Pusteln abfällt. Dann ist die Ansteckungsgefahr rum«, erklärt mir Dr. Hiller. Pustellotion ist was Tolles, Handschellen wären besser. Kaum drehe ich mich von Claudia weg, ist sie schon am Kratzen. Mein »Kind, du kriegst fiese Narben und wirst dich später sehr ärgern«-Geschwätz lässt sie vollkommen kalt. Es kratzt eben jetzt, und ob man da dann irgendwann vernarbt durch die Gegend rennt, interessiert Patienten dieses Alters weniger. »Kriege ich es auch?«, will ich vom geschäftigen Hiller noch wissen. »Möglich, sogar wahrscheinlich, Frau Schnidt, aber man muss abwarten. Hatten Sie denn schon Windpocken?«, fragt er mich. Erinnern kann ich mich jedenfalls nicht. Ich muss meine Mutter anrufen. Das fehlt mir noch. Die Windpocken. Bei Erwachsenen sollen die ja besonders fies sein. Weitaus panischer als ich reagiert Christoph. Der ist kurz davor, im Haus Mundschutz zu tragen. Es scheitert nur daran, dass wir keinen dahaben. »Andrea, wenn ich jetzt Windpocken bekomme, ist das wirklich äußerst ungünstig. Ich habe dermaßen viel zu tun, ich kann nicht fehlen.« Er macht einen Bogen um seine Tochter, als wäre sie choleraverseucht. Hysterie, dein Name ist Mann. Manchmal hat man den Eindruck, er wäre mindestens Außenminister. So wichtig wie seine Arbeit angeblich ist. Fliegt er morgen in den Nahen Osten, um zu missionieren, und ich weiß nichts davon?

Wie ich den nächsten Tag gestalte, ist ihm wurscht. »Bleib doch daheim, wenn ein Kind krank ist, dann darf ein Elternteil doch daheim bleiben, steht dir doch rechtlich zu«, schlägt er mir vor. »Schön gesagt, Christoph, ein Elternteil. Gehörst du da nicht auch dazu? Bist du kein Elternteil? Bleib du doch, du weißt doch, am Tag vor der Sendung kann ich echt nicht fehlen. Da kriegen die die Krise«, schnauze ich zurück. Spitzfindige Juristensprache. Langsam, aber sicher geht mir dieser unbekümmerte Egoismus wirklich auf den Wecker. Wenn alles dufte läuft, ist Claudia seine Zuckermaus, sein Renommierstück. Im Krankheitsfall oder bei anderen Unpässlichkeiten soll ich sehen, wie ich alles organisiere. Er ist empört. Kann meine Attacke nicht mal verstehen. »Mann, was ein Theater«, jault er, »du stellst dich vielleicht an. Eure piefige Sendung interessiert doch eh keinen. Du bist die Redaktionsassistentin, nicht die Moderatorin«, haut er mir verbal ein paar um die Ohren. Reizend. Das habe ich ja gar nicht gewusst, dass ich nicht moderiere. Nett, dass er mir das eben nochmal klarmacht. Und gut zu wissen, wie unwichtig meine Arbeit ist. Wie piefig er die Sendung findet. Sehr ermutigend für mein Ego. Dieser unsensible, ichbezogene Macho. Was wollte ich je von diesem Mann? Wie konnte der mich einfangen? War ich dermaßen hormonell verwirrt? War er der Letzte? Ein Sonderangebot? Hatte ich es so nötig? Wahrscheinlich ja.

Es wird wirklich Zeit, dass es Männerpröbchen gibt. So wie in der Drogerie. Man testet, und bei Gefallen kauft man eine ganze Packung. Bei Nichtgefallen kommt das Pröbchen ausgequetscht in den Müll, und man erspart sich Enttäuschungen. Ich bin mir sicher, das wäre ein Renner, denn immer wieder hört man von Frauen, die einen irre tollen Typen an Land gezogen haben, der allerdings, kaum ist er an Land, zu einem Vollidioten mutiert. Männer sind cleverer, als man gemeinhin denkt. Sie wissen, dass sie heutzutage beim Auftakt der Balz in die Vollen gehen müssen, um uns anspruchsvolle Frauen zu überzeugen. Kaum hängen sie am Haken, schlaffen sie ab. Lassen nach. Entspannen und zeigen ihr wahres Ich. Je nach Modell vergeht zwischen den beiden Phasen unterschiedlich viel Zeit. Zeit, in der wir treuen Hühnchen uns an das Modell gewöhnt und wenig Lust haben, das Spiel von vorne zu beginnen. Die Akquise ist auch wirklich lästig. Ständig Beine rasieren und sexy aussehen.

Trotzdem ist es mir ein Rätsel, warum die Organisation rund ums Kind doch immer wieder an den Frauen hängenbleibt. Wo Männer doch ansonsten Organisieren lieben?

Mit Begeisterung Reiserouten ausarbeiten, als gelte es, eine Promotion zu schreiben, Ikea-Gebrauchsanleitungen studieren, als ginge es um den Einbau eines Herzschrittmachers, und die Frage des Anzünders bei der Grillparty wird zu einem Spektakel, über das man in der neusten Ausgabe der Fernsehsendung «Welt der Wunder« berichten könnte. Die gleichen Kerle ziehen sich in ihr emotionales Schneckenhaus zurück, wenn es um Kinderorganisation geht. Beim Kindergeburtstag übernehmen sie großherzig den Heimtransport der Gäste und stehen ansonsten geschickt im Weg rum oder haben leider gerade einen irrsinnig wichtigen Termin.

Vielleicht habe auch nur ich ein solches Exemplar abbekommen, aber je mehr Mütter ich kennen lerne, umso mehr bestätigt sich der Eindruck, es handle sich um ein weit verbreitetes Phänomen, das die Frauen dieser Erde irgendwie nicht in den Griff bekommen. Da werden wir Neurochirurginnen, fliegen zum Mond, werden fast Kanzlerkandidatin, aber können den eigenen Kerl nicht domestizieren. Meine Mutter ist sich nicht sicher, was die Windpocken angeht: »Andrea, ich habe drei Kinder. Meinst du, ich weiß da noch, wann da wer wie Ausschlag hatte? Ich glaube, du hattest Windpocken, oder waren es die Masern? Na ja, du wirst es ja merken«, ist ihre reichlich trockene Antwort auf meinen panischen Anruf. Sehr beruhigend. Also heißt es abwarten. Schön, dass sich meine Mutter überhaupt dran erinnert, dass sie Kinder hat. Da kann ich ja wirklich froh sein. Ich nutze die Chance, sie am Telefon zu haben, und frage sie wegen morgen: »Mama, ich habe eine Riesenbitte. Könntest du, also vielleicht, wenn es irgendwie geht, morgen auf Claudia aufpassen?« Pause. Ein kleines Stöhnen und dann die Erlösung. Sie sagt ja. Einfach so. Ich muss nicht mal groß rumbetteln. Ich schwöre mir sofort, nie mehr was gegen meine Mutter zu sagen. Sie ist und bleibt ein guter Mensch. Hab ich immer gesagt. »Mama, das ist lieb. Wenn es geht, komm so gegen acht, viertel nach. Ich eile mich und bin dann um halb drei wieder da. Okay?« Hoffentlich hat sie es sich nicht wieder anders überlegt. Nein, hat sie nicht. »Kein Problem, Andrea, ich steh auf der Matte. Acht Uhr. Also bis morgen.« »Meine Mutter kommt und betreut Claudia«, rufe ich voller Stolz Christoph zu. »Gut«, ist sein einziger Kommentar. Etwas mehr Begeisterung wäre durchaus angebracht gewesen. Wenigstens Dankbarkeit. Aber was erwarte ich? Wunder?

»Du bist selbst schuld, dass Christoph sich so anstellt, du musst ihn in die Pflicht nehmen«, hat mir Heike, meine Münchner Freundin, auf mein gelegentliches Vorjammern lakonisch geantwortet. »Ihr Frauen seid doch blöd, fordert die Typen. Lasst dieses Verhalten nicht durchgehen.« Schön gesagt. Sehr schön. Nur ist Heike, was die Männer angeht, nicht direkt eine Fachfrau. Sie persönlich bevorzugt Frauen. »Ich weiß auch, warum, wenn ich deine Geschichten höre«, hat sie mir oft genug gesagt. »Bei den Frauen kenne ich mich aus. Das ist vertraute Materie. Noch dazu appetitlicher verpackt.« Wie in der Persil-Werbung von früher. »Da weiß man, was man hat.« Ein Argument, keine Frage. Aber eine sexuelle Neuorientierung geht mir dann doch zu weit. Das mit dem Fordern hat mir allerdings eingeleuchtet. Als Claudia noch ganz klein war, habe ich das auch einmal probiert. Mit durchschlagendem Erfolg:

Claudia war ein halbes Jahr alt und seit einigen Wochen in der Kinderkrippe »Zwergenaufstand«. Zwergenaufstand war die elfte Krippe, die ich mir angeschaut habe. Nicht die schönste, aber dafür die einzige, die tatsächlich einen Platz frei hatte. Weil ein angemeldetes Kind umgezogen war. Der Vater wurde versetzt. Ich hätte glatt ein Dankesschreiben an seine Firma richten können. Einen Tag Bedenkzeit haben mir die Zwergenaufständischen gegeben.

»Sie müssen sich schnell entscheiden, sonst ist der Platz weg«, ermahnten sie mich. Krippenplätze sind Mangelware. Es ist einfacher, eine Sonderausgabe der neusten Louis-Vuitton Tasche zu bekommen als einen Betreuungsplatz für Kleinstkinder. Wer nicht allein erziehend ist, kann es eigentlich fast vergessen. Natürlich könnte ich das behaupten, schließlich sind Christoph und ich nicht verheiratet und ich komme mir oft genug wie eine Alleinerziehende vor, aber das bringe ich nicht fertig. Schlaue Mütter, die wieder arbeiten wollen oder müssen, melden sich schon in der Planung der Schwangerschaft bei ihrer bevorzugten Krippe an. Erst die Krippe, dann die Empfängnis. So ist die Reihenfolge. Schlaue Mütter. Ich habe das belächelt. Das war leider alles andere als schlau. So konnte ich, ganz untertänige Bittstellerin, von Krippe zu Krippe tingeln und um Aufnahme betteln.

Ich kam mir vor wie Maria mit dem Neugeborenen. Nur dass Joseph nicht an meiner Seite war, sondern es sich so lange daheim gemütlich gemacht hat. »Ich weiß nicht, ob ich das beurteilen kann, und außerdem, wegen mir kannst du auch daheim bleiben«, hat er argumentiert. Der Wunsch, wieder arbeiten zu gehen, ab und zu unter Erwachsenen zu sein, über andere Dinge zu sprechen als Windelsorte und Zahnwachstum, hat ihn nicht überzeugt. Das merkantile Argument fand er dann doch schlüssiger. »Ich will mein eigenes Konto, ein eigenes Einkommen und nicht für jedes neue T-Shirt bei dir nachfragen.« »Ganz wie du meinst, aber wenn Claudia leidet, werde ich sauer«, hat er dann noch Bedingungen gestellt. »Bleib du doch daheim«, schreie ich in der Hochphase unserer Auseinandersetzung, aber das findet er nur lustig. Ein witziger Gedanke, mehr nicht. Dass mittlerweile eine Menge Männer Erziehungsurlaub nehmen, interessiert ihn nicht. »Wer hat denn bei uns die bessere Ausbildung, soll ich nach jahrelangem Studium Windeln wechseln?« Ja, warum eigentlich nicht? Meine Eltern und Schwiegereltern sind entsetzt. Aber nicht etwa über Christoph. Nein, sie werfen mir Egoismus und Materialismus vor. Inkonsequent findet meine Mutter mein Handeln. »Wenn man Kinder hat, bleibt man eben zu Hause. So was muss man sich vorher überlegen. Alles kann man eben auch nicht haben.« Warum eigentlich nicht? Weil sie auch nicht alles hatte? Haben die meisten Väter nicht auch alles? Inge, meine Schwiegermutter, ist weniger streng als komplett verständnislos: »Jetzt hast de des süße Butzel und gibst es wildfremde Mensche, nur um en paar Euro zu verdiene. Es gibt doch nix Schöneres, als mit so em Klaane daheim zu sein. Un wer weiß, ob die aach rischtisch uffpasse. Also ich hätt kaane ruhige Minute, wenn ich mein Kind ins Heim gebe würd.« Ins Heim! Seit wann ist eine Kinderkrippe ein Heim? Ich präsentiere der Familie Studien darüber, dass Kinder, die mehrere Bezugspersonen haben, aufgeschlossener werden. Sich gut entwickeln. Ihnen der frühe Umgang mit anderen Kindern ein

Leben lang weiterhilft. Ihre soziale Kompetenz steigert. Inge überzeugt das kein bisschen: »Mein Bub war rund um die Uhr an meinär Seite, un ich bitt disch, Andrea, hat der sich schlecht entwickelt?« Sie bietet mir sogar an, regelmäßig auf Claudia aufzupassen. Nett von ihr, aber ich will, dass die Kleine unter Kindern ist. Ihr Sozialverhalten trainiert und Freunde gewinnt. Und vielleicht ab und an auch hochdeutsche Laute hört. »Alles, Andrea, aber net in die Kripp«, bearbeitet mich Inge wieder und wieder. Meine Mutter sorgt sich eher um Claudias Umgang. »Man weiß doch, was da für Leute sind in diesen Krippen«, sie verzieht angeekelt ihr Gesicht, »Andrea, ich bitte dich, so was prägt.« Wenn man meine Mutter so hört, hat man das Gefühl, eine Adelige spricht über den sozialen Abschaum. Die Gosse in der Krippe.

Doch – alles umsonst – ich bleibe hart und mache es trotzdem. Ich gebe Claudia in die Kinderkrippe.

Zwergenaufstand ist eine Kinderkrippe mit klarem Reglement. Elternbeteiligung und Engagement werden nicht nur gern gesehen, sie sind Pflicht. Einmal alle vierzehn Tage muss reihum gekocht werden. Jede Woche zwei Stunden Putzdienst. »Kein Thema«, findet Christoph. Ich denke mir auch erst mal nicht viel. Einen Topf Nudeln mit Hackfleischsauce bekomme ich sicherlich hin. Und alle Kinder mögen Nudeln. Gekocht werden muss daheim. Die erste Folgeanschaffung ist ein gigantischer Topf. Der Transport in die Krippe gestaltet sich schwierig. Schnallt man Töpfe an? Besser wäre es gewesen, denn ein Teil der Hackfleischsauce schwappt schon in der ersten Kurve über den Beifahrersitz. Noch Wochen später tummeln sich räudige Hunde vor meinem Auto. Ekelhaft. Und die Hackfleischsauce ist noch nicht mal ein Renner. Im Gegenteil. Ich ernte strenge Blicke und eine kleine Ermahnung. »In Zeiten von BSE ist Fleisch hier nicht gefragt«, teilt mir eine der Erzieherinnen mit. Diskussion nicht erwünscht. Gut, ich bin ja lernfähig. Dann halt Gemüse. Nudeln mit Pesto, Nudeln mit Brokkoli, Nudeln mit Möhren. Gemüse ist aber nicht Gemüse, und Nudeln sind nicht gleich Nudeln. Ich lerne bald mehr als meine Tochter in dieser Krippe. »Wenn möglich, sollte das Gemüse aus biologisch-dynamischem Landbau kommen«, wird mir mitgeteilt und »wir bevorzugen Vollkornnudeln«. Vollkornnudeln. Ich mag Vollkornbrötchen, aber Vollkornnudeln sind nicht mein Ding. Die schmecken irgendwie nicht. Jedenfalls nicht so, wie Nudeln schmecken sollen. »Was soll's«, meint Christoph, »ist doch wurscht, du musst es doch nicht essen.« Aber meine arme Tochter.

Einmal im Monat ist Elterntreffen. Pflichtveranstaltung. Eine mühsame Angelegenheit. Unter drei Stunden läuft da nichts. Beim «Zwergenaufstand« wird noch die Wahl des Toilettenpapiers demokratisch beschlossen. Wie viel Lagen, zwei, drei oder vier und recycelt, ja oder nein. Da essen die Vollkornnudeln, kaufen aber chemisch gebleichtes Papier. Ich persönlich erbringe Umwelt und Ökoopfer lieber für meinen Po als für meinen Mund. Dennoch – ich beuge mich den Mehrheiten. Man soll sich nicht wegen jedem Kram bis aufs Blut streiten. Der Alltag bietet weiß Gott genug Herausforderungen. Eine, der ich mich verweigere, ist das Amt des Elternsprechers. Allein der Gedanke: sich zur Wahl aufzustellen und dann kläglich zu scheitern.

Mit sagen wir mal vier Stimmen auf dem letzten Rang zu landen. Nach so einer Wahl genau zu wissen, dass niemand einen mag oder für kompetent hält. Ich war auch nie Klassensprecherin. Weil ich mich schon damals nicht habe aufstellen lassen. Aus Angst, nicht gewählt zu werden. Dass dieses Verhalten nicht für mein Ego spricht, ist mir klar, und sollte ich je eine Therapie machen, werde ich das Thema mit Sicherheit ansprechen. So lange halte ich mich von Wahlen zu diversen Ämtern fern. Weil ich nicht nur feige, sondern auch noch faul bin. Keine Lust habe, Rundschreiben zu verfassen und Anlaufstelle für Elternprobleme zu sein. Das Lustige bei diesen Wahlen ist jedes Mal das Theater, bis die Kandidaten gefunden sind. Beim ersten Aufruf zieren sich alle. Dann wird gedrängt mit Argumenten wie: »Mach du doch, das wäre doch was für dich, du kannst das bestimmt.« Manche sind schnell weich geklopft. Haben nur auf eine klitzekleine Aufforderung gewartet und sind eigentlich ganz heiß aufs Amt. Andere lassen sich bitten. Müssen fast genötigt werden, schaffen es aber nicht, nein zu sagen. Ulkig ist auch ein weiteres Phänomen: Selbst wenn nur zwei Männer unter 20 Frauen sitzen, einer von den beiden wird garantiert gewählt. Männer haben nun mal weniger Selbstzweifel und sind per se kompetent. Ich melde mich immer gleich freiwillig zur Wahlschriftführerin. Ein Wahnsinns-Schachzug: Schriftführerinnen dürfen leider nicht kandidieren. Eine Wahl zum Elternbeirat ist eine komplizierte Angelegenheit. Man darf nicht einfach sagen, super, zwei haben sich gemeldet – fein, dann sollen sie es doch machen. Dann wäre alles ja eine schnelle Sache. Keiner brüskiert, enttäuscht oder maßlos gelangweilt. Die Abstimmung erfolgt schriftlich und geheim. In mindestens zwei Wahlgängen. Die Unterlagen müssen aufbewahrt werden. Keine Ahnung wieso. Guckt die nochmal jemand vom Jugendamt durch? Oder sind wir Deutschen einfach so?

Claudia fühlt sich wohl beim »Zwergenaufstand«. Immerhin. Sie weint nicht mal, wenn ich sie abgebe. Das hat mich zu Beginn fast enttäuscht. Bin ich austauschbar? So fade, dass meine Tochter froh ist, von mir wegzukommen? »Sei doch froh«, hat mir Heike zu bedenken gegeben, »du wirst noch oft genug ein schlechtes Gewissen haben.« Wie wahr. »Wäre es dir lieber, sie würde stundenlang herzzerreißend weinen?«, fragt sie nochmal nach. Nee, natürlich nicht. Aber ein winziges Tränchen hätte mir eventuell doch ganz gut getan. Außerdem gehört Claudia zu den Kleinsten. Wird sie den ganzen lieben langen Tag Legosteine auf den Kopf geknallt bekommen, oder vegetiert sie still in einer Ecke vor sich hin? Ich weiß, wie es beim Zwergenaufstand aussieht, und habe trotzdem morgens oft ein Gefühl, als würde ich meine Tochter in einem rumänischen Kinderheim abgeben. Schwiegermutti Inge und meine Mutter haben irgendwo in meinem Unterbewusstsein doch Spuren hinterlassen. Bei allem besseren Wissen nagt das Schuldgefühl an mir.

Meine Pekip-Freundinnen Eva und Conny zeigen Verständnis. Eva beruhigt mich: »Meinst du, Lena amüsiert sich mehr, weil sie rund um die Uhr Zeit mit mir verbringt? Ich glaube, uns beiden würde es gut tun, wenn sie ab und an woanders wäre. Aber Karl ist das nicht recht. Das ist der Nachteil bei den alten Kerlen. Die denken noch komplett traditionell.« Nachdenklich dreht sie am Einkaräter. Alte Kerle. Dass ich nicht lache. Als wäre da in den Köpfen der vermeintlich neuen Männer viel passiert. Die denken doch immer noch, dass sie kurz vor dem Bundesverdienstkreuz stehen, wenn sie sich mal einen halben Tag um ihre Kinder kümmern. Wenn die mal einkaufen gehen, wird an der Wursttheke fast gratuliert: »Wie reizend der mit seiner Tochter umgeht. Wie lieb der sich kümmert.« Es fehlt nicht viel, und der Herr Vater würde auch ein Scheibchen Gelbwurst bekommen. Mir ist das noch nie passiert.

Ich bin ungerecht. Natürlich gibt es diese wunderbaren Männer, die Erziehungsurlaub nehmen und nichts schöner finden, als sich mit ihrem Nachwuchs zu beschäftigen. Aber die Masse ist es nun mal nicht. Die denken genau wie der alte Einkaräterschenker Karl, nur schenken sie nicht mal Einkaräter. Conny versteht mein Dilemma, obwohl sie am liebsten direkt vom Kreißsaal wieder ins Büro marschiert wäre. Ihr Mister Minipi (Abkürzung von Minipimmel) Leon verbringt seine Vormittage bei einer Tagesmutter. »Bleibt sich alles relativ gleich, aber ich muss wenigstens nicht kochen, und Frau Lötsch verlangt auch keine regelmäßigen Elternabende. Dafür muss ich ab und an Kaffee mit ihr trinken, und ich glaube, sie guckt heimlich nebenher Fernsehen mit den Kindern. Obwohl sie es abstreitet.« »Wie kommst du denn darauf?«, frage ich neugierig nach. Schließlich kann ihr Leon kaum gepetzt haben. »Nee, erzählt hat er nichts«, lacht sie, »aber neulich haben die im HL ein Teletubbie, so 'ne abstruse gelbe Stoffpuppe, im Angebot gehabt, und der Kleine hat darauf reagiert, als wäre es seine Oma. Hat nicht viel gefehlt, und der wäre mir aus dem Wagen gesprungen. Ich habe das Ding tatsächlich gekauft, und er ist begeistert. Grunzt richtiggehend vor Freude. Da kann ich die Holzrasseln entsorgen, so fährt der auf dieses hässliche Ungetüm ab.« Tagesmütter sind für mich bewundernswerte Menschen. Für vier bis fünf Euro fremder Leute Kinder zu hüten ist nun wahrlich kein riesiges Geschäft. Die Verantwortung wollte ich für das Geld keinesfalls übernehmen. Je länger ich selbst Mutter bin, umso mehr Respekt habe ich vor Menschen, die sich um Kinder kümmern. Es nerven einen ja schon die eigenen.

Die Auswahl der richtigen, der perfekten, adäquaten Betreuung ist eines der schwierigsten Dinge, die eine berufstätige Mutter zu leisten hat. Krippe, Tagesmutter, Au-pair-Mädchen oder vielleicht gar eine Haushälterin, die gleichzeitig aufs Kind aufpasst? Die Haushälterin, die kocht und schrubbt und liebevoll mit dem Nachwuchs spielt, ist das Ideal Vieler. Leider eine etwas teure Variante. Unter 1500,– Euro spielt sich da kaum was ab. Christoph hat gefragt, ob ich auf Drogen sei, als ich ihm dieses Modell vorgeschlagen habe. Obwohl auch ihn die Aussicht auf lecker vorbereitete Speisen und einen eins a Haushalt gelockt haben. Aber der Gedanke, nur noch für eine Haushälterin zu arbeiten, hat ihm dann doch nicht behagt. »Wenn ich mal Partner bin, können wir gerne wieder drüber reden«, hat er mich vertröstet. Sehr aussichtsreiche Angelegenheit … ha. Ob ich das noch erlebe?

Au-pair-Mädchen sind gerade bei Mittelstandsmuttis sehr angesagt. Wer auf sich hält, hat ein Au-pair-Mädchen. Und jammert. Weil es verstockt ist, nicht genug putzt, Frauchens Kleider heimlich ausborgt, zu viel ausgeht oder den

Gatten anbaggert. Seit ich Menschen mit Au-pair-Mädchen kenne, will ich keines mehr. Erst mal braucht man Platz. Wer hat schon einfach so noch ein Zimmer und ein Bad übrig. Aber selbst wenn: Immerzu jemanden im Haus zu haben. Nie mehr unter sich sein. Hemmungen zu haben, nachts in Unterhose eben mal zum Kühlschrank zu huschen. Und dann hat man letzlich ja noch ein Kind im Haus. Das unterhalten werden will, angeleitet, Heimweh hat, ständig telefoniert, krank wird und die besten Oberhemden versengt. Wenn man Frauen über Au-pair-Mädchen reden hört, hat man das Gefühl, es geht um Autos. Welches Herkunftsland arbeitet am liebsten, ist nett mit den Kindern und welches nicht. Im Trend sind die Mädchen aus dem Osten. Gerne aus den baltischen Staaten. Estland, Lettland oder Litauen. »Die sprechen einfach gut deutsch, da kannst du wenigstens sagen, was dir nicht passt«, hat mir Hilde aus dem Pekip-Kurs anvertraut. Ihr Au-pair-Mädchen, die schweigsame Ret, geht ihr allerdings gehörig auf die Nerven. »Es ist der ganze Typ Mädchen, den ich blöd finde. Schon wie die sich anzieht und aufbrezelt. Wenn die morgens zum Frühstück kommt, denkt man, sie geht zu einem Galaabend. Und ständig diese Plateau-Billigschuhe. Bauchfrei selbst bei Minusgraden. Und im Haushalt braucht sie Stunden. Wenn du siehst, wie die die Geschirrspülmaschine einräumt, könntest du einen Anfall bekommen. Wie in Zeitlupe. Außerdem ist gegen Ret ein Fisch verschwätzt. Die redet nur, wenn du sie direkt ansprichst. Man hat immer das ungute Gefühl, sie fühlt sich nicht wohl, kann dich nicht leiden, ist irgendwie beleidigt. Und wenn die abends ausgeht, kann ich erst ruhig schlafen, wenn sie wieder daheim ist. Stell dir vor, der passiert was, und ich muss dann in Estland die Eltern anrufen, dass ihre Tochter irgendwo in einem Plastiksack gefunden wurde. Nee, wie grauenvoll. Also die Nächste kommt doch aus dem Westen.« Hübscher Gedanke, aber leider absurd. Mädchen aus dem Wohlstandswesten haben null Lust, in Deutschland Rotznasen zu putzen und Fußböden zu wischen. Bei den Au-pair-Vermittlungen lachen die sich kaputt, wenn man, aufs bevorzugte Land angesprochen, so was wie England, Frankreich oder Italien sagt. Früher war es so, dass Au-pair-Mädchen ins Land kamen, um die Sprache zu lernen und kulturelle Einblicke zu bekommen. Die Zeiten sind vorbei. Die Mädchen, die heute kommen, haben andere Motive. Sie kommen aus sehr armen Ländern und wollen vor allem möglichst viel Geld verdienen, um dann daheim besser über die Runden zu kommen. Das führt dazu, dass viele von ihnen nebenher putzen gehen und ansonsten gelangweilt rumhängen, um ja kein Geld auszugeben. Arme Hasen.

Bevor ich die Krippe ausgewählt habe, oder besser gesagt die Krippe mich, habe ich mir drei Tagesmütter angeschaut. Die Erste war Frau Ilscher. Eine kettenrauchende, dickliche Person in einer muffigen dunklen Wohnung, Modell Eiche rustikal. Sehr mitteilsam war sie auch nicht: »Ich mache das seit Jahren, immer vier Kinder. Es gab noch nie Beschwerden.« Interessant. Dass die Atmosphäre der Wohnung wahrscheinlich in eine tiefe Depression treibt, der Anblick der Möbel so etwas wie aufkommenden guten Geschmack im Keim ersticken und der Geruchssinn durch den Qualm für immer gestört wird, macht anderen Eltern vielleicht weniger aus als mir. Aber noch dazu ist Frau

Ilscher auch nicht das, was man sich unter einer angenehmen Person vorstellt. Sie trägt ein ärmelloses T-Shirt, und die Achselhaare haben das Wort Rasur noch nie gehört. Sie ist schwitzig und genau besehen leider auch etwas unappetitlich. Sie ist eine Frau, die ich auf Anhieb nicht ausstehen kann. Ich verlasse die Eiche-Rustikal-Wohnung fast fluchtartig. Hier könnte ich kaum einen Nachmittag verbringen. Das kann ich Claudia nicht antun. Frau Ilscher ist das egal. »Es gibt genug Frauen, die sich die Finger nach einem Platz bei mir lecken«, sagt sie und ist nicht mal beleidigt. Nach dem Motto: Wer nicht will, der hat schon. Welch ein Horror. Da sieht man, wie groß der Betreuungsnotstand in Deutschland ist, dass Frauen wie Frau Ilscher solchen Zulauf haben.

Die zweite Tagesmutter, die ich ansehe, ist Frau Schulze. Frau Schulze ist eine Person mit klaren Grundsätzen und Regeln. »Ohne, Frau Schnidt, ohne Regeln läuft nichts. Kleine Kinder sind wie Welpen, da muss hart trainiert werden. Was glauben Sie, warum ich mit meinem Hanno wochenlang in die Hundeschule bin.« Hanno ist ein älterer Schäferhund, der keinen Schritt von Frau Schulzes Seite weicht. Sie sieht meinen Blick: »Er ist aus dem Heim und hängt sehr an mir, gell Hanno.« »Und die Kinder«, will ich wissen, »kommt er mit den Kindern klar?« »Selbstverständlich, Frau Schnidt. Hanno hat nichts gegen Kinder, wenn sie ihn in Ruhe lassen. Klare Regel hier im Haus. Sie wissen ja, Regeln sind alles. Bei Hund und Kind.« »Und bei Männern«, will ich einen Scherz machen, verkneife ihn mir aber. Ich glaube nicht, dass Frau Schulze solche Späße zu schätzen weiß. War die mal beim Militär? Oder Politesse?

Ich habe nicht den Eindruck, dass der Spaßfaktor hier in diesem Haushalt irgendeine Rolle spielt. Ich bin durchaus für klare Regeln, aber ein bisschen mehr sollte das Leben doch noch zu bieten haben. Wir sind ja nicht in der Kaserne, obwohl sich Frau Schulze wie ein pensionierter Feldwebel aufführt. Außerdem sind Regeln ja nicht gleich Regeln. Wer weiß, ob Frau Schulze und ich da ähnliche Vorstellungen haben. Es macht mir nicht den Eindruck. Und ehrlich gesagt ist mir auch Hanno suspekt. Was, wenn Claudia ihm nicht gefällt oder sich nicht an seine Regeln hält? Christoph ist entsetzt, dass ich Frau Schulze überhaupt in Erwägung ziehe. Christoph fürchtet sich vor Hunden. Alles, was größer ist als ein Yorkshireterrier, ist für ihn eine potenzielle Gefahr. Ein Angriff auf sein Leben und vor allem die Bürgersteige der Republik. Der kann sich da richtig reinsteigern. Wenn der in Hundescheiße tritt, führt er sich auf wie ein Irrer. Hunde wie Dobermänner veranlassen Christoph dazu, die Straßenseite zu wechseln. Auch Rottweiler und große Schäferhunde. Von Pittbulls und Staffordshires mal ganz abgesehen. Da neigt der echt zur Hysterie. »Mir egal, wie du das findest«, hat er auf meinen Spott hin gesagt, »ich will nicht, dass sich so ein Monster in mir verbeißt.« Frau Ilscher und Frau Schulze kommen also nicht infrage.

Die Dritte ist Frau Köhner. Mittlerweile bin ich schon etwas skeptisch. Aber Frau Köhner ist nett. Sie wohnt am Stadtrand in einem hübschen Reihenhäuschen. Hell, viel Holz und sogar mit Gärtchen. Und jung ist Frau Köhner. Ende zwanzig. Ich bin begeistert. Sie hat ein extra Spielzimmer für die Kleinen und ist die erste der Tagesmütter, die sich auch für Claudia interessiert. Die anderen haben das Kind auf meinem Arm kaum eines Blickes gewürdigt. Taktisch nicht sehr klug. Frau Köhner nimmt Claudia direkt auf ihren Arm und betrachtet sie ausgiebig. Claudia guckt skeptisch zurück. Begeistert sieht sie nicht aus. Aber man muss sich ja auch aneinander gewöhnen. »Neigt sie zu Aggressionen?«, fragt mich Frau Köhner. Zu Aggressionen? Ein Kind in dem Alter? Nur weil sie Frau Köhner nicht gleich anstrahlt. »Sie brüllt ab und zu, aber als Aggression würde ich das nicht bezeichnen«, gebe ich leicht irritiert zurück. »Da sollte man extrem auf der Hut sein«, mahnt Frau Köhner mit besorgter Miene. »Aber kein Problem, ich habe homöopathische Mittel, um das in den Griff zu bekommen. Drei bis fünf Kügelchen, und die Kleine ist das los. Das ist enorm, was die Kügelchen bewirken.« Kügelchen gegen Aggression? Bei einem Säugling? »Also, Medikamente gebe ich meiner Tochter eigentlich lieber selbst. Wenn überhaupt«, werde ich langsam ein wenig strenger. Ich glaube, die spinnt. »Ich mache alles mit Kügelchen, Globuli«, teilt sie mir mit, »da erwarte ich schon, dass mir die Mütter freie Hand lassen.« Das hier riecht nach Streit. »Meiner Tochter geht es prima. Die braucht keine Kügelchen. Sie ist gesund.« Ich werde langsam wütend. Claudia beginnt zu weinen. »Gesund«, bemerkt Frau Köhner konsterniert, »würde ein gesundes Kind jetzt so schreien? Aus heiterem Himmel? Lässt das nicht Rückschlüsse zu? Auf tiefere Probleme?« Also als Schreien würde ich das nicht bezeichnen. Sie weint. Wahrscheinlich, weil wir laut und unfreundlich klingen. Am liebsten würde ich auch weinen. Weil das hier erst so toll aussah und mich jetzt so verstört. Frau Köhner sieht nett aus, ihr Haus ist schön, aber sie hat 'ne Meise. Was nützt der hübscheste Garten und das gepflegteste Haus, wenn die Betreuerin einen Schatten hat. Wir verabschieden uns. Alles hat Grenzen. »Nehmen Sie Ihre Kügelchen selbst, meine Tochter braucht keine«, sage ich und mache die Flatter. »Sie werden sehen, wie das endet«, ruft mir Frau Köhner hinterher und knallt die Tür zu. Wer da mal ein paar Kügelchen braucht, ist keine Frage. Ich habe nichts gegen Homöopathie, aber die prophylaktische Gabe von dubiosen Kügelchen gegen angebliche Aggressionen geht mir dann doch zu weit.

Auf noch mehr Tagesmütterbesichtigungen habe ich danach keine Lust mehr. Auch wenn es sicherlich ausgesprochen nette und patente gibt. Drei sind genug für mich.

Ich bin froh, dass Claudia beim Zwergenaufstand untergekommen ist. Auch wenn Kochen und Elternabende nerven. Dafür ist das Personal geschult, Fachpersonal eben, und die Räumlichkeiten sind schön. Wir kommen gut klar, der Zwergenaufstand und ich. Selbst mein Christoph ist zufrieden. »Claudia fühlt sich wohl, das ist wohl das Einzige, das zählt«, findet er, und ausnahmsweise kann ich ihm fast zustimmen.

Das einzige Problem sind die Ferien. Auch eine Kinderkrippe hat mal zu. Urlaub. Vier Wochen lang. Jeden Sommer. Dummerweise hat nur die Krippe vier Wochen Ferien. Für Christoph und mich sind drei Wochen am Stück das Äußerste. Mehr geht einfach nicht. Unsere Sendung hat keine Sommerpause, und der Herr Anwalt, auf dem langen, steinigen Weg zum Partner, darf sich rein theoretisch nie eine Pause erlauben. »Meine Eltern können sich kümmern«, beschließt Christoph und verfügt über seine Eltern wie über einen gewöhnlichen Gegenstand seines Besitzes. Verdrängt hat er die Tatsache, dass auch seine Eltern jeden Sommer wegfahren. Mit dem Wohnmobil. Richtung Süden. Seit sie pensioniert sind, sechs Wochen lang. »Mer nehme des Butzelscher mit«, begeistert sich Inge. »Was en Spaß, die Klaane un mir am Strand. Herrlisch. Was gibt des en Vergnüsche.« Sechs Wochen ohne Claudia? Das schaffe ich nicht. Obwohl Inge und Rudi sogar anbieten, ihren Urlaub zu unterbrechen und Claudia hier abzuholen. »Was soll's«, meint Rudi, »für die klaa Grot fahr ich aach noch ema über die Alpe un retour. Über die siebe Berge zu meim Zwerg.« Das ist einfach zu viel verlangt, finde ich, und Christoph fügt sich. Er hätte das seinen Eltern zugemutet. »Warum nicht, so viel haben die als Rentner doch nicht zu tun, und Erholung brauchen die doch auch keine, wovon denn auch?«, fragt er spitz. Dass sie sich wahrscheinlich immer noch von seiner Aufzucht erholen müssen, spare ich mir als Kommentar. Ich tue mich schwer damit, Claudia auch nur zwei Wochen nicht zu sehen. »Ich glaube, das schaffe ich nicht«, gebe ich ihm zu bedenken. »Das halte ich nicht aus. Ohne die Maus.« »Dann musst du dich eben kümmern«, ist seine pragmatische Schlussfolgerung, und er ist raus aus der Verantwortung. Erleichtert. Jetzt ist es mein Problem. Er hätte ja eine Lösung gehabt. Wenn ich sie nicht will, muss ich sehen, wie ich klarkomme. Unverschämtheit. Ich hatte eher an eine gemischte arbeitsteilige Lösung gedacht. Zweieinhalb Tage er, zweieinhalb Tage ich. Eine völlig abwegige Idee, findet er. »Du meldest dich krank, und schon ist die Lösung da«, stiftet er mich zum Lügen an. Jetzt langt es aber. Wieso soll ich mich krankmelden? Jeder von uns nimmt das Kind die halbe Woche. Es ist schließlich das Kind von uns beiden. Jetzt muss ich beharrlich bleiben. Wenn ich kneife, habe ich lebenslang verloren. Man setzt schließlich Standards. »Wir werden sehen«, sagt Christoph. »Werden wir«, denke ich. »Das werden wir«.

Der Sommer kommt und die Ferien auch. Drei Wochen wollen wir wegfahren. Ans Meer. Costa de la Luz. Südspanien. Claudia soll Sand, Strand und Sonne kennen lernen. Leider ist die erste Woche der Krippenferien die Woche, die wir zwei noch arbeiten müssen. Ich nehme Claudia mit in den Sender. Schließlich zahlt sie später die Rente von Will und Konsorten, da wird es ja mal möglich sein, zwei, drei Tage die persönliche Rentenhoffnung live zu ertragen. Ich bin komplett equipt, trage unseren halben Hausstand mit an meinen Arbeitsplatz. Deckchen, Gläschen, Spielzeug und Schnuller. Die Begeisterung der Kollegen hält sich in Grenzen. Giselle ringt sich ein »apart« ab. Was das heißen soll, ist mir schleierhaft. Sagt man apart nicht zu Menschen, die leider nicht hübsch sind? Denen man aber doch was Nettes sagen will? Menschen wie Giselle. Egal, schließlich ist Giselle nun wirklich kein Maßstab, was guten Geschmack angeht. Will ist entgeistert. »Was ist denn das?«, fragt er mich entsetzt. »Ein Kind«, kläre ich ihn auf. »Genauer gesagt, mein Kind. Claudia.« »Und was macht das hier?« Er schafft es noch nicht mal, ihren Namen zu sagen. »Das« nennt er Claudia. »Sie hatte Lust, dich mal in echt zu sehen, nicht nur im Fernsehen«, schmiere ich ihm etwas Honig ums Maul. »So, das hat sie ja nun, dann kann sie ja jetzt nach Hause gehen«, kommt seine wenig charmante Antwort. »Ihre Fahrerin ist leider noch beschäftigt, oder darf die auch heim?«, erkundige ich mich, so freundlich es geht. »Deine Ironie kannst du dir sparen«, zischt mich der Kinderhasser an. »Wie lange soll das hier denn gehen?«, fragt er weiter. »Solange die Krippe zu ist, muss das hier gehen«, antworte ich. Er schnaubt. »Andrea, zwei, drei Tage von mir aus, aber ab Donnerstag in der heißen Vorsendungsphase ist damit Schluss.« Perfekt. Immerhin: bis Mittwoch kann ich Claudia mitnehmen. Gewonnen. Das Arbeiten mit Kleinstkind ist nicht so einfach. Die Einzigen, die begeistert sind, sind die von der Putzkolonne. Unsere türkische Putzfrau gerät fast in Ekstase. »Sehr hübsche Kind, so freundlisch und groß«, lobt sie meine Tochter. Endlich mal eine, die die wahren Qualitäten von Claudia auf den ersten Blick erkennt. Ich könnte sie küssen. Nie mehr werde ich über schmierige Bildschirme oder staubige Ecken meckern. Bei einer so zauberhaften Person. Claudia mag den Sender nicht besonders. Auf einer Decke den halben Tag auf dem Fußboden zu liegen ist ihr anscheinend zu langweilig. Ich kann's verstehen, aber nicht wirklich ändern. »Besser als allein daheim«, ermahne ich sie. Von Einsicht keine Spur. Sie fängt an zu jammern. Weinen. Schreien. Tim kommt entnervt in mein Büro. »Wie soll der Mensch bei so was nachdenken, hast du dir das schon mal überlegt?«, meckert er los. »Nein«, sage ich, »denn wie soll ich bei so was überlegen?« Er lacht nicht mal. Humorloser Arschkeks. Ich nehme Claudia auf den Schoß. Das gefällt ihr schon wesentlich besser. Sie wird ruhiger. Tatscht auf die Tastatur. Ein toller Spaß. Auch für die Post.

Nachmittags bin ich fertig. Reif für die Nervenheilanstalt. Habe ich denen von der Krippe eigentlich je Blumen mitgebracht oder Pralinen? Muss ich unbedingt mal machen. Das ist ja Wahnsinn, was die täglich leisten. Will schickt mich eine Stunde früher nach Hause. »Pack das ein und geh«, herrscht er mich an, »es langt für heute.« Mir auch.

Zwei weitere Tage ähnliches Programm. Es ist kein Vergnügen, aber machbar. Mittwochabend erinnere ich meinen Liebsten, dass er morgen dran ist. Er lacht. Hält das für einen Scherz. »Andrea, bitte, mach dich nicht lächerlich. Ich bin morgen vor Gericht, und wir haben Sitzung. Da musst du dir schon was anderes einfallen lassen. Ich hätte sie eh mit meinen Eltern in den Süden geschickt. Und wir hätten sie dann da abgeholt.« Hättste, wennste, wärste. Der glaubt, ich mache einen Witz. Das werden wir schon sehen. Morgen früh ist die Stunde der Wahrheit.

Es ist tatsächlich die Stunde der Wahrheit. Als ich aufstehe, ist der Gnädigste schon aus dem Haus. Hinterlässt nur einen Zettel: Ich wünsche euch beiden einen schönen Tag. Raffiniert. Schön aus der Affäre gezogen. Wenn ich heute wieder mit Claudia im Funk auflaufe, dann gibt es Ärger. Die Wut steigt in mir hoch. Und es ist niemand da, an dem ich sie auslassen könnte. Na warte, Freundchen. Nicht mit mir. Nix. Andrea Schnidt hat schon Härteres hinter sich. Schließlich habe ich schon mal geboren, da lasse ich mich doch nicht so verarschen. Ich packe einen kleinen Kinderversorgungsbeutel, ziehe Claudia nett an und fahre Richtung Kanzlei.

Christoph ist nicht da. »Am Gericht«, lässt mich die Vorzimmerdame wissen. »So«, sage ich und nehme meinen ganzen Mut und die Wut zusammen, »leider hat er eine

Kleinigkeit zu Hause vergessen. Hier ist sie. Die Kleinigkeit heißt Claudia. « Mit diesen Worten drücke ich der verdatterten Frau Trundel meine Tochter in den Arm. »Ja denn, liebe Grüße an meinen Gatten, und einen schönen Tag auch«, begebe ich mich auf den Rückzug. Jetzt nur nicht schwach werden, Andrea. »Gatten, wieso Gatten, haben Sie geheiratet«, will die verdutzte Frau Trundel wissen. Neugierige Trine. »Nee«, sage ich und ziehe die Tür hinter mir zu. Ich höre noch wie die Trundel »halt, halt, Frau Schnidt« schreit, aber ich überhöre es. Auf dem Weg ins Büro fühle ich mich wie die Rächerin der ausgebeuteten Mütter. Eine Heroin. Im Hinterkopf habe ich aber auch ein kleines nagendes Gefühl, das sich schwer vertreiben lässt und permanent zu mir sagt: Böse, böse. Das arme Kind. Wie konntest du nur? Hoffentlich ist sie lieb zu Claudia. Lässt sie nicht einfach irgendwo rumliegen. Aber so wie die Trundel auf Christoph abfährt, würde sie das seinem Kind sicherlich nicht antun. Oder? Ich fühle mich mies, aber im Sender sind alle erleichtert. »Prima, Andrea«, meint Tim, »ran an den Speck. Jetzt kannst du wieder richtig arbeiten.« So schlimm war es mit Claudia nun auch nicht. Ich bin kaum zwanzig Minuten am Arbeitsplatz, da klingelt mein Telefon. Es ist die Kanzlei, ich kann es deutlich auf dem Display sehen. ISDN-Zauber. Nur nicht rangehen. Wenn die mich erst am Wickel haben, gebe ich bestimmt nach. »Tim, geh du mal ran, egal wer es ist, ich bin nicht da, denk dran«, gebe ich ihm genaue Anweisungen. Ich lausche. Höre: Ja, das sehe ich natürlich ein, schwierige Situation, leider keine Ahnung, wo sie sich rumtreibt. In einer Minute hat Tim die Trundel abserviert. Respekt. Er kann kaum glauben, was ich gemacht habe.

Ich kann es selbst kaum glauben. Boah, wird das einen Ärger geben.

Aber es gibt Dinge im Leben, die müssen sein. Um einen Rest Selbstachtung zu bewahren. Das Telefon geht im Zwanzig-Minuten-Rhythmus. Die Trundel scheint neben dem Babysitten noch richtig viel Zeit zu haben. So schlimm kann es also gar nicht sein, versuche ich mich zu trösten. Christoph wird kochen. Habe ich ihn eigentlich schon mal so richtig wütend erlebt? Christoph ist ein eher gelassener Mensch. Vor allem, wenn er bekommt, was er will, und ansonsten in Ruhe gelassen wird. Als klassisches Einzelkind ist er genau das gewohnt. Mami und Papi machen, was der Herr Sohn will. Schon weil sie so kolossal stolz auf ihn sind. Ein studierter Jurist war mehr, als sie zu hoffen gewagt haben. Dass so ein beruflich geforderter Mensch auch mal ein bisschen gereizt ist – kein Problem für Rudi und Inge. »Bei dem, was der Bub leistet, muss mer aach emal Rücksischt nehme«, haben sie mir schon diverse Male dezent zu verstehen gegeben. Wenn die von der Geschichte hören, werden sie schockiert sein. An meinem Verstand zweifeln. Sich als Kronzeugen für meine Entmündigung zur Verfügung stellen. Und wenn schon.

Um Viertel vor zwei wage ich es und rufe in der Kanzlei an. Am Telefon eine komplett genervte Frau Trundel. »Alles was recht ist, Frau Schnidt, aber was Sie mir da zugemutet haben, das ist skandalös. Das lasse ich mir nicht gefallen. Ich bin in der Gewerkschaft«, motzt sie sofort los, als sie merkt, dass ich am Telefon bin. Ich nütze die Atempause, um ihr zu sagen, dass ich Claudia jetzt abhole. Sie stöhnt nur. Etwas Begeisterung hätte ich schon erwartet. An sich recht nett von mir, dass ich direkt nach Dienstschluss angerauscht komme, schließlich hätte ich mir ja auch noch einen entspannten Stadtbummel ohne Kleinkind gönnen können. Aber so bin ich ja nicht.

Insgeheim verstehe ich natürlich, dass die Trundel pottsauer ist. Aber wäre ich Frau Trundel, hätte ich sofort den Herrn Papa angerufen und ihm sein Kind übergeben. Selbst schuld, wenn sie sich das nicht traut. Zu viel Ergebenheit den Chefs gegenüber zahlt sich nicht aus. Hoffentlich geht es Claudia gut. Ich beruhige mich, wie schon den ganzen Vormittag lang, damit, dass auch eine Frau Trundel einen gewissen Anstand besitzt und weiß, dass die Kleine ja wohl kaum die Schuldige ist. Außerdem hat die Trundel selbst ein Kind, da wird die wohl wissen, wie man damit umgeht. So was verlernt man ja nicht. So oder so – einen Vormittag in nicht optimaler Betreuung werden Kinder sicher überstehen. Wenn man daran denkt, dass in anderen Ländern Kinder, kaum älter als Claudia, quasi rund um die Uhr Teppiche knüpfen oder Steine schleppen, dann muss ein gewöhnliches mitteleuropäisches Kind wie meine Tochter so ein paar Stunden schon mal überstehen.

Und tatsächlich: Claudia sieht prima aus. Was man von Frau Trundel nicht direkt behaupten kann. Und von ihrem Zimmer auch nicht. Es sieht aus wie in einem Büro, in dem eine schlecht organisierte Person seit Wochen Gelage veranstaltet. Und mitten im Raum, mit Claudia auf dem Arm, steht der entgeisterte Christoph. Sein Gesicht hat die Farbe einer frischen Wassermelone, und es würde mich nicht wundern, wenn er gleich wie Rumpelstilzchen auf und ab hüpfen würde. Wer ihn so sieht, weiß, was «kochen vor Zorn« bedeutet. »Danke, Andrea«, zischt er mit ruhiger, aber fieser Tonlage, »vielen Dank dafür, dass du mich vor dem kompletten Büro zum Depp gemacht hast. Reizend. Deine Terrakottafliesen kannst du dir für die nächsten Jahre in die Haare schmieren. Das hier kann ich, wenn überhaupt, nur durch extreme Mehrarbeit je wieder gutmachen. Vergessen wird das niemals einer. Das gab's hier noch nie, dass eine Frau sich so vollkommen gestört benimmt. Was hast du dir dabei gedacht?« Er lässt mir nicht mal den Hauch einer Chance zu antworten. »Bah, gedacht. Von Denken in deinem Zusammenhang zu sprechen, verbietet sich nach dieser krankhaften Aktion ja geradezu. Ich könnte dir sofort das Sorgerecht entziehen lassen, jeder Richter der Welt wäre auf meiner Seite.« Er schnaubt. »Und jede Richterin auf meiner«, gebe ich kurz zu bedenken, aber er blubbert schon weiter. Muss ich mir das hier jetzt antun? Nein, beschließe ich und schnappe mir Claudias Tasche. Den Restkram, der im Zimmer verstreut rumfliegt, wird Christoph schon mitbringen. »Wiedersehen und Frau Trundel schönen Dank auch, sehr nett von Ihnen, Sie haben einen Wunsch frei«, verabschiede ich mich von dem entgeisterten Publikum. Beim Rausgehen merke ich, dass hinter mir noch etwa zwei Drittel der gesamten Kanzlei gestanden haben, um den herrlichen Auftritt nur ja nicht zu verpassen. Immerhin, mich kennt hier jetzt jeder. »Autogramme gibt es beim nächsten Mal«, rufe ich der Meute mutig zu, und weg bin ich.

Christoph braucht lange, um sich zu erholen. Abends schweigt er. Beleidigt. Der kann wirklich erstklassig beleidigt sein. Kein Wort kommt über seine Lippen. Jedenfalls keins, das an mich gerichtet ist. Botschaften für mich richtet er an seine Tochter. »Du arme Maus, deine Mutter ist leider wahnsinnig, und dein Vater kann demnächst gleich mit einem Arschloch-Schild auf dem Kopf ins Büro gehen. Weichei, Frauengehorcher und Versager sind wahrscheinlich noch die harmlosesten Sachen, die meine Kollegen über mich sagen. Ach, Maus, was hast du bloß für eine Mutter, die dich einfach so aussetzt. Nur für ihre vermeintliche Karriere. Als Redaktionsassistentin. Lächerlich. Wäre es nicht so peinlich, wäre es fast lustig.« Ich reagiere nicht. Nur weil er beleidigt ist, muss er mich ja nicht beleidigen. Konservativer Knochen. Trotzdem, bei allem Ärger: Wenn er was von mir will, muss er mich immer noch direkt ansprechen. Auf Second-Hand-Ansprachen via Tochter reagiere ich nicht.

Nach drei Stunden, als Claudia selig schlafend im Bett liegt, probiere ich zaghaft eine Annäherung. Nicht zur Versöhnung, sondern zur Klärung der Lage. Austausch der Standpunkte. Kontroverse Diskussion von mir aus. Ich kann Kritik ab. Jedenfalls theoretisch. Aber – das weiß nun wirklich jede Frau, der Mann an sich drückt sich gerne vor Diskussionen. Da ist Christoph kein bisschen anders als seine Artgenossen. Er sitzt stur vor dem Fernseher. »Morgen bringst du der Trundel ein paar herrliche Blumen mit, und dann verzeiht sie dir sicher sofort. So ergeben wie die dir ist«, schlage ich beherzt vor. »Du kannst ja locker alles auf mich schieben«, ergänze ich noch freundlich. Er guckt kurz in meine Richtung: »Mir verzeihen! Die Trundel. Mir?«, er lacht spöttisch. »Mir?« Ende der Diskussion.

Weitere 20 Minuten Schweigen. Ich zwicke ihn in die Seite. »Du wirst unsterblich sein, mit der Aktion weiß jeder in der Kanzlei, wer du bist«, versuche ich ihn aufzuheitern. Man sollte doch in der Lage sein, auch über sich selbst zu lachen. Ein Irrtum und der Spruch – ein verbaler Fehlschlag. »Danke, Andrea, das weiß jetzt wohl wirklich jeder. Wer ich bin. Und wer meine Tochter ist auch. Schließlich hat sie den gesamten Teppich im Eingangsbereich der Kanzlei dekoriert. Voll gekotzt. Die Flecken werden noch da sein, wenn ich längst in irgendeinem Altersheim davon träume, im nächsten Leben Partner einer Kanzlei zu sein. Einer der Partner hatte etwas Kotze am rechten Schuh hängen, als er in Robe zum Ausgang ist. Toll.« Er holt kurz Luft und guckt, als würde er gleich losheulen. Dann geht's weiter: »Und jeder weiß jetzt auch, dass ich zu Hause anscheinend gar nichts zu melden habe. Ein Mann, der nicht mal seine eigene Frau im Griff hat, solch ein Mann wird sicher zum Idol werden. Es irre weit bringen in der Kanzlei.« Das scheint mir das Schlimmste für ihn zu sein. Der Gedanke, was die anderen über unsere Hierarchieverhältnisse denken. Aber er ist nicht zu weiteren Gesprächen bereit. Für heute Abend waren das seine letzten Worte. Er entzieht sich weiteren Fragen oder Vorschlägen von mir, indem er ins Bett geht, die Augen zupetzt und so tut, als würde er schlafen. Echt kindisch. Mein latent schlechtes Gewissen schwindet immer mehr. Etwas mehr Größe hätte ich ihm doch zugetraut. Souveränität. Gelassenheit. Und so sehr anstellen muss er sich auch nicht, schließlich hat die Trundel die Hauptarbeit gehabt. Leider ist eins klar: Wenn ich das Programm morgen nochmal durchziehe, lässt der mich einliefern, oder die Trundel kündigt.

Mit mieser Laune, nicht zuletzt wegen meiner Inkonsequenz und dem unguten Gefühl, dass Christoph letztlich doch gewonnen hat, melde ich mich am nächsten Tag in der Redaktion krank. Die spitzen Bemerkungen von Tim überhöre ich. Ich hüstele dreimal und schnuffele das gesamte Telefonat vor mich hin. Wenn schon Lüge, dann so raffiniert wie möglich. Und genau genommen fühle ich mich auch krank. Sogar ziemlich krank. Seelisch. Ich habe einen Schwachkopf als Mann, mit dem ich sogar freiwillig zusammenlebe und der noch dazu der Vater meiner Tochter ist. Ich habe ihn mir selbst ausgesucht, kann die Schuld nicht mal auf meine Eltern schieben, weil sie mich ihm versprochen haben. Alles auf der Welt hat Vor- und Nachteile. Eigene Entscheidung – eigene Schuld. So ist es nun mal.

Christoph hat auch heute Morgen keinen unnötigen Laut von sich gegeben. Keinerlei Konversation. Kein Zeichen von ›Ich will Frieden, lass uns wieder Freunde sein.‹ Statt Tschüs und Abschiedskuss gibt's ein verächtliches: »Tu, was du nicht lassen kannst, aber denke vorher ausnahmsweise darüber nach. Das macht man mit dem Teil zwischen den Ohren. Dem Gehirn. Denke vielleicht auch an mögliche Konsequenzen deines Handelns.« Er macht ein Gesicht wie der Vorsitzende der Oberlehrerkonferenz. Sauertöpfisch und staatstragend. »Schöner macht das auch nicht«, will ich ihm hinterschreien, aber zu spät, er ist weg. Und ich angeblich krank.

Auch Claudia ist mies drauf. Vielleicht hat ihr der Trundeltag doch geschadet. Oder Kinder haben feine Antennen, die schlechte Stimmung sofort aufspüren und auffangen. Wir gammeln den Tag vor uns hin. Keine Ausflüge,

Einkäufe oder Ähnliches. Schließlich bin ich krank. Tag des Selbstmitleids ist angesagt.

Am Spätnachmittag dann die Wende. Ein Anruf von Frau Trundel. Ich mache mich auf eine weitere Standpauke gefasst und beschließe, sie mir demütig anzuhören. Was soll's, die Trundel ist die Einzige, die eigentlich wirklich Grund hat, sauer zu sein. Aber – große Überraschung: Sie ist es nicht mehr. Im Gegenteil. Sie klingt heiter, versöhnlich geradezu.

»Frau Schnidt, so phantastische Blumen, also das Bukett übertrifft alles, was ich je bekommen habe. Da wird mein Mann aber staunen. Und so geschmackvoll. Und dass Sie wussten, dass Gerbera meine Lieblingsblumen sind. Also, so ein großer Strauß wäre wirklich nicht nötig gewesen.« Sie plappert mich voll. Denkt anscheinend, ich hätte ihr Blumen geschickt. Bevor ich widersprechen kann, kapiere ich. Christoph, der alte Stratege. Kauft der Trundel fette Blumenbuketts und behauptet dann, ich wäre es gewesen. Bevor ich was sagen kann, schnattert die Trundel weiter: »Ich bin Ihnen auch nicht mehr böse, Frau Schnidt, ehrlich. Nach der Karte. Wenn man es mit den Nerven hat, das ist sicher nicht leicht. Ich nehme Ihre Entschuldigung natürlich an. Mein Mann meint auch, die Frauen heute haben es nicht leicht. Er ist ja so emanzipiert, mein Mann, also echt. Und meine Tochter findet Ihre Aktion sogar recht cool. Jawoll, cool hat sie gesagt. Meine Nachbarin, die Frau Krämer allerdings, na ja, da wollen wir lieber nicht drüber reden.« Schade, gerade das hätte mich brennend interessiert. Natürlich auch noch die Meinung von Frau Trundels Friseur und ihrem Metzger. Mit den Worten: »Ihre Tochter ist übrigens ein liebes Kind. So artig. Ganz wie der Gatte, und der Kotzfleck ist auch nur noch schwach zu sehen«, beendet sie das Gespräch. Das man eigentlich nicht als solches bezeichnen kann. Schließlich habe ich außer ein paar knappen »Jas« nichts von mir gegeben. Immerhin, ich kann ab jetzt wieder im Büro anrufen, ohne Panikattacken zu bekommen bei dem Gedanken, was mir die Trundel an den Kopf werfen könnte.

Auch der Erkenntnisgewinn des Gespräches ist immens: Ich habe es also mit den Nerven. Interessant, was sich Männer so für die Rehabilitation ihrer Liebsten ausdenken. Sehr schmeichelhaft. Aber da kennt Christoph nichts. Auch bei seinen Mandanten. Hauptsache der Prozess geht gut aus. Egal, wie debil oder marode die Delinquenten dabei dastehen: »Andrea, das Ergebnis zählt, der Weg dahin mag noch so merkwürdig sein.«

Bis Christoph und ich versöhnt sind, dauert es. Am nächsten Tag kommt sogar bei ihm etwas auf, das man mit gewissem Enthusiasmus Humor nennen könnte. Er bringt mir vom Arbeiten ein Geschenk mit nach Hause. »Habe ich in der Stadt für dich besorgt«, sagt er und drückt mir ein Päckchen in die Hand. Ein Lederrock. Ein schwarzer Nappalederrock. »Damit die Domina das nächste Mal auch die richtigen Klamotten trägt«, lacht er. Ich lache mit, obwohl der Rock ziemlich scheußlich ist. Kurz und vom Leder her eher zweite Wahl. Wahrscheinlich ein Sonderangebot. Aber was soll's. Der Geschenkgedanke allein zählt. Vielleicht kann ich das Teil Fasching tragen. Oder als Fensterleder benutzen. Eigentlich verdanke ich die Versöhnung und Christophs Stimmungswandel allerdings einem der

Partner. »Ihre Frau«, hat er Christoph gesagt, »die hat ja ordentlich Schneid in der Hose. Wie Sie das daheim hinkriegen, Hut ab. Und der Fleck in unserem Flur sieht doch tatsächlich fast aus wie Sylt. Ihre Tochter, die hat wohl in jeder Lebenslage Stil, gell. Meine Frau und ich fahren jedes Jahr nach Sylt. Herrliche Insel. Sollten Sie auch mal hin. Die raue Seeluft, genau das Richtige für eine Frau, wie Sie sie haben. Hä Hä.« Damit war für den das Thema erledigt. Als Christoph kapiert hat, dass er nach dem kleinen Vorfall nun doch nicht lebenslang im dunklen Keller Akten sortieren muss, hat er sich wieder eingekriegt. Sein erhoffter Erkenntnisgewinn ließ allerdings zu wünschen übrig.

Ich habe spätestens nach diesem Vorfall begriffen, dass Kinderbetreuung in letzter Konsequenz wohl doch Frauensache ist. Oder eine Menge Ärger verursacht. Mist.

Die Woche geht rum. Der Urlaub naht. Costa de la Luz – wir kommen. Mit einem Kleinkind zu verreisen, ist die pure Freude. Als Christoph unser Gepäck sieht, ist es mit seiner sofort vorbei. Prompt geht das Gemecker los. »Früher bin ich mit einem kleinen Rucksack vier Wochen quer durch Europa, und jetzt reisen wir für zwei Wochen Pauschalurlaub mit mindestens zwanzig Kilo Übergewicht an. Personen nicht eingerechnet.« Eine dreiste Bemerkung und ganz klar auf mich gemünzt. Liebenswert. Wo ich mir sowieso einen Riesenkopf mache, wie ich meine Pfunde am Strand am besten tarne. Der Sommer und besonders die Badezeit sind für Moppel meiner Preisklasse nicht besonders verlockend. Egal – ich bin eine Mutter, und das darf man ruhig sehen, rede ich mir gut zu. Nach einer Geburt sieht man eben nicht mehr aus wie vor einer Geburt. Oder man hat eine immense Disziplin. Macht Sit-ups bis zum Umfallen, kasteit sich monatelang oder hat einen super Stoffwechsel. Ich hasse Sit-ups, kasteie mich ungern, und mit meiner Disziplin ist es nicht arg weit her. Mit meinem Stoffwechsel anscheinend auch nicht. Das ist die unschöne Wahrheit, und die kommt jetzt im Badeanzug ans Licht. Wenn ich schon nicht zur Miss Badeanzug gewählt werde, will ich wenigstens abends was hermachen. Deshalb habe ich eigentlich alles Sommerliche, was mein Kleiderschrank hergibt, rausgekramt. Dazu sechs Paar Schuhe. Christoph findet das bekloppt. »Wir fahren in den Urlaub, es ist kein Modewettbewerb, was willst du denn mit sechs Paar Schuhen im Urlaub? Ich muss den Scheiß doch schleppen.« Als würden wir nach Spanien laufen. Seine Leistung beschränkt sich letztlich doch darauf, den Koffer vom Flughafenband auf den kleinen Wagen zu heben und vom Wagen in den Bus. Vielleicht noch zehn Meter vom Bus zum Hotel. Großzügig geschätzt. Und da jammert der rum, als müsste er den Koffer ganztags mit sich rumtragen. Ätzend.

Außerdem: Es gibt Dinge, die Männer nicht verstehen. Die dunkelblauen Sandalen gehen eben nicht zum schwarzen Leinenanzug. Und die Pumps zu den Caprihosen wären ja echt ein Fall für die Stilpolizei. Ich schaffe es nicht, wie in Frauenzeitschriften oft propagiert, nur einen Farbton und dazu drei aufeinander abgestimmte Teilchen für obenrum mitzunehmen. Auch wenn Christoph noch so lästert: Ich lasse nicht mit mir handeln. Auch dass die meisten Deutschen nur mit zwei Adidas-T-Shirts, einer fallschirmseidigen Turnhose und einer knalleroten Ferrarikappe in den Urlaub düsen, überzeugt mich nicht. Es muss mich ja keiner schon auf zweihundert Meter Entfernung als Deutsche erkennen können. Im Gegenteil. Ich finde es schick, als Einheimische durchzugehen. Das hebt mein Ego. Die Südländer können sich auch wirklich besser anziehen als wir. Das muss der Neid ihnen lassen. Allein die Kinder. Immer adrett dunkelblau-weiß und die Mädchen mit niedlichen Kleidern und farblich passenden Schlüppchen im Haar. Das scheint bei denen genetisch zu sein mit dem guten Geschmack. Christoph hat schnell gepackt. Das Wichtigste für ihn – sein Discman und zenterweise CDs. »Es gibt doch nichts Schöneres, als aufs Meer zu schauen und dabei gute Jazzmusik zu hören«, sein Argument. Aufs Meer schauen und Jazzmusik hören – mit einer Eineinhalbjährigen im Gepäck. Ich will seine Illusionen nicht schon im Vorfeld zerstören. Soll er doch seine CDs einpacken.

Der Horror beginnt im Flieger. Kleinkinder kosten zwar im Flugzeug nichts, aber dafür haben sie auch keinen Anspruch auf einen Sitzplatz. Das bedeutet, man hat sein Kind für drei lange Stunden auf dem Schoß. Bei aller Liebe, keine wirklich angenehme Art zu reisen. Vor allem, weil kein normales anderthalbjähriges Kind gerne drei Stunden brav und still auf irgendeinem Schoß sitzt. Meins jedenfalls nicht. Wir sitzen in einer Dreierreihe. Ich habe den Mittelplatz. Schon im Krankenhaus nach der Entbindung lag ich im Dreierzimmer in der Mitte. Ich scheine auf Mitte abonniert zu sein. Rechts von mir Christoph, der wegen seiner langen Beine nur am Gang sitzen kann. Alles andere grenzt an Folter, ist unzumutbar. Bevor der drei Stunden nörgelt, quetsche ich mich in die Mitte. Ist ja nur für den Flug. Auf dem Rückflug darf ich den Gangplatz haben, das ist abgemacht. Links von mir ein unfreundlicher Mensch, der noch dazu etwa 170 Kilo wiegt. »Ich dachte, Günther Strack ist tot«, flüstere ich Christoph kurz nach dem Start zu; aber er kapiert die Bemerkung nicht. »Wie kommst du denn jetzt auf Günther Strack?«, fragt er mich laut zurück. Der Typ neben mir ist anscheinend weniger begriffsstutzig und guckt mich voll beleidigt an. Ein super Reisebeginn. Der Kerl ist so dick, dass er ein Stück Extragurt bekommt. Verlängerung. Ich will nie mehr essen, schwöre ich mir sofort. Der Gedanke, von der Stewardess ein Stück Verlängerungsgurt in die Hand gedrückt zu bekommen, ist entsetzlich demütigend. Er klemmt in dem Sitz, dass man denkt, der kommt da niemals wieder raus. Teile von ihm hängen auf meinem Sitz. Von der gemeinsamen Armlehne gar nicht zu reden. Die ist schlicht verschwunden. Körperkontakt zu mir völlig fremden Menschen ist keine Sache, die ich besonders mag. Er schwitzt, dabei ist es eher kühl im Flieger. Claudia turnt auf uns rum. Von Christoph zu mir und retour. Kein Püppchen und Teddy kann sie ruhig stellen. Wie herrlich, wenn Kinder in einem Alter sind, in dem man sagen kann, lies doch was. Aber selbst bei aller zu erwartenden Hochbegabung wird das noch ein paar Jährchen dauern. Als das Essen kommt, jedes Mal ein Highlight auf Charterflügen, wird unsere Platzsituation zu einer echten Herausforderung. »Erst du, dann ich«, schlägt Christoph vor. Er macht den Vorschlag in einem Tonfall, als wäre er kurz davor, Mutter Theresa zu sein, nur weil ich vor ihm essen darf. Ein wahrhaft großmütiger Mensch. Ich trinke einen Sekt dazu, den Christoph muffelnd mit den Worten »das muss doch eigentlich nicht sein« bezahlt. Doch, muss es. Wenn ich in den Urlaub fliege, trinke ich immer einen

Piccolo im Flieger. Auch weil es meine Fluglaune entscheidend verbessert. Ich fliege nicht gern. Bin noch nie gern geflogen. Mein Vertrauen in die Technik hält sich in Grenzen. Dass so große und schwere Teile wie ein Flugzeug vom Boden abheben und bis in andere Länder fliegen, war mir von jeher suspekt. Als Kind ist mir mal was grauenvoll Peinliches passiert. Im Flugzeug. Einer Lufthansa-Maschine, um genau zu sein. Eine Boing 747. Ich war etwa zwölf und mit meinen Eltern unterwegs nach Rom. »Rom zu sehen gehört zur Allgemeinbildung«, befand mein Vater, und auf ging es. Im Flugzeug musste ich mal. Kaum hatte ich die Hose unten, passierte es. Der Flieger sackte ab. Mir wurde es grummelig im Magen, ich wusste, jetzt ist es so weit: Mein letztes Stündchen hat geschlagen, wir stürzen ab. Schnell entriegelte ich die Tür und rannte, so gut es mit der runtergelassenen Hose ging, raus aus dem Klo. Zur Erheiterung der gesamten Passagiere. »Dummerchen, das war doch nur ein klitzekleines Luftloch, Turbulenzen halt«, hat mein Vater unter Lachtränen gekichert. Noch heute kriege ich einen knallroten Kopf, wenn ich nur daran denke. Dieses Gelächter. Und alle haben meine Unterhose gesehen. Welche Schmach. Selbst der Pilot hat wenig später eine Bemerkung gemacht. Eine Lautsprecherdurchsage: »Sie können alle die Hosen noch schließen, bevor wir landen, so viel Zeit muss sein.« Welch sensibler Feingeist. Es gab fast wieder Turbulenzen, so haben die Passagiere gelacht.

Seitdem brauche ich etwas Alkohol im Flugzeug, und wenn das Fläschchen Sekt fünf Euro kostet, dann kostet es eben fünf Euro. Da kauft einer Boss-Anzüge und führt sich bei der Ausgabe von fünf Euro auf, als würden wir demnächst Sozialhilfe beantragen müssen.

Ich schaffe es, das rühreiähnliche Etwas und das Brötchen mit Anstand zu essen. Uff. Jetzt ist Christoph dran. Er trinkt Tomatensaft. Wie man Tomatensaft trinken kann, ist mir schleierhaft. Ich glaube, die gesamte Tomatensaftbranche kann sowieso nur überleben, weil Menschen im Flieger, aus welchen Gründen auch immer, Tomatensaft trinken. Auch Christoph trinkt zu Hause niemals Tomatensaft. Er streut ausgiebig Salz und Pfeffer hinein. Meine Abneigung gegen dieses Getränk steigt schlagartig, als mir unsere Tochter das volle, frisch gewürzte Getränk über meine neue beigefarbene Leinenhose kippt. Super. Eine Top-Farbkombination. Mit der Reinigung der Hose war Christophs Getränk jetzt alle Mal teurer als mein Sekt. Ich könnte ihm eine runterhauen, so sauer bin ich. »Idiot«, zische ich ihn an. »Wenn, dann bitte Idiotin, deine Tochter war's«, kontert er. Ist mir schon klar, dass es Claudia war, aber schließlich hat Christoph den Saft bestellt. Sekt und Mineralwasser hätten meine Hose lange nicht so versaut. Ein bisschen könnte man als Vater ja auch mitdenken. Sprite wäre auch gegangen. Drei Spritzer hat auch mein Nachbar abbekommen. Begeistert wirkt er nicht. »Die Reinigung bezahlen aber Sie«, knurrt er mich an. Aha, der Mops kann sprechen. Wie schön. Da freue ich mich aber. »Seit wann kommen Polyacryl-Hosen in die Reinigung?«, antworte ich so freundlich wie eben möglich. »Frechheit«, ist das Letzte, was ich von ihm höre. Auch recht – Freunde fürs Leben wären wir sowieso niemals geworden. Und die Reinigung dieses Zeltes hätte sicher eine Stange Geld gekostet. Dafür belegt er die Armlehnen konsequent bis zur

Landung an der Costa de la Luz. Jeder rächt sich auf seine Art.

Eine braun gebrutzelte Reiseleiterin erwartet uns in der Ankunftshalle. Wie beim Ausflug einer evangelischen Jugendgruppe versammeln wir uns brav rund um die Reiseleiterin und ihr Schild. Mit dem Bus geht's ins Hotel. Der Transfer ist angenehm. Bis auf unsere Tochter. Claudia würzt die einstündige Fahrt mit einer aparten Duftnote. Ausgerechnet jetzt macht sie in die frische Windel. Schubweise wabert der Gestank durch die Busreihen. Die Frau in der Reihe hinter uns schnüffelt ein paar Mal geräuschvoll und setzt sich dann demonstrativ um. »Sollen wir sie schnell wickeln?«, fragt mich Christoph verlegen, was übersetzt so viel heißt wie: »Wickel sie doch mal eben«. Christoph ist schnell mal was peinlich. Aber: Im Bus wickeln, eine grandiose Idee. »Und die Windel – soll ich die dann aus dem Fenster werfen oder in die Handtasche stecken?«, stelle ich die entscheidende Entsorgungsfrage. Was nützt die frische Windel am Kinderhintern, wenn man die voll geschissene nicht los wird? »Dann machen wir eben einen kurzen Stopp und werfen sie in den Müll«, ist Christophs schlauer Vorschlag. Ich frage die Reiseleiterin: »Wäre es möglich, mal einen kurze Rast zu machen, um eine Windel loszuwerden?« Sie guckt entgeistert. »Eine Pause? In einer Viertelstunde sind wir da, ich glaube nicht, dass Ihre Mitreisenden eine Pause machen wollen. Vor allem nicht hier auf der Autobahn. Wo soll der Fahrer denn hier halten?« Ein einleuchtendes Argument. Und: Wer nicht bereit ist, auch nur Minuten seines Urlaubs zu opfern, muss eben noch 15 Minuten Gestank aushalten. Alles im Leben hat seine Konsequenzen.

An der Hotelrezeption ein Riesengetümmel. Als würden nur die Ersten, die drankommen, auch ein Zimmer bekommen. Jetzt gilt es kostbare Minuten zu sammeln, die man nachher am Pool abliegen kann.

Wir haben ein Doppelzimmer mit Beistellbett. Zur Straße hin. Ich war ja für Meerseite, aber Christoph, das alte Sparbrötchen, findet so was Geldverschwendung. »Ich bin doch nur nachts im Zimmer und da ist mir der Ausblick schnuppe. Ist doch eh dunkel nachts.« Männer sind schlichte Gemüter. Und denken so logisch. Nachts – ah – dunkel. Welche Kombinationsgabe. Mir hätte die Vorstellung schon gefallen: Christoph und ich, bei einem Glas Schampus mit Blick auf Meer und Sterne, und Claudia friedlich schnarchend in ihrem Beistellbett. Außerdem mag ich Meeresrauschen als Geräuschkulisse auch lieber als Autolärm. »Du hörst doch nachts eh nichts«, meint Christoph, und das ist ehrlich gesagt nicht ganz falsch. Jedenfalls tue ich oft genug so als ob. Weil der Liebste sonst niemals seinen Hintern hochkriegen würde, wenn Claudia schreit. Bis wir unseren Kram auf dem Zimmer haben, sind wir beide nass geschwitzt. »Ich habe dir doch gesagt, mit deinen Tonnen Schuhen, das ist bekloppt«, meckert Christoph vor sich hin. Dabei war, wenn überhaupt, nur er bekloppt. Schließlich hätte man auch einen kleinen Wagen für das Gepäck haben können. Hätte haben können. Wenn man schnell genug gewesen wäre. Und zu den Zimmern mit Meerblick wäre es auch näher gewesen. Hätte, wenn, wäre. Ewig diese Lamentiererei. Ich will nicht im Konjunktiv leben.

»Jetzt haben wir es doch geschafft, lass uns runter ans Meer. Claudia und ich wollen Meer sehen«, schlage ich zur

Aufmunterung vor. Aber, man könnte glauben, Christoph wäre das Kind meiner Mutter, er will erst Koffer auspacken: »Das nervt mich, wenn ich vom Strand komme und Kofferkram machen muss.« Mich nervt es auch jetzt, Koffer auspacken nervt einfach immer. Mit dem Elend meiner Schuhe, »was glaubst du, wie verquetscht die aussehen«, schafft er es, mich zu überzeugen, und ordentlich, wie Deutsche nun mal sind, räumen wir unsere Koffer aus. Kleiderbügel im Hotel sind die Pest. Fest montiert im Schrank, weil der gemeine Tourist ja weiß Gott nichts Besseres zu tun hat, als die Bügel sofort zu klauen. Unser Kleiderschrank hat sechs Bügel. Für zwei Erwachsene und einen Säugling. Nicht, dass wir Claudia aufhängen wollten, aber sechs Bügel für zwei Erwachsene? Sind wir versehentlich in einer Jugendherberge gelandet? Christoph, ausgerechnet der, findet mich pingelig. Eine Nörgeltante. Nur weil ich kurz bei der Rezeption anrufe und mehr Bügel ordere. »Kämpfe für dein Recht«, haben mir meine Eltern früh eingetrichtert, und auch wenn sie wahrscheinlich nicht unbedingt die Kleiderbügelfrage im Hotel gemeint haben, kann ich nicht anders. Erziehung prägt nun mal. Peinlich findet mich Christoph und bietet an, seine Sachen übereinander zu hängen. Ganz großherzig. Wenn man weiß, es kommen in kurzer Zeit sowieso mehr Bügel, kann man leicht großherzig sein. Das ist ähnlich wie die nächtlichen Rufe: »Ich wäre doch aufgestanden«, wenn ich längst die Dreckwindel am Wickel habe. Ein Zimmermädchen bringt uns eine halbe Stunde später tatsächlich noch drei Bügel. Mit einer Miene, als wollte sie sagen: »Eitle Ziege, was nimmst du auch so Mengen Klamotten mit. Nur wegen dir muss ich mit meinem Wasser in den Beinen Kleiderbügel schleppen. Meine Krampfadern verdanke ich Menschen wie dir.« Christoph schämt sich und gibt ihr fünf Euro Trinkgeld. Ihr »Hasta luego« ist gleich eine Nummer freundlicher.

Eine Stunde später sind wir strandfertig. Eingecremt von Kopf bis Fuß mit Sonnenschutzfaktor 26. Claudia sogar mit 35. Kinder dürfen fast alles, nur ja keinen Sonnenbrand kriegen. Als ich klein war, sind wir alle ganz schön oft verbrutzelt. Waren krebsrot und bekamen abends von Mama eine Quarkpackung auf die besonders pinken Stellen. Wer seine Kinder heute so vergrillen lässt, ist ein Idiot. Sonnenbrände in der Kindheit legen den Grundstein für Hautkrebs im Alter. Also ist Vorsicht angesagt. Als eifrige Frauenzeitschriftenleserin weiß ich, dass auch Frauenhaut am besten im Schatten mit hohem Lichtschutzfaktor bräunt. Sonst runzelt man im Zeitraffer. Trotzdem nehme ich für mein Gesicht nur Lichtschutzfaktor 15. Schließlich will ich wenigstens ein bisschen braun werden. Und entscheidend sollen angeblich die Sonnenbrände sein, die man hatte, bis man zehn ist. Da ist für mich eh alles gelaufen. Außerdem ist es mir ein Rätsel, wie man mit Lichtschutzfaktor 35 im Schatten noch braun wird. Bei meinem Hauttyp keine Chance. Ich bin kein Albino, aber als mediterraner Hauttyp gehe ich auch bei großzügiger Betrachtung nicht durch.

»Na, mein kleiner Mozzarella«, neckt mich Christoph, als ich badefertig vor ihm stehe. »Wieso Mozzarella?«, stelle ich mich blöd. Soll er seine Beleidigung ruhig gründlich erklären. Er kichert: »Roter Bikini, weiße Haut, Öl drauf, fehlt nur noch ein Blättchen Basilikum zur Garnierung.« Bevor ich beleidigt sein kann, drückt er mir einen dicken Schmatzer auf und knabbert an meiner frisch geölten Schulter. »Hmmh, wie appetitlich, der kleine Mozarella«, er knabbert sich am Rücken abwärts. Ich lache mit. Vor allem, weil Christoph in seiner Bademontur auch nicht viel besser aussieht. Zugegeben: Speckrollentechnisch liegt er um einiges vor mir, aber was sein Bauchmuskelrelief angeht, hätte er kaum Chancen auf ein Coverfoto bei *Men's Health*. Trotzdem – er kann sich durchaus sehen lassen. Groß und schlank und dazu die schicken neuen Badeshorts von Ralf Lauren. Schlussverkaufsschnäppchen. Normalerweise kaufe ich nix von Polo Ralf Lauren. 90 Euro für ein kariertes Hemd finde ich doch etwas stattlich. Um nicht zu sagen, eigentlich unverschämt. Aber der Badeshorts-Kauf hat sich gelohnt. Christoph sieht wirklich schnieke aus. Wir knutschen ausgiebig und beschließen, den Rest dieses sehr, sehr viel versprechenden Anfangs auf die Nacht zu verlegen. Vor allem weil Claudia dann hoffentlich schläft. Ich will nicht, dass mir mein Kind zuschaut. Beim Sex. Auch wenn es noch winzig klein ist. Aber auf »Dada Mama aua«-Kommentare will ich in den leidenschaftlichen Momenten meines Lebens gerne verzichten. Ich könnte mir auch vorstellen, dass Kinder durch solche Erlebnisse irgendwie traumatisiert werden. Die eigene Mutter stöhnen zu hören, und das nicht am Herd über einem Topf angebranntem Grießbrei, sondern im Bett, ich glaube das ist der Psyche eines eineinhalbjährigen Säuglings keinesfalls zuträglich. Außerdem: Der Strand ruft. Wir kommen.

Und nachts wird man sowieso nicht braun. Alles zu seiner Zeit. Der Sex läuft uns ja nicht weg.

Der Strand ist herrlich. Breit und lang und noch nicht mal voll. Claudia sitzt stolz im Sand und wirft mit den neu erstandenen Förmchen um sich. Manchmal sind Kinder wirklich billig zu halten. Die Betonung liegt auf »manchmal«.

Christoph zieht seine Liege aus dem Schatten in die pralle Sonne. Noch im Flieger hat er mir Vorträge zum gesunden Umgang mit der Sonnenkraft gehalten, und jetzt röstet er, als gelte es, Karriere beim Wienerwald zu machen. Ich erlaube mir eine winzige Bemerkung: »Ich glaube, du bist schon durch«, aber er antwortet nur: »Meine Haut kenne ich am besten.« Jeder wie er meint. Schließlich ist Christoph erwachsen – oder tut jedenfalls seit Jahren so als ob.

Die Bekanntschaft mit seiner Haut scheint keine sehr intensive zu sein, denn abends sieht er aus wie Miss Piggy. Jedenfalls vom Teint her.

Er jammert, und ich trete noch nach: »Selbst schuld, ich habe dir doch gesagt, geh in den Schatten.« Nach dem Duschen schmiert er sich die halbe Flasche Aftersun auf seine malträtierte Haut und sieht aus wie ein glitschiger roter Feuerfisch. Für unser leidenschaftliches Abendprogramm sehe ich rot. Ich kann ihm kaum den Rücken einreiben, ohne dass er stöhnt, als würde ich ihm die Haut direkt abziehen. Man sollte Dinge, die sich anbieten, doch besser niemals aufschieben. Sex ohne Anfassen ist etwas, was erst noch erfunden werden muss.

Wir duschen auch Claudia. Sie hat den Sand wirklich überall. Und hätte ihn auch gerne behalten. Mit dem Duschen hat sie es weniger. Beim Haarewaschen kreischt sie wie ihr Vater beim Eincremen. Da habe ich ja zwei schöne Jammerlappen mit in den Ferien.

Trotzdem schaffen wir es, und pünktlich um sieben Uhr stehen wir in der Büfettschlange. Wir haben Halbpension gebucht. Morgens und abends essen langt mir im Urlaub. Oder besser gesagt, es muss langen. Faul am Strand liegen und dreimal täglich Wagenladungen in sich reinschaufeln, bekommt den schönsten Körpern nicht. Noch schlimmer ist All Inclusive. Rund um die Uhr essen, was das Herz begehrt. Eine wunderbare Vorstellung, aber nicht für meine Oberschenkel. Leider ist das, was mein Verstand sagt, nicht das, was mein Magen sagt. Ich muss mich zusammenreißen, um nicht an allen vorbei das Büfett zu stürmen. Nach dem Motto: ›Bitte machen Sie Platz, eine vollkommen ausgehungerte Jungmutter hat es nötiger als Sie.‹ Das war bei mir schon immer so. Ein bisschen Schwimmen macht mir einen Hunger, als hätte ich den Iron Man mitgemacht. Wir bekommen einen Tisch zugewiesen, und Claudia thront im Hochstuhl und patscht in ihren Nudeln rum. Christoph und ich essen, als könnte man den Pauschalpreis an einem Abend wettmachen. Es schmeckt herrlich. Vor allem, weil es andere gekocht haben. Und andere auch alles wieder abräumen. Christoph hat eine Gesichtsfarbe, dass das Hotel die Deckenbeleuchtung locker ausdrehen könnte. Mein lebendes Glühwürmchen hat genug Leuchtkraft, um den Saal komplett zu erhellen. Dafür, dass es ihm so schlecht geht, isst er ordentlich. Wer so essen kann, wird überleben, tröste ich mich. Es ist aber auch irre gut.

Trotzdem: Büfett ist eine heikle Angelegenheit. Alles ruft: »Komm und iss mich. Bitte, bitte nimm mich mit auf deinen Teller.« Und der Gedanke, etwas, was so appetitlich aussieht, liegen zu lassen und dann vielleicht am nächsten Abend nicht mehr zu finden, ist abscheulich. Christoph und ich enttäuschen das Büfett nicht. Wir probieren alles, was irgendwie unterzubringen ist. Bei den Mengen an Fisch, die ich vertilge, hätte jeder Aquarianer viel Freude an einer großen Bauch-OP bei mir. Allerdings nur, wenn er an Crème Caramel, diversen Eissorten und Obstsalat vorbeikäme. Was die Kellner über uns denken, will ich zwar nicht wissen, kann ich mir aber denken: »Gibt's bei denen daheim nichts, kommen die aus einem Entwicklungsland? Ist das die erste warme Mahlzeit seit Jahren?« Schließlich sind sie Zeugen unserer Vertilgungswut. Still und freundlich räumen sie Teller um Teller ab und bringen ständig neues Besteck. Christoph kann mein latent vorhandenes Schamgefühl nicht verstehen. »Glaubst du, wir sind die Ersten, die sich so aufführen?«, fragt er mich entgeistert. Wahrscheinlich nicht, aber ob es das besser macht, dass wir wie die Durchschnittstouristen reinhauen, als gäbe es am nächsten Tag nichts mehr, glaube ich nicht.

Würde man uns nach diesem Abendessen entführen, was ehrlich gesagt natürlich nicht besonders wahrscheinlich ist, wenn aber, dann hätten wir immerhin kalorienmäßig vorgesorgt. Wir fallen völlig erschöpft in einen komatösen Erstnachtschlaf. Ich bin froh, dass das Zimmer Klimaanlage hat, mein privater Ofen neben mir glüht und strahlt Hitze aus wie eine gediegene Zentralheizung. An Sex verschwendet keiner von uns auch nur einen Gedanken mehr. Wir erwähnen ihn nicht mal mehr. Warum auch: Essen ist ja auch was Feines.

Freitag, 7.35 Uhr

Meine Mutter ist nicht etwa pünktlich, sondern eine halbe Stunde zu früh. Mist. Ich wollte eben noch mal kurz die wichtigsten Wohnungsordnungsschwachstellen beseitigen. Meine Mutter hat für Unordnung und Dreck eine Art Röntgenblick. Sie ist quasi ein lebendes Kernspintomographiegerät. Der entgeht nichts. Aber, erstaunlich, sie reißt sich zusammen. Außer: »O Gott, o Gott«, kommt ihr kein Wort zum Zustand unserer Wohnung über die Lippen. Jetzt kann ich es eh nicht mehr ändern. Wenn die den ganzen Vormittag Zeit hat, wird ihr sowieso nichts verborgen bleiben. Ein Vortrag nach Dienstschluss ist mir sicher. »Wenn du dich langweilst, kannst du ja vielleicht die Wäsche wegbügeln«, kommentiere ich ihren entsetzten Blick auf einen mittelhohen Stapel Wäsche rechts von der Couch. »Ich hoffe, das war ein Witz, Andrea«, antwortet sie mir streng. »Pures Wunschdenken, Mama, mehr nicht, mach es dir nett. Claudia schläft noch. Sie wird sich freuen, beim Aufwachen ihre heiß geliebte Oma zu sehen«, umschmeichle ich meine Mutter. Schnell trinken wir noch einen Kaffee zusammen, und dann mache ich mich auf den Weg. Ich hätte noch ein Viertelstündchen Zeit, aber meine Mutter drängt: »Ich bin nicht gekommen, um dir beim Kaffeetrinken Gesellschaft zu leisten, ich dachte du musst arbeiten?« So viel zum Thema Gemütlichkeit. Ich raffe meine Tasche und stürme zur Tür: »Mama, du bist die Beste, vielen, vielen Dank«, verabschiede ich mich. »Ich weiß«, sagt sie nur. Hoheitsvoll. Nicht etwa: »Kind, das mache ich doch gern. Ist doch selbstverständlich.« Man darf halt auch nicht alles erwarten. Hauptsache, sie macht es. Nett ist es alle Mal. Unbedingt Blumen besorgen, notiere ich im Kopf. Ich muss sagen, kranke Kinder können praktisch sein, wenn man jemanden für sie hat. Keine Fahrt zum Kindergarten, kein Brotschmieren und Ähnliches. Was muss das herrlich sein, wenn täglich jemand ins Haus kommt. Jemand, der dann möglichst noch alle hässlichen Spuren des morgendlichen Chaos beseitigt. Es gibt Dinge im Leben, die werden leider immer ein Traum bleiben.

Ich bin ebenso überpünktlich im Sender wie meine Mutter bei mir. Nichtsdestotrotz ist schon ordentlich was los. Freitag vor der Sendung ist immer riesig was los. Klar, denn um 12 Uhr ist Generalprobe. Und oft genug muss danach die halbe Sendung noch mal umstrukturiert werden. Weil in der Theorie die Dinge doch anders laufen als in der Praxis. Umstrukturierte Sendung bedeutet neue Ablaufpläne, und das wiederum bedeutet richtig viel Arbeit für mich. Will huscht wie ein aufgezogenes sonnenbebrilltes Äffchen mit Kleidersack durch die Redaktion. Es geht um sein größtes Problem vor der Sendung: Was ziehe ich bloß an? Am liebsten würde er sich wie ein Rocksternchen während der Sendung vier- bis fünfmal umziehen. Da das unser Programmdirektor entgeistert abgelehnt hat, grämt sich Will jede Woche aufs Neue. »Du wolltest doch dein neues türkises Samtjackett anziehen«, eile ich ihm zur Hilfe. Er ist froh, dass jemand bereit ist, die elementarste Frage überhaupt mit ihm zu besprechen: »Stimmt Andrea, wenn ich auf Österreich stehe, sieht es auch irrsinnig aus. Exorbitant.« Menschen wie Will benutzen Worte wie irrsinnig und exorbitant. »Gut«, «prima« oder »toll« sind ihnen zu profan. »Na, dann ist doch alles gebongt, wenn's irrsinnig aussieht«, beruhige ich den angespannten Will. »Nix ist gut«, stöhnt er, »denn auf Irland ist es eine Katastrophe.« Es sieht nicht einfach »blöd« aus, nein, es ist selbstverständlich gleich »eine Katastrophe«. Der Mann muss schon Schlimmes mitgemacht haben, wenn ein unpassendes Jackett eine Katastrophe ist. Allerdings: Irland ist erbsgrün. Stimmt wahrscheinlich, dass Erbsgrün und türkiser Samt keine besonders gelungene Kombination sind. »Was willst du denn auf Irland, du hast es doch eh mit der Queen, stell dich auf England«, schlage ich ihm vor. Er stutzt. Guckt mich an, als hätte ich die »exorbitanteste« Erfindung der Neuzeit gemacht: »Genial, Andrea, das ist es. Ich gehe auf England.« England ist Lila, und er ist glücklich. Sieht aus, als wolle er mir gleich eine Gehaltserhöhung geben.

Wenn Sendungen geprobt werden, gibt es für die Gäste, die bei der Generalprobe meist noch nicht da sind, eine Art Dummy. Diesmal darf ich den Stargast mimen. Anett Mock sein. »Lichtdouble« heißt der Ersatzgast in der Fachsprache. Jeder Fleck im Studio wird ausgeleuchtet, jede Kameraposition festgelegt. Weil Will sich nur schwer merken kann, wo er stehen muss, werden auf den Boden kleine Zeichen gemacht. Aus Klebeband. Wenn Will dann genau da steht, ist das Licht am günstigsten. Wie er mit seiner dunklen Sonnenbrille die winzigen Klebehinweise sehen will, ist mir schleierhaft. Ich bespreche das gleich mit Sandra. »Der muss heute seine Brille lüften, sonst sieht der doch nix bei der Probe«, lästere ich los. Sandra nickt. »Ich bin gespannt, wie die gelifteten Lider aussehen«, sagt sie. Ich auch. Weil

Will ja unter ziemlichen Schlupflidern leidet. »Sind die Schlupflider dann so ganz komplett weg?«, frage ich Sandra. »Keine Ahnung, ich habe keine, und geliftet bin ich auch nicht, aber wenn es gut läuft, kann er dann sogar schön Lidschatten auftragen«, antwortet sie. Wir kichern uns einen ab. Schlupflider und Lidschatten sind nicht kompatibel. Zu seiner Ehrenrettung muss ich allerdings zugeben, dass Will zwar ein wirklich eitler Sack ist, aber Lidschatten würde wahrscheinlich nicht mal er benutzen. Sandra ist sich nicht so sicher: »Warten wir es ab. Vielleicht kein Blau oder Grün, aber so was Beiges würde ich ihm schon zutrauen.« »Was macht eigentlich dein höchstpersönlicher Praktikant?«, will ich noch schnell wissen. Sie verzieht das Gesicht. Begeistert. Leckt sich über die Lippen. »Oskar, also Oskar ist der«, weiter kommt sie nicht, denn Giselle steht im Zimmer. »Was ist mit deinem Oskarchen?«, neckt sie Sandra. »Wieso mein Oskar?«, antwortet die pikiert und kriegt eine knallrote Birne. »Mein Oskar, dein Oskar, vielleicht ist Oskar ja für uns alle da«, sinniert Giselle mit fiesem Grinsen. »Vielleicht guckst du mit deinen doofen Sprüchen auch nur zu viel Werbung«, lässt sich Sandra auf den zu erwartenden Schlagabtausch ein. »Mag sein«, antwortet Giselle, »obwohl doch ihr Ossis so gerne Werbung guckt. Hast du dich eigentlich schon an die Vielzahl der Produkte gewöhnt?« Jetzt wird sie aber richtig gehässig. Aber Sandra wehrt sich: »Danke Giselle, es geht schon recht gut. Ich bekomme nur noch selten Schaum vorm Mund, und außerdem, momentan habe ich viel Besseres zu tun, als Fernsehen zu glotzen.« Mit viel sagendem Grinsen auf dem Gesicht verlässt sie den Raum. Sie ist nicht mal beleidigt. Hat anscheinend zurzeit ein dickes

Fell. Normalerweise findet sie diese Ossi-Scheiße nach all den Jahren der Wiedervereinigung total bescheuert. Heute ist sie geradezu lässig darüber hinweggegangen. »Läuft da was mit ihr und Oskar?«, fragt mich Giselle. »Keine Ahnung«, antworte ich, und es stimmt ja auch. Ich weiß es tatsächlich nicht. Giselles Auftritt hat mich um die Oskar-Neuigkeiten gebracht. Na, das kriege ich heute schon noch raus. Sie ahnt meine Gedanken. »Sag's mir, wenn du was weißt«, zischt sie, »sonst hol ich ihn mir.« Sie »holt« ihn sich. Als wäre er ein halber Liter Vollmilch im Supermarktregal. Das muss Sandra sofort erfahren.

Erst mal ist aber Probe, und Sandra und ich haben keine Zeit für einen gemütlichen Neuigkeitenaustausch. Will hat wirklich die Sonnenbrille abgelegt. Aber nur, um das Modell zu tauschen. Jetzt trägt er ein Gucci-Teil. Grün getönt. Nicht ganz so dunkel wie sein Chanel-Brillchen, aber doch zu dunkel, um was zu erkennen. Mist. Morgen, mein Lieber, bist du reif, die Sendung kannst du wohl kaum mit Brille moderieren. Und außerdem gibt's ja noch die Maske. Die petzen eh mal gern, denke ich mir und freue mich schon. »Kann ich mitlachen?«, fragt er, als ich still vor mich hin griene. »Nee, nee, ich hab nur an meine Tochter gedacht«, lüge ich gekonnt. Beim Thema Tochter fragt der bestimmt nicht nach. Und so ist es auch. Er grummelt ein: »Aha. So, so.« Und das war's dann auch.

»Alle auf die Plätze«, ruft der Regisseur ins Studio, und Will versteckt sich hinter einem Vorhang. Der geht nach der Eröffnungsmelodie auf, und Will läuft ganz klassisch die Showtreppe runter. In Kunstnebel gehüllt. Der Nebel ist was Ekliges. Man muss furchtbar husten davon. Aber

Will mag Nebel. Und in den Köpfen unserer Programmverantwortlichen gehören Showtreppe und Nebel zu einer Unterhaltungssendung wie Apfelwein zur Grünen Sauce. Dass wir damit nicht mehr ganz im Trend liegen, kratzt hier keinen. Warum auch? In unserem Sender herrscht die Devise: ›Das haben wir immer schon so gemacht – und das machen wir auch weiter so.‹ Vermeintlich Bewährtes wird wahrscheinlich bis zum Abschalten der Frequenzen – und des Intendanten – beibehalten.

»In einer Minute starten wir mit der Probe, bitte jetzt auf die Plätze, meine Lieben«, ruft der Regisseur, wie immer in charmantestem Tonfall. Unser Regisseur ist der bekannte Lutz Haster. Wurde mir gleich zu Beginn im Sender erzählt. »Stell dir vor, Lutz Haster macht für uns Regie.« In einem Tonfall, als müsse man dafür dem Herrgott wirklich dankbar sein. »Macht er es umsonst?«, habe ich erstaunt gefragt. »Hä, wieso denn das?«, kam es zurück. In Branchenkreisen einfach jedem bekannt. Sehr interessant, ich habe, bevor ich bei RMRT angefangen habe, im Leben nichts von Lutz Haster gehört. Was mein Leben nicht sehr beeinträchtigt hat. Lutz Haster ist ein älterer Mann um die fünfundfünfzig, der sehr gut aussieht und das auch sehr genau weiß. Schade, so ist es bei vielen Männern. Wenn sie mal gut aussehen, sind sie oft so von sich eingenommen und dermaßen eitel, dass sie fürs tägliche Leben leider nicht geeignet sind. Bitte gerne angucken, ausprobieren, aber nicht mit nach Hause nehmen. Das habe ich früh kapiert. Dieser Typ Mann macht, jedenfalls auf lange Sicht, und langzeitorientiert sind wir Frauen ja nun mal häufig, mehr Ärger, als man braucht. Lutz Haster ist einer von der

Sorte. Schäkert rum wie ein brünftiger Rüde, wenn es dann aber ernster wird, er die Beute flachgelegt hat, ist er von der Bildfläche verschwunden. Aber erstaunlicherweise ist keine der Verflossenen ihm deshalb ernstlich böse. Er macht es auf die ganz raffinierte Tour. Lisa, seine Regieassistentin, hat es mir erzählt. »Du, der Lutz hat enorme Bindungsängste. Der kann mit keiner Frau eine richtige Beziehung eingehen. Das hat mit seiner Kindheit zu tun. Die Mutter war so 'ne unzuverlässige Person. Die hat den mal abends allein gelassen. So was prägt Menschen. Und beim Lutz, der ist ja so sensibel, da ist das total ausgeprägt. Schade. Jammerschade. Er ist ein wunderbarer Mann.« Ein wunderbarer Mann. Sagt ausgerechnet die Frau, die er monatelang verarscht hat. »Weißt du, ich war wahrscheinlich auch zu fordernd. Habe ihm zu viel Druck gemacht. Da kann der nicht mit, der Lutz«, ergänzt sie noch voller Verständnis. Fehlt noch, dass sie sagt, er durfte dreimal kein Sandmännchen schauen. Das ist eine wahre Frauenspezialität. Entschuldigungen für mieses Männerverhalten suchen. Je länger solche Frauen überlegen, desto mehr kommen sie zur Erkenntnis, dass eigentlich sie selbst schuld sind. Nicht etwa der Kerl. Der kann ja nicht anders, weil die Frauen sich ja so unpassend verhalten haben. Männer wie Lutz kriegen so was schnell spitz und freuen sich. Schließlich können sie sich weiter fies benehmen und bekommen noch nicht mal Ärger dafür. So ist das mit Männern. Wenn eine Beziehung scheitert, fragen wir Frauen uns, was wohl schief gelaufen sein könnte, was wir falsch gemacht haben und woran wir dringend mal arbeiten müssen. Männer sind um Klassen pragmatischer. Sie lesen äußerst selten Ratgeberbücher à la »Mars und Venus« oder

»Jeder Fisch ist schön, wenn er an der Angel hängt«, sondern trösten sich mit Weisheiten wie: ›Wir passen halt nicht zusammen.‹ Diese Art des Umgangs ist zwar schlicht, schont aber ausgezeichnet das eigene Ego. Selbstzweifel mit anschließender Selbstzerfleischung im Detail, dazu neigen Männer einfach nicht. Manchmal kann man von ihnen durchaus was lernen.

Lutz Haster hat die Mannschaft im Griff. Will und ich stehen hinter dem Vorhang und warten auf das Startzeichen. Und schon läuft sie, unsere Eröffnungsmelodie. Es gibt böse Zungen, die behaupten, die Melodie wäre das Witzigste und Beste der Sendung, aber davon abgesehen ist es wirklich eine schöne Melodie. Beim Schlagzeugtusch am Ende tritt Will auf die Bühne. Gemächlich schlendert er die Showtreppe hinunter. Er genießt diese Minuten. Das Publikum klatscht. Auch das karge Publikum, das jetzt zur Probe versammelt ist. Dirigiert werden sie vom Aufnahmeleiter. Zuschauer in Fernsehstudios werden genau angeleitet. Da passiert nichts zufällig. Der Aufnahmeleiter ist die Person im Fernsehstudio, die dafür sorgt, dass alles läuft. Er gibt Zeitzeichen: »Noch drei Minuten, noch zwei, noch eine, Schluss.« So kann der Moderator jederzeit sehen, wie viel Zeit ihm für ein Gespräch oder eine Moderation noch bleibt. Der Aufnahmeleiter hat die Verbindung in die Regie und klatscht nach Großtaten der Protagonisten an. Anklatschen heißt, er beginnt, und die Zuschauer fallen in den Applaus ein. Damit das auch klappt, wird vor der Sendung mit dem Publikum geübt. Die werden richtiggehend angeheizt. Trainiert. Dafür gibt es eine Extraperson, die so zehn Minuten vor Showbeginn die Zuschauer unterhält und dabei auch das Klatschen übt. »Warm-up« nennt man diese Phase vor Beginn der Sendung. Es gibt Moderatoren, die das Warm-up selbst erledigen. Will gehört nicht dazu. »Ich muss vor der Sendung in mich gehen, wenn ich den Warm-Upper mache, verpulvere ich meine gesamte Energie«, argumentiert er. »Welche Energie?«, habe ich mich gefragt, aber tunlichst meine Klappe gehalten. Aus energietechnischen Gründen macht jetzt Hugo unser Warm-up. Hugo ist Student der Germanistik im 13. Semester und verdient sich nebenher Kohle als Warm-Upper. Hugo ist ein gut gelaunter Realist: »Warm-Upper zu sein ist für einen Studi nicht das Schlechteste. Bevor ich Big Macs verkaufe, kann ich doch auch Will verkaufen. Und seine Show.« Wo er Recht hat, hat er Recht. Hugo macht seinen Job gut. Er treibt das Publikum fast zur Ekstase. Selbst die Kameraleute müssen ab und an lachen. Und dass die mal lachen, ist selten. Kein Wunder, denn schließlich kennen sie die kleinen Witzchen und Gags seit Jahren. Aber Hugo versteht sein Geschäft. Für jede Sendung denkt er sich neue kleine Scherze aus. Er gibt sich Mühe. Und das wissen die meisten zu schätzen. Auch das Publikum hat Hugo gern. Er wird beklatscht wie ein richtiger Showstar. Obwohl er eigentlich nicht mehr macht, als das Klatschen an richtiger Stelle zu üben, den Leuten sagt, wo die Notausgänge und Toiletten sind, und sie bittet, die Handys auszuschalten. Aber es gibt einfach Menschen, die selbst die profansten Dinge irgendwie gut verkaufen können. Der Einzige, der Hugo nicht besonders mag, ist Will. »Alberner Typ. Was der da einen Affenzirkus aufführt, das ist doch nachgerade peinlich. Brrr. Aber was soll's. Jeder wie er kann.« Im Grunde seines Herzens hat Will Angst vor Hugo. Angst abzustinken. Schlechter zu sein. Eine verständliche Angst. Will kann einigermaßene Gespräche führen, die Abteilung Humor ist ihm allerdings komplett fremd. Will ist nicht witzig, quasi humorresistent, und das ist für einen Moderator in der Unterhaltungsbranche natürlich nicht sehr praktisch. Ab und an verlangt Will einen neuen Warm-Upper, aber die Redaktion bleibt wenigstens in diesem Punkt standhaft. Hugo ist nicht nur gut, er ist noch dazu billig. Bei einem Etat wie dem von RMRT ist das ein nicht zu unterschätzender Faktor.

Bei der Probe ist Hugo nicht dabei. Wozu auch? Ist ja auch kein Publikum da, das aufgewärmt werden muss. Oder jedenfalls kein wirkliches. Bei einer Probe sitzen Leute aus dem Sender im Publikum. Von der Maske, der Garderobe oder der Requisite. Ab und an noch zwei, drei Studenten, die als Double einspringen. Für eine solch karge Kulisse braucht man nun wirklich keinen Warm-Upper. Außerdem sind Fernsehfuzzis das undankbarste Publikum überhaupt.

Die Probe läuft gut. Ich fühle mich wohl als Anett Mock. Kann alle Fragen souverän beantworten. Kein Wunder, schließlich habe ich sie schon viermal abgetippt. Minimum. Mal sehen, wie die echte Mock abschneidet. Nicht, dass es nobelpreisverdächtige Fragen wären, aber ganz leicht sind sie auch nicht.

Immer, wenn die Fragen richtig beantwortet werden, wird das Land gewechselt. Will und ich machen eine Europatour im Eiltempo. Auf Schweden singen wir einmütig »The winner takes it all« von Abba, in weißen Lackstiefeln, die ihm besser stehen als mir mit meinen Mopswaden, der

Reißverschluss zwickt wie verrückt; auf England muss Frau Mock, also ich, Mitglieder des Königshauses raten, und ich vertue mich nur bei der Herzogin von Kent; und im dottergelben Spanien serviert uns eine hübsche Blondine Tapas, die wir mit verbundenen Augen verkosten. Auf dieser imaginären Reise durch Europa plaudert Will mit mir über andere Länder, andere Sitten und das Leben an und für sich. Die Hopserei von Land zu Land macht Spaß. In manchen Ländern muss ich mich umziehen – mal im Dirndl, mal in Bergsteigerkluft auftreten. Das schafft gewisse Probleme, denn Anett Mock hat eine etwas andere Kleidergröße als ich, und so tue ich oft nur so, als ob ich mich umziehe. Nichtsdestotrotz haben Will und ich eine Menge Spaß. Auch das Bühnenbild sieht gut aus. Selbst zeitlich liegen wir im Rahmen, was besonders mich freut, denn es bedeutet, dass ich keine neuen Abläufe tippen muss. Ein herrlicher Morgen und eine nette Abwechslung zur normalen Büroroutine. Wir machen pünktlich Schluss, denn auch Lutz Haster, unser Regisseur, und Tim, der Redaktionsleiter, sind zufrieden. Wenn die Mock nur halbwegs so gut wie ich ist, könnte die Sendung was werden, denke ich stolz.

Leider schaffe ich es vor Arbeitsschluss nicht mehr, Sandra ausgiebig zu ihrem kleinen Praktikanten zu befragen. Ist der menschliche Oskar ihre höchstpersönliche Trophäe? Spätestens morgen weiß ich mehr.

Ich bin um 14.20 Uhr zu Hause. Auf dem Trottoir vor unserem Haus steht mein Nachttisch. Ganz allein und einsam. Auf seinen dreieinhalb wackeligen Beinen. Mein Nachttisch hat ein kleines Fußproblem. Er schaukelt seit

Jahren vor sich hin. Viermal haben Christoph und ich geklebt und gesägt, aber so richtig erfolgreich waren wir nie. Ist der Tisch lebendig geworden? Zur Straße gelaufen, weil er Frischluft brauchte? Weil es ihm im Schlafzimmer zu eng wurde? Weil ich das Lüften vergessen habe? Undankbares Möbelstück. Andere hätten dich längst zum Sperrmüll gebracht. Stichwort Sperrmüll: Mir schwant Schlimmes. Meine Mutter unbeaufsichtigt in meiner Wohnung zu lassen, war vielleicht doch keine so sehr gute Idee. Ich haste die Treppen hoch. Mit den Worten: »Ach, du bist schon da«, begrüßt mich meine Mutter wenig begeistert. »Jetzt bin ich noch gar nicht ganz fertig«, redet sie weiter. Womit fertig? Mit dem Kind? Hat sie einen Schnellerziehungskurs veranstaltet? Oder eine spontane Windpockenschnellheilung? »Claudia ist nicht fertig, womit denn?«, frage ich immer noch relativ ahnungslos nach. »Claudia, nein, nein mit Claudia ist alles im Lot. Die guckt Video. Jim Knopf. Diese Augsburger-Puppenkiste-Geschichte mit der Bahn. Nein, mit der Wohnung bin ich noch nicht fertig«, jammert sie. Langsam dämmert mir das Ausmaß des Grauens. Bevor ich sofort einen Ausraster bekomme, begrüße ich meine Tochter. Bei einem Pustelpickelwettbewerb hätte sie durchaus Chancen auf einen der vorderen Plätze. Ihr Gesicht ist voll mit weiß gecremten Pusteln. Aber sie ist fidel. Liegt eingemummelt in eine dicke Decke vor dem Fernseher und schaufelt sich mit Gummibärchen voll. Das entspricht in etwa der Vorstellung meiner Mutter vom Babysitten. Aber das finde ich durchaus in Ordnung. Kranke Kinder dürfen mehr als gesunde. Das war schon bei uns zu Hause so, und ich halte es ebenso. Mein Wohnzimmer sieht nicht mehr ganz so aus, wie ich es verlassen habe. Die Couch komplett verrückt und die Fensterbank leer geräumt. Meine Mutter sieht meine entsetzten Blicke: »Andrea, guck nicht so, du solltest mir lieber dankbar sein. Ich habe mir ganz schön den Rücken verhoben. Euer Nachttisch war dermaßen schwer.« Sie nimmt meine Wohnung auseinander, und ich soll sie womöglich noch bedauern. Die Wut beginnt in mir hochzukriechen. »Sag mal, hast du tatsächlich den Nachttisch auf die Straße gestellt?«, beginne ich mein Mutterverhör mit einer relativ harmlosen Frage. »Natürlich, Andrea, hast du vielleicht gedacht, er wollte von selbst Frischluft schnuppern?« Sie lacht. Das setzt dem Ganzen die Krone auf. »Ich glaube, du spinnst«, meckere ich los. Ohne weitere Worte spurte ich zur Treppe.

Jetzt gilt es, Schadensbegrenzung zu betreiben. »Halt aus, kleiner Nachttisch, ich komme, ich werde dich aus der Gosse erretten«, rufe ich ins Treppenhaus. Ich sehe gerade noch, wie ein türkischer Mann mit eindrucksvollem Schnauzbart den Nachttisch in einen Kombi hebt und unbeeindruckt von meinem Geschrei davonfährt. Na prima. Hoffentlich hat meine Mutter ihn wenigstens vorher ausgeräumt. Sonst kann sich die neue Besitzerfamilie an meinen verschnüffelten Taschentüchern, einem Satz Kondome und meiner Fußcreme erfreuen. Ich creme mir Abend für Abend die Füße ein. Oh je, die Kondome. Entweder meine Mutter oder die türkische Großfamilie weiß jetzt über unsere aktuelle Verhütungsmethode Bescheid. Mist, die Fußcreme war noch ganz voll. Und billig ist die auch nicht. Mir wird übel. Dabei habe ich heute kaum was von der Kohlsuppe gegessen. Sandra und ich sind nicht mehr ganz so streng mit unserer Diät. Selbst Sandra avanciert nach und nach zur Kohlallergikerin. Ich könnte direkt hier auf den Bürgersteig kotzen, so schlecht ist mir auf einmal. Ich setze mich an den Rinnstein. Selbst schuld an allem, Andrea, geht es mir durch den Kopf, du kennst doch deine Mutter. Trotzdem: Dass sie tatsächlich einfach so Dinge wegschmeißt, hätte ich nicht für möglich gehalten. Ich mochte meinen Nachttisch. Gut, dass der wenigstens nicht sprechen kann, das wäre ja oberpeinlich, wenn der auch noch bei seinen Neubesitzern alles aus unserem Liebesleben ausplaudern würde. Da gäbe es schon einiges zu erzählen. Unser Liebesleben hat sich von dem postnatalen Zehenbrand doch noch sehr erholt. Christoph ist ein Mann, der Ordnung in seinem Leben liebt. Auch in amourösen Dingen. Dreimal die Woche steht Sex auf seinem Programmzettel. So wie er zweimal wöchentlich joggt, einmal die Woche Englisch für Juristen an der Sprachschule macht, genauso regelmäßig betätigt er sich im Ehebett. Heike, meine Lesbenfreundin, findet das grauenvoll. »Wo bleibt das Lustprinzip, die Leidenschaft?«, hat sie mich entsetzt gefragt, »auf Kommando ficken, also ich finde das so was von unromantisch. Ich habe es dir gleich gesagt, Juristen sind das Letzte. Sex braucht doch keinen Stundenplan, man treibt's, wenn es einen danach verlangt.« Da ist natürlich was dran. Aber viele, die Ähnliches propagieren, haben überhaupt keinen Sex mehr. Weil es sie halt nie übermannt. Das Verlangen sich verdünnisiert. Ich kenne Leute, Paare, die seit anderthalb Jahren keinerlei Sex mehr haben. Nicht, dass das tragisch wäre. Es gibt Menschen, denen ist Sex einfach nicht besonders wichtig. Insgesamt ist das bisschen Körperlichkeit wahrscheinlich auch überbewertet. Wenn man Zeitschriften liest und Fernsehen guckt, könnte man tatsächlich auf den Gedanken kommen, dass wir nichts anderes tun, als von morgens bis abends zu vögeln, oder wenigstens daran zu denken. Wenn man dann Freundinnen fragt, spielt Sex lange nicht so eine große Rolle, wie gemeinhin propagiert. Was ich beruhigend finde. Es nimmt den Druck, Außenseiter zu sein, nur weil man nicht 4,9-mal die Woche rammelt. So wie irgendwelche Statistiken es vom Durchschnittsdeutschen behaupten. Ich glaube sowieso nicht daran, dass viele Paare dermaßen häufig Sex haben. Vielleicht würden sie gerne, rein theoretisch. Aber in Wirklichkeit wird bei dem Thema maßlos übertrieben. Klar, dass die wenigsten bei Umfragen die Wahrheit sagen. Ist ihnen einfach zu peinlich. Wäre mir auch peinlich, von einem jungen Reporter befragt, zugeben zu müssen, dass zwischen mir und meinem Kerl nur Ostern und Pfingsten was läuft. Manchmal auch nur an einem von beiden Feiertagswochenenden. Das wirkt nicht sonderlich attraktiv und lässt einen selbst in schlechtem Licht dastehen. Nach dem Motto: ›Tja, ich bin eben nicht begehrenswert, sondern eine vertrocknete Ziege.‹ Erstaunlicherweise täuscht man sich auch sehr in der Frage, wer wie viel Sex hat. Oft sind die schönsten Paare die enthaltsamsten und die jüngsten keineswegs immer die engagiertesten. Christoph zum Beispiel hat mir erzählt, dass seine Eltern immer noch ein reges Liebesleben haben. »Wenn die auf Reisen sind, da kann der Wohnwagen nachts ganz schön wackeln«, hat der doch glatt gesagt. Die Vorstellung, wie meine Schwiegereltern in spe, Rudi und Inge, ihren Wohnwagen zum Wackeln bringen, ist mir unangenehm. Das Arthrose-Knie von Rudi und die schlechten Hüften von Inge unter einer solchen Belastung. Noch schlimmer allerdings ist der Gedanke, die eigenen Eltern könnten es tun. Das war mir damals bei Sexualkunde in der Schule das Peinlichste. Die Erkenntnis, dass meine Existenz voraussetzt, dass meine Eltern Sex hatten.

Wenn man meine Geschwister dazurechnet, sogar mindestens dreimal. Grausig.

Ich sitze im Rinnstein und denke an Sex. Mein Nachttisch ist für immer weg, und meine Mutter räumt wahrscheinlich gerade noch ein, zwei Sachen raus. Da lief es im Sender gut, und dann das. Am liebsten würde ich einfach so hier sitzen bleiben. Nach dem Motto: ›Was ich nicht sehe, passiert auch nicht.‹ Wenn ich lange genug hier sitze, wird alles wieder so sein wie zuvor. Aber Pustekuchen. Das Leben ist kein Märchen.

Als ich die Treppe hochkomme, steht meine Grünpflanze vor der Tür. Gut, Grünpflanze ist ein etwas euphorischer Ausdruck für das verkümmerte Teil, aber man soll die Hoffnung ja nie aufgeben. Der grüne Daumen ist leider in unserer Familie nicht gerade sehr verbreitet. Ich muss eine Pflanze nur anschauen, dann verkümmert sie schon. Trotzdem kaufe ich immer wieder und wieder neue, denn an sich macht ein bisschen Grünzeug eine Wohnung ja durchaus behaglicher. Der Ficus hier vor meiner Haustür ist wirklich nicht in Bestzustand. »Jetzt ist Schluss«, schreie ich beim Türaufmachen. Meine Tochter, die meint, sie wäre gemeint, heult sofort los. »Das ist gemein, Lukas hat gerade die Emma repariert. Du bist gemein.« Ich schalte den Furienton um einen Gang zurück und sage: »Ich meine Oma, nicht dich.« Die schnaubt lauthals: »Ist das der Dank«, und kontert dann, »ich opfere meinen Vormittag für deine beruflichen Ambitionen, mache mir den Rücken kaputt und muss mich dafür noch von meiner eigenen Tochter anschreien lassen.« Sie schaut beleidigt. Angriff ist die beste Verteidigung. Eine alte, aber durchaus wirksame Strategie. »Wenn du dich ausleben willst, hättest du bügeln können«, blaffe ich sie an. »Lass mich nur nie allein in deinem Haus«, motze ich weiter, »ich kann dann für nichts garantieren. Nicht, dass ich aus Versehen noch Papa entsorge«, versprühe ich verbales Gift. Sie schnappt ihre Handtasche, marschiert an mir vorbei und knallt demonstrativ die Haustür zu. Ein herrlicher Tag. Ich hätte es mir denken können. Im Nachhinein spreche ich meine Freundin Sabine, den Vortagsbabysitter, fast heilig. Gut, sie hat Chaos hinterlassen, aber wenigstens nicht meinen Hausstand dezimiert. Meine Tochter ist nun auch sauer. »Die Oma war lieb, und du schimpfst nur«, klagt sie mich an. Na toll, die Gesamtfamilie ist gegen mich.

Zwanzig Minuten später ist meine Schwester am Telefon. Die Buschtrommeln in unserer Sippe funktionieren wirklich perfekt. »Hör mal, Andrea«, fange ich mir einen feinen Rüffel von meiner großen Schwester Birgit ein, »so kannst du mit Mama auch nicht umspringen. Die hat es doch nur gut gemeint.« Alte Schleimerin. Hat meiner Mutter wahrscheinlich noch gut zugeredet und sie bestärkt. »Danke, Birgit, dass du dich einmischst. Das hat mir gerade noch gefehlt«, antworte ich. »Du weißt, ich heiße Brigitta«, nörgelt sie mich an, »und ich finde schon, dass ich mal meine Meinung sagen darf.« Meine Schwester Birgit nennt sich seit Jahren nur Brigitta. Das findet sie schicker als Birgit. Wenn ich sie ärgern will, sage ich natürlich Birgit. Immerhin heißt sie ja auch so. Und wer einem so auf den Keks geht, muss nicht noch erwarten, dafür belohnt zu werden. »Wenn ich deine Meinung hören will, werde ich mich bei dir melden«, leite ich den Schluss des Gesprächs ein. »Bis demnächst, mach es gut«, sage ich und lege auf. Jetzt fehlen noch mein Bruder und mein Vater, und dann bin ich wahrscheinlich enterbt. Und das alles in einer halben Stunde. »Spitzenleistung, Schnidt«, ärger ich mich und lege mich zu meiner windpockigen Tochter auf die Couch. Da bleibe ich, bis wir viermal Jim Knopf geguckt haben und mein Vater anruft. »Andrea«, mein Vater kommt immer schnell zur Sache und hält sich nicht mit harmlosem Geplänkel auf, »findest du es witzig zu sagen, ich gehöre entsorgt? Ich weiß durchaus selbst, dass ich anfange alt zu werden. Kannst du deine Mutter nicht anderweitig kränken? Ich denke, da ist eine ordentliche Entschuldigung fällig, mein Fräulein.« Das ›mein Fräulein‹ zeigt: Der ist angefressen. So nennt es Sandra gerne, wenn jemand richtig sauer ist. Will würde sagen: Er ›echauffiert‹ sich. Wenn mein Vater freiwillig anruft, habe ich normalerweise Geburtstag. Ansonsten regelt Sozialkontakte meine Mutter. Sie telefoniert, organisiert Familientreffen, und mein Vater ruft üblicherweise irgendwo aus dem Hintergrund »sag ihr einen schönen Gruß«. Es muss ihn also wirklich ziemlich geärgert haben. Dabei habe ich keineswegs gesagt, er gehöre entsorgt. Das versuche ich ihm auch zu verklickern. »Spar dir Ausreden, Andrea, eine Entschuldigung reicht mir völlig.« Ich gebe auf. »Wenn du meinst, Papa, dann entschuldige ich mich auch. Ist hiermit geschehen.« Aber heute ist Papa anspruchsvoll. »Ich denke, du kommst hier vorbei und erledigst das bei deiner Mutter gleich mit«, ist sein Vorschlag. Der an sich mehr ein Befehl ist. »Falls du es noch nicht wissen solltest, ich habe eine kranke Tochter und kein Schwerverbrechen begangen«, wehre ich mich nochmal. Wie ein Tier in den letzten Zuckungen, das weiß, gleich wird es gefressen. »Ganz wie du meinst, Andrea«, so beendet Papa das Gespräch.

Ich rufe meine Freundin Sabine an. Schildere ihr detailgetreu die gesamte Geschichte. Wenn eine was dazu sagen kann, dann sie. Schließlich kennt sie meine Familienstrukturen am besten. »Bleib hart«, schlägt sie mir vor. »Du bist kein Kleinkind mehr, irgendwann musst auch du erwachsen werden, und das kann auch bedeuten, dass man mal streng mit seinen Eltern sein muss. Schade übrigens um euren Nachttisch. Der hatte so hübsche Patina. Aber du hast auf jeden Fall Recht.« Dafür hat man Freunde. Damit sie einem uneingeschränkt den Rücken stärken. Jedenfalls manchmal. Rundum-Geschleime und -Genicke braucht niemand. Außer Will vielleicht. Aber Zustimmung in Krisenzeiten ist etwas Feines.

Christoph ist, als er nach Hause kommt, lange nicht so empört, wie ich erwartet habe. »Das Gewackel von dem Ding ging mir eh auf den Wecker. Was soll's. So müssen wir wenigstens keine Sperrmüllgebühren zahlen, und abgeschleppt habe ich mich auch nicht.« Ich sage es ja immer: Er ist eine durch und durch pragmatische Person. »Aber dieser Nachttisch hat unsere Beziehung von Anfang an begleitet, unsere Nächte und überhaupt«, verteidige ich das unschuldige Möbelstück. »Andrea, es geht um einen Nachttisch, nicht um ein indisches Waisenkind«, versucht er mich zu trösten. Leider hat er die falsche Schiene gewählt. Ich lasse mich nicht mit jedem Scheiß trösten. Außerdem geht es schon lange nicht mehr um den Nachttisch. Es würde mir schon genügen, er würde ohne Wenn und Aber zu mir halten. Das aber scheint zu viel zu sein. Christoph kann seine Juristenseele eben nicht verleugnen. Alle Seiten werden abgeklopft, jede Partei gehört. »Soll ich mit deiner Mutter sprechen?«, schlägt er mir doch tatsächlich vor. »Wieso denn das?«, fauche ich ihn an. Bin ich so gestört, dass besser ein Vormund meine Verhandlungen übernimmt? Ist es schon so weit? Muss ich mich hier wie eine labile Irre behandeln lassen? Noch zehn Minuten in der Art, und ich habe als einzigen Freund in der Familie nur noch meinen Bruder. Und auch das nur, weil ich ihn nicht gesprochen habe. Ich beschließe, ins Bett zu gehen. Bevor das hier noch in einem waschechten Streit endet, verdrücke ich mich lieber. Nicht ganz die Taktik, die psychologische Beziehungsratgeber vorgeben, aber in meinem Fall ist das jetzt die einzig mögliche Lösung. Jedenfalls für mich und meine Nerven. Rein ins Bett, Decke drüber und auf Wiedersehen.

Morgen kann Christoph sitten. Samstags, am Sendungstag, ist unser wöchentlicher Vatertag. Wir beginnen mit der Arbeit zwar erst um 14 Uhr, aber ich habe Christoph in zähen Diskussionen verdeutlicht, dass ich an solchen Tagen unbedingt ausgeschlafen sein muss und ein richtiger Vater-Tochter-Tag auch nicht erst nachmittags beginnt. Das überzeugt ihn. Mit seinem samstäglichen Vater-Tochter-Tag gibt er nämlich ganz schön an. Es wäre ihm dann schon peinlich, wenn ich petzen würde, dass seine viel gepriesenen Vater-Tochter-Tage das eine oder andere Mal wegen akuter

Faulheit erst gegen Nachmittag begonnen haben. Und wenn er in großer Runde von seinen Heldentaten erzählt, leuchten vor allem die Frauenaugen: »Nee, was hast du für ein Glück, dass der das macht. Da kannst du aber stolz sein. Toll so was. Spitzenleistung.« Keiner der Anwesenden beglückwünscht mich dazu, dass ich montags bis freitags jeden Nachmittag Mutter-Tochter-Tag habe. Woche für Woche. Es scheint mir doch noch ein langer Weg bis zur viel zitierten Gleichberechtigung.

Claudia schläft trotz Pocken gut. Immerhin ein familiärer Glücksfall heute Abend. Meine Eltern und Birgit melden sich nicht mehr. »Was die können, kann ich auch«, beschließe ich und schlafe ein.

Ich träume von unserem Urlaub an der Costa de la Luz. Reiner Verdrängungsmechanismus. Typisch für mich, mache ich mir noch vor dem Einschlafen Vorwürfe wegen meiner Mutter. Ich bin nicht schuld, fühle mich aber schuldig. Ich habe eine gewisse Harmonie eben gerne. Streit ist dauerhaft nichts für mich. Ich sehe mich in Gedanken schon nächste Weihnachten ganz allein und als Einzige ohne Geschenke von der Familie. Geächtet. Nur mein Bruder würde todesmutig heimlich ein winziges Präsent vor meine Haustür legen. Ein echtes Horrorszenario für mich. Ich bin ein Familientierchen. Es gibt ja Leute, die seit Jahren keinen Kontakt mit ihrer Familie haben, die voller Pathos sagen, Freunde sucht man sich aus, in eine Familie wird man unfreiwillig geboren. Mag sein, aber meine ist an sich ganz nett. Außerdem: Blut ist dicker als Wasser. Ich bin kurz davor, doch noch aufzustehen und meine Eltern anzurufen. »Was, wenn sie heute Nacht sterben und ich als

Letztes mit ihnen gestritten habe?«, frage ich verzweifelt Christoph. Ob dieses wichtigen Gedankens wälze ich mich sogar noch mal aus dem Bett. Er grinst: »Na, schlechtes Gewissen? Brauchst du doch nicht zu haben. Ist doch alles Kinderkram. Schatzi, so wie deine Eltern drauf sind, werden die den kommenden Morgen auf jeden Fall erleben. Gräm dich nicht. Morgen ruft deine Mutter bestimmt an, und alles wird wieder gut.« Ich bin kurz davor, den Hörer aufzunehmen und noch mal eben durchzuklingeln. Christoph hält mich davon ab: »Du kennst doch die Schlafgewohnheiten deiner Eltern. Wenn du die mitten in der Nacht weckst, sind sie erst recht sauer.« Das stimmt, denn für meine Eltern ist 23 Uhr eindeutig mitten in der Nacht. Meine Mutter geht sogar meistens gegen 22 Uhr ins Bett, und ich entscheide mich, den Anruf zu vertagen. Man muss ja nicht noch eine andere Krisenbaustelle aufmachen. Obwohl ich ja nun wirklich kein schlechtes Gewissen haben muss, schlafe ich unruhig.

Und träume vom Urlaub. Wahrscheinlich, weil ich einen Reinfall mit einem schon gewesenen verscheuchen will. Verdrängung nennen Psychologen das. Oder ist es eher eine Übersprungshandlung? Obwohl, ein Reinfall war der erste Urlaub zu dritt nicht. Aber eben lange nicht das, was wir uns bis dato unter Urlaub vorgestellt hatten. Urlaub mit Kind ist etwas komplett anderes als Urlaub ohne Kind:

Christophs Sonnenbrand hat uns die ersten drei Urlaubstage versaut. Lethargisch vor sich hin leidend liegt der Gnädigste auf seinem Zimmer. Nicht mal zum Essen kann er sich aufrappeln. »Der Gedanke, etwas anzuziehen, ist reinste Folter«, sagt er, wenn ich ihn ermuntern will, wenigstens zum Abendessen oder Frühstück mitzukommen. Nackt will ich ihn aber auch nicht dabeihaben. Also stelle ich brav kleine Carepakete zusammen und liefere ins Zimmer. Am vierten Tag ist seine Haut wieder so weit in Ordnung, dass er das Zimmer verlassen kann. Im T-Shirt. Die kleinen Brandblasen am Rücken sorgfältig mit Brandsalbe abgedeckt. »Wer seinen Hauttyp so gut kennt«, mehr als diesen Halbsatz muss ich zum Thema Sonne nicht mehr sagen. Wir entscheiden uns, den ersten Tag mit einem halbwegs wiederhergestellten Christoph am Pool zu verbringen. Christoph, das gebrannte Kind, im wahrsten Sinn des Wortes, schiebt mehrere Sonnenschirme zusammen, und wir dösen vor uns hin. Oder besser gesagt, wir versuchen es. Eineinhalbjährigen Kindern geht der Sinn für gemütliches In-der-Sonne-Rumgammeln ab. Als Erstes zieht sie unseren spanischen Liegennachbarn an seinen Haaren. Unangenehm, denn viele hat der eh nicht mehr. Unser Glück, er trägt es mit Fassung. Ich bin beglückt, dass sie nicht versehentlich seinen Brustflokati genommen hat. Aber sie scheint sich nichts aus Brusthaar zu machen. Was mich ganz froh macht, denn wenn schon ein so kleines Mädchen auf derart tierische Merkmale abfährt, lässt das nicht gerade hoffen. Als sie seinen Kopf mit Muscheln dekorieren will, hat der durchaus geduldige Mitdreißiger allerdings genug. Er brummt was auf Spanisch, und die Tonlage reicht. Claudia plärrt los. Abgewiesen werden ist in keinem Alter nett. Warum der sich so anstellt? Frustriert meine geliebte Tochter, dabei hat er nun wirklich nichts Besonderes zu tun. Der tut ja so, als wäre sie mitten in eine Vorstandsitzung geplatzt. Im Umgang mit meinem Kind neige ich dazu, von fremden Menschen nahezu Unmenschliches zu verlangen. Endlose Geduld nämlich. Die mir allerdings oft genug selbst abgeht.

Ich kann ihm also noch nicht mal richtig böse sein. Schließlich würde es mir auch keinen Spaß machen, Spielobjekt für raue fremde Eineinhalbjährige zu sein. Aber wenn Kinder mal auf jemanden fixiert sind, ist es aus. Ich weiß nicht, ob er ihre erste große Liebe ist oder ob der Mann einen speziellen interessanten Geruch an sich hat, sie will ihn einfach nicht in Ruhe lassen. Zur Ablenkung gehen wir schwimmen. Windel aus, Schwimmhöschen an und die Arme fix in zwei fest aufgeblasene Flügel gestopft. Ich habe eine leichte Ertrinkphobie. Am liebsten würde ich Claudia auch noch einen Ring um den Bauch und zwei Schwimmflügelchen um die Waden machen. Das Wasser ist ziemlich frisch. Für Christoph an der Grenze des Erträglichen. Er nörgelt direkt los: »Ich fühle mich wie in der Gefriertruhe. Auf meiner heißen Haut dieses eiskalte Wasser, das ist ja, also ich kann kaum atmen.« Das eiskalte Wasser hat 25 Grad. »Geh halt raus, wenn du auch das nicht aushalten kannst«, sage ich streng. »Nee, nee, es geht schon«, antwortet er. Claudia mag das Wasser. Sie zetert immer ein bisschen beim Reingehen, hat aber dann irre viel Spaß. Ich lasse Vater und Tochter eine Runde allein und schwimme ein paar Bahnen. Schwimmen ist für mich eine der langweiligsten Sportarten überhaupt. Wenn ich mir vorstelle, wie viele Stunden eine Leistungssportlerin wie Sandra Völker oder Franziska van Almsick im Wasser verbringen muss, kommen mir fast die Tränen. Schwimmen bietet so wenig Abwechslung. Und ständig Kacheln zu zählen ist ja auch keine wirkliche Erheiterung. Nein, also Schwimmen wäre definitiv nichts für mich. Davon abgesehen eigne ich mich sowieso kaum zur Leistungssportlerin. Ich bin eines der Kinder gewesen, die auf Bundesjugendspielen froh waren, eine Siegerurkunde zu erringen. Die Ehrenurkunde war von jeher unerreichbar. Mein weitester Sprung war um die 3.50 m, und, ehrlich gesagt, habe ich selbst dabei ein ganz klein wenig übergetreten. Turnen war mir immer lieber als Leichtathletik. Obwohl ich auch hierbei keineswegs zu den Kindern gehört habe, die sich auf dem Schwebebalken bald wohler als daheim gefühlt haben. Mein Favorit in der Sportstunde war Völkerball. Abwerfen und Fangen, das war mein Revier. Zu meiner großen Erleichterung habe ich beim Wählen auch nie zu den Kindern gezählt, die bis zum Ende übrig blieben. Welche Demütigung: »Du nimmst Silvia, dann nehmen wir halt die Kirsten. Einer muss sie ja nehmen.« Ich glaube, so was jemals zu vergessen, ist schwer.

Eine Sportlerkarriere wäre mir selbst bei einer möglichen Begabung nie in den Sinn gekommen. Topsportler zu sein, das habe ich früh erkannt, geht einher mit der Leidenschaft, sich selbst zu quälen. Eine Leidenschaft, die mir einigermaßen fremd ist. Ich habe eine Freundin, die war mal bei Olympischen Spielen Neunte oder so. Beim Ski nordisch. Langlauf. Das hat nicht einen Reporter interessiert. Sie wurde komplett ignoriert. Neunter zu sein ist schlimmer als nicht antreten. Ich habe jahrelang versucht, sie zu trösten: »Mensch, das war doch toll, Neuntbeste auf der Welt.« »Und was habe ich davon«, zog sie trocken ihr Resümee, »phantastisch, echt, ein kaputtes Knie, eine zu spät angefangene Berufsausbildung und ein gestörtes Konkurrenzverhalten. Im nächsten Leben gehe ich spazieren. Wenn überhaupt. Leistungssport ist die Pest.«

Trotzdem, ich habe mir mit einem gedanklichen Blick auf die Verlockungen des abendlichen Büfetts vorgenommen, noch mindestens 15 Minuten zu schwimmen. Auch wenn es mich kalorienmäßig keineswegs raushaut, für das Gefühl ist es allemal gut. Mit gutem Gewissen isst es sich gleich viel besser.

Mit meinem guten Gewissen wird es nichts werden, denn Christoph schreit quer durch den Pool nach mir. Es hört sich dringend an. Kann er auf einmal nicht mehr schwimmen, oder ist was mit Claudia? Das Muttertier in mir schwimmt, so schnell es geht, rüber zur Kleinfamilie. Christoph zeigt Richtung Poolboden. »Liegt da Geld, oder was willst du mir zeigen?«, frage ich entgeistert. »Nee, das ist keineswegs Geld. Guck halt hin«, spielt er weiter ein kleines Ratespielchen mit mir. Aquaquiz 2002. »Christoph, was um Himmels willen ist los?«, frage ich meinen völlig verwirrt wirkenden Christoph. »Also Claudia hat sich so an der Badehose gekratzt und da habe ich sie runtergezogen, um nachzusehen, und es war Kacke. Eindeutig.« »Ja, dann geh raus und mach sie sauber«, animiere ich ihn zum Handeln. »Zu spät«, sagt er nur und zeigt wieder zum Poolboden. Jetzt kann ich es auch sehen. Es ist tatsächlich keine Geldmünze, sondern ein ordentlicher Haufen. »Ach du Scheiße, ich dachte die schwimmt oben«, ist das Einzige, was mir auf Anhieb einfällt. »Wie kannst du ihr aber auch die Badehose wegziehen, die hat sie doch nur an, damit so etwas auf keinen Fall passiert.« »Ja, Frau Oberschlau, aber was machen wir jetzt?«, fragt er mich. »Ganz einfach«, antworte ich, »Claudia und ich gehen raus und du siehst zu, dass du das da irgendwie beseitigst, ohne das es das halbe Hotel mitbekommt.« »Soll ich die Scheiße in die Hand nehmen?«, kommt es entsetzt zurück. Am liebsten würde ich sagen, mir egal, kannst sie auch in den Mund nehmen, verkneife es mir aber. »Ich werfe dir ein Handtuch her, du tauchst und wickelst sie so unauffällig wie möglich ein.« Ein Albtraum. Mich beschleicht das Gefühl, dass wir schon jetzt im Zentrum des Interesses stehen. Aber ich bilde mir so was auch schnell mal ein. So gelassen wie möglich entsteige ich mit meiner Tochter auf dem Arm dem Pool. Als wäre es das Normalste der Welt, werfe ich Christoph ein Handtuch ins Wasser. Ein »Toi, toi, toi« kann ich dann aber doch nicht unterdrücken. Wie gebannt verfolge ich das Schauspiel vom Beckenrand. Christoph macht die Sache nicht schlecht. Tauchen konnte der schon immer. Leider können andere das auch recht gut, denn just in dem Moment, als er das Häufchen zu packen bekommt, taucht eine etwa 12-Jährige, mit Taucherbrille, Schnorchel und Flossen perfekt ausgerüstet, direkt neben ihm. Der Schrei, den sie beim Auftauchen ausstößt, hört man wahrscheinlich bis ins Nachbarhotel. »Muddi«, sächselt sie brüllend, »Muddi, der Mann hat ins Wassär geschisse. Der holt seine Scheiße grad raus.« Ich liebe Teenager. Christoph seit heute auch. Es gibt einen enormen Aufruhr am Pool. Der Bademeister, sonst nur lässig mit Sonnenbrille am Beckenrand sitzend, ist in Windeseile da. »Qué pasa?«, ist alles, was ich verstehe. Christoph, mittlerweile an Land, hat das Corpus Delicti immer noch in der Hand. Der Bademeister nimmt für das Großereignis sogar seine Sonnenbrille ab.

Ich dachte, sie wäre mit seinem Gesicht verschweißt. »Scheiße, der hat Scheiße aus dem Pool geholt, er war es, ich habe es genau gesehen«, plärrt das grässliche Mädchen weiter. Kann der nicht mal jemand den Mund stopfen? Im Gegenteil. Sie bekommt Verstärkung von ihrer Mutter, kaum weniger schrecklich als der Sprössling. »Das ist ja wohl das Allerletzte, ein erwachsener Mann kackt ins Becken. Schämen Sie sich denn gar nicht?«, fragt sie Christoph. Und wie der sich schämt. Er hat einen turboroten Kopf bekommen. Zusätzlich zum Sonnenbrand. Im Mittelpunkt zu stehen ist nicht sein Liebstes. Bei einer öffentlichen Belobigung oder Preisverleihung könnte er es gerade noch ertragen, aber hier im Kreuzfeuer der internationalen Anklage sieht er aus, als würde er gleich umfallen. Und das ist der Mann, der sonst große Plädoyers in Gerichtssälen hält. »Andrea, jetzt komm doch mal her«, schreit er schon um Hilfe. Das fehlt mir noch. Ich habe gehofft, das Gezeter hier in sicherer Entfernung von der Liege aus aussitzen zu können. Pustekuchen. Ich bin letztlich doch eine treue Gefährtin und stelle mich neben meinen Kerl.

Die Wellen der Empörung schlagen von Minute zu Minute höher. »Hygieneskandal« ist noch einer der geringsten Anklagepunkte. Christoph muss am Ende vor dem fast komplett versammelten Hotel erklären, dass es sich keineswegs um seine Hinterlassenschaften handelt, sondern um die seiner Tochter. Das macht die Sache zwar besser, aber nichtsdestotrotz beschließen Bademeister und das mittlerweile vollständig anwesende Management, das Wasser abzulassen und den Pool total zu reinigen. »Langt es nicht, die Stelle nochmal zu schrubben, ich meine im Meer schwimmt doch auch so einiges, und die Poolwasserzusätze haben doch antibakterielle Kräfte«, schlage ich vorsichtig vor. Eine wahre Keimphobikerin in lachsfarbenem Stringtanga, die ich noch nie im Wasser gesehen habe, weil sie festverschweißt auf ihrer Liege die Sonne anbetet, kreischt mich an: »Sind Sie wahnsinnig? Ich fahre doch nicht in ein Vier-Sterne-Hotel, um in Kacke zu schwimmen. In Kloake! Da kann ich ja gleich drei Wochen Kläranlage buchen. Billiger wäre das alle Mal.« Es entwickelt sich eine lebhafte Diskussion. Die meisten schlagen sich auf die Seite der Keimphobikerin. Die Ersten drohen mit Regressansprüchen. »Ich habe ein Hotel mit Pool gebucht, weil ich Salzwasser nicht vertrage, wenn heute der Pool nicht zur Verfügung steht, werde ich Sie dafür haftbar machen«, droht ein kleines Männchen mit geschmacklosen Schwimmshorts. Die Spanier sind gelassener. Vielleicht hört sich alles auch nur besser an, weil man es nicht versteht. Nach und nach verlassen alle das Wasser. Eltern zerren panisch ihre Kinder raus, manche fast so, als wäre der weiße Hai im Anmarsch.

Dann stürzen alle, Handtücher und Sonnencreme raffend, Richtung Meer. Wissend, dass die Menge an Liegen dort niemals ausreichen wird. Ein Gutes hat der Vorfall dennoch: Es gibt Hotelgäste, die noch nicht einmal am Strand waren und durch Claudia jetzt endlich mal neue Erfahrungen machen.

Die Hotelleitung bittet uns zum Gespräch. Die stellvertretende Geschäftsführerin kann Deutsch: »Das nächste Mal verhalten Sie sich einfach unauffälliger. Gehen Sie dezent aus dem Wasser und informieren Sie uns. Selbstverständlich muss normalerweise bei so etwas nicht das komplette Wasser abgelassen werden. Wir tun das nur zur Beruhigung der anderen Gäste. Außerdem wäre morgen sowieso Wasserwechsel dran gewesen.« Das ist ja wohl die Höhe. Hätte sie das nicht auch eben am Pool sagen können. Dass der Wasserwechsel sowieso anstand. Dass sie jetzt durch uns sogar den Vorteil haben, den Pool am helllichten Tag abzulassen und keine Nacht-und-Nebel-Aktion daraus machen müssen. Immerhin, sie verlangen keine Extrazahlungen von uns. »Das passiert häufiger, als Sie denken, und was die Keime angeht, sorgen wir natürlich vor. Bei dem, was in unserem Pool an Zusätzen drin ist, hat kein Keim auch nur den Hauch einer Entwicklungschance«, lacht die Geschäftsführerin schon wieder. Sie heißt Frau Sánchez, spricht aber perfektes Deutsch. »Also Ihr Deutsch ist wirklich phantastisch«, lobe ich sie. »Warum auch nicht«, antwortet sie, »ich bin Deutsche.« »Na ja«, versuche ich eine Erklärung, »Ihr Name, also da dachte ich, Sie wären Spanierin.« »Nein, nein, ich bin mit einem Spanier verheiratet, vor acht Jahren hier unten hängen geblieben. Diese Glutaugen können ja äußerst verführerisch sein. Auf den ersten und zweiten Blick jedenfalls.« Nach einer sehr glücklichen Ehe hört sich das nicht unbedingt an. Ich frage lieber nicht nach. Oft tun sich dann ja erst die wahren Abgründe auf.

So oder so, ich bin beruhigt, dass wir nicht öffentlich gesteinigt werden.

Eins ist jedenfalls klar, in unserem Hotel kennt uns jetzt jeder. Wir sind die Poolkackerfamilie. Herrlich.

Der Urlaub steht unter einem ungünstigen Stern. Am fünften Tag wird Claudia von einem undefinierbaren Insekt am

Auge gestochen, alles schwillt zu, und wir verbringen den Tag in der Notaufnahme einer dubiosen spanischen Klinik. Nach drei Stunden Wartezeit erhalten wir eine Packung Creme gegen Insektenstiche, genau das Modell, das wir auch dabeihatten. Am siebten Tag bekomme ich verheerenden Durchfall und kann nicht mal das Zimmer verlassen. Aus Sicherheitsgründen. Noch ein poolähnliches Erlebnis braucht keiner aus meiner Familie. Immerhin verliere ich drei Pfund. Am neunten Tag machen wir einen Ausflug. Eine geplante Bustour mit Reiseführerin nach Sevilla. Ein hübsches Städtchen, keine Frage. Aber die zweistündige Busfahrt hin und zurück ist der Horror. Leider funktioniert die Klimaanlage nicht, und wir fühlen uns wie in einer Dampfsauna. Außerdem verliert Christoph seinen Brustbeutel mit Führerschein und 250 Euro drin und behauptet hartnäckig, er wäre ihm geklaut worden. Hätte er den Brustbeutel umgehängt, wäre das sicher nicht passiert. Brustbeutel in Pohosentaschen verschwinden eben schneller. Diese kleine Belehrung bessert seine Laune auch nicht gerade auf. Claudia entpuppt sich im Laufe der Wochen als Kind des Nordens und mag die Hitze nicht besonders. Nachts schlafen wir schlecht, denn unser Zimmer liegt nicht nur zur Straße, sondern – zur anderen Seite hin – nah an der Disco. Aber nach der Poolgeschichte halte ich mich mit Reklamationen zurück.

Ich bin fast froh, als wir im Flieger nach Hause sitzen. Was bei meiner Vorliebe fürs Fliegen Bände spricht. Ich sitze wie abgesprochen am Gang und bereue es spätestens in dem Moment, in dem die Stewardess mir mit dem Duty-Free-Wagen über den kleinen Zeh rollt. Schon bei der Landung ist er blau, und die nächsten drei Wochen bleibt er bewegungsunfähig. Noch dazu ist das Parfüm, das ich haben will, ausverkauft.

Als ich die Wohnungstür aufschließe, heule ich vor Freude. 3500,– Euro hat die Reise gekostet, die 250,– Euro im Brustbeutel eingerechnet, und der glücklichste Moment ist der der Heimkehr.

Samstag, 9.00 Uhr

Heute ist Sendungstag, und die Sonne strahlt vom Himmel. »Das ist ein gutes Omen«, beschließe ich und fühle mich gleich besser. Zum Glück, denn die letzte Nacht hatte ich neben wirren Urlaubsträumen auch noch wiederkehrende Schübe von Übelkeit. Wenn das am Montag nicht weg ist, muss ich dringend mal zum Arzt. Nicht, dass was Schlimmeres als die Kohlsuppenaversion dahinter steckt. Heute bin ich wieder dran mit Kochen. Wenn ich schon an den Geruch denke. Scheußlich. Aber Sandra besteht darauf. »Gerade am Sendungstag, Andrea«, hat sie mich ermahnt, »da futtern wir doch sonst wieder alles, was nicht schnell genug vor uns wegläuft.« Sie hat ja Recht. Aber erst mal frühstücke ich ein schönes Nutellabrötchen. Nutella ist gut fürs Gemüt. Andere Nuss-Nougat-Cremes mag ich nicht. Christoph und Claudia waren schon beim Bäcker. Sehr lobenswert. Mit dem Brötchen im Bauch sieht der Tag nicht übel aus.

Ich besorge beim Gemüsehändler um die Ecke alles, was eine ordnungsgemäße Kohlsuppe braucht. Außerdem einen Korb Frischobst. Ich bin für die Verpflegung der Gäste zuständig. Bei anderen großen Sendern macht das eine extra Gästebetreuerin. Solch profane Posten werden bei uns eingespart. Deshalb bin ich für Frau Mocks Wohl verantwortlich. Jeder Stargast bekommt in seine Garderobe kleine Häppchen und diverse Getränke. Die Stars sollen bis zur Sendung auf jeden Fall bei Laune gehalten werden. Auch dafür, dass die Mock und ihre Agentin vom Flughafen abgeholt und nach der Sendung ins Hotel gefahren werden, bin ich zuständig. Christoph findet nicht, dass das in meinen Aufgabenbereich fällt. »Du bist ja deren Mädchen für alles«, nörgelt er gerne. »Mädchen für alles« hört sich entsetzlich an. Tim, der Redaktionsleiter, bezeichnet mich als »Gute Seele des Ganzen«, und ich finde, das klingt viel freundlicher. Weniger Arbeit ist es aber dennoch nicht. Egal, wie man es nennt. Jetzt fehlt nur noch das Sushi, das Kerstin Tritsch, die Mock-Agentin, für die Garderobe geordert hat. Das hole ich erst kurz vor Dienstbeginn. Sushi, das länger rumsteht, sammelt zu viel Keime. Nicht, dass die Mock noch kurz vor der Sendung stirbt oder eine Lebensmittelvergiftung bekommt. Das können wir uns heute wirklich nicht leisten. So eine dürre Ziege hat zu wenig Widerstandskräfte, um gammeliges Sushi zu überstehen.

Christoph und Claudia gehen in den Zoo. Wie schön. »Wir machen einen Ganztagsausflug«, freut sich Christoph und packt sogar einen kleinen Rucksack mit Proviant. Erst als die beiden abgezogen sind, merke ich, dass er fast das komplette Mock-Obst mitgenommen hat. Auch die teuren Himbeeren. Jetzt kann ich noch mal losziehen. Und vor allem noch mal bezahlen.

Na ja, ist ja eigentlich gut, wenn das Kind ordentlich Obst isst. Hauptsache, die beiden sind weg. Jetzt gehe ich erst mal gemütlich in die Badewanne. Am Sendungstag habe ich gewisse Rituale. Vor allem genieße ich meine freie Zeit. Zeit nur für mich. Seit ich Mutter bin, weiß ich das besonders zu schätzen. Für Nichtmütter ist das was ganz

Normales. Die haben immer Zeit für sich und können gar nicht verstehen, wie wertvoll diese Zeit ist. Wie man es genießen kann, nur einen Nachmittag niemandem den Po abzuputzen, nicht siebzehnmal was zu trinken einzuschenken, Äpfelchen zu schneiden oder die immer gleiche Geschichte vorzulesen. Sich ohne Unterbrechung die Fingernägel zu lackieren oder auch nur einfach auf der Couch abzuhängen ist etwas Herrliches. Zu wissen, es kann niemand kommen und irgendetwas wollen. Dementsprechend schön ist mein Vormittag. Ich liege im Schaumbad, enthaare mir die Beine und creme meinen Luxuskörper dann mit meiner besten Creme ein. Wundervoll. Um 13 Uhr ruft Sandra an. Erinnert mich an die Kohlsuppe. Ich bin froh, dass ich aus reinstem Gewissen sagen kann, dass ich dran gedacht habe. »Was ist jetzt eigentlich mit Oskar?«, nutze ich die Chance, sie ungestört zu sprechen. »Alles prima«, flötet sie. »Ein paar mehr Details würden mir schon Spaß machen«, versuche ich, sie aus der Reserve zu locken. Die ist doch sonst nicht so kurz angebunden. Da höre ich was im Hintergrund. »Ist er bei dir?«, ahne ich die kleine Sensation. »Genau«, sagt sie, und: »später mehr.« So ein Mist. So eine günstige Tratsch-Gelegenheit verstreicht ungenützt. »Wir sehen uns im Sender«, verabschiedet sie sich, »ich hab noch einiges vor bis dahin.« Na, das klingt ja viel versprechend. Noch einiges vor. Nachher entwischt die mir auf keinen Fall.

Zu meinem Ritual am Samstag gehört auch das wöchentliche Wiegen. Ich versuche mich nur einmal die Woche dieser seelischen Belastung auszusetzen, nicht zuletzt, weil ich das in diversen Diät- und Fitness-Büchern gelesen habe.

»Wiegen Sie sich nur nicht zu oft, das ist demotivierend.« Leider ist es auch so schon demotivierend. Trotz Kohlsuppe, wenn auch nicht allzu konsequent, wiege ich 900 Gramm mehr als vergangenen Samstag. Fair ist das nicht. Hätte ich bloß das Nutellabrötchen gelassen. Aber ein Nutellabrötchen kann es ja nicht sein. Ich fühle mich auch so gebläht. Aufgedunsen. Vielleicht ist es das Prämenstruelle. Da wiegt man ja angeblich immer mehr. Wo meine Tage nur bleiben? Andererseits, wirklich zuverlässig sind sie nie gewesen. Was ich auf die schon gewartet habe. Wenn ich mir da jedes Mal einen Kopf gemacht hätte. Sollte sich bis nächste Woche nichts getan haben, gehe ich zum Arzt. Vielleicht habe ich ein Magengeschwür, eine Zyste oder andere Scheußlichkeiten. Ich neige, was Krankheiten angeht, zum Dramatisieren. Nicht, dass ich eine Hypochonderin wäre, aber dennoch. Es fällt mir schwer zu denken, ich könnte einfach nur so was Schnödes wie Blähungen haben. Da bricht selbst bei Krankheiten mein Hang zum Höheren durch. Bekloppt. Tim ruft an. Der Herr Redaktionsleiter persönlich. »Andrea, sei so gut und besorge noch zwei aufwändige Sträuße für die Mock und ihre Agentin. Richtig großartige Gebinde. Was Stilvolles. Und bring sie mit zur Sendung.« Das ist ja eine Überraschung, dass ich die Sträuße dann tatsächlich mitbringen soll. Ich hätte doch glatt angenommen, die Mock holt sie hier bei mir zu Hause ab. Manchmal habe ich den Eindruck, dass Tim mich für minderbemittelt hält. Schön ist das nicht. Aber schließlich ist er der Redaktionsleiter, und ich sage erwartungsgemäß: »Na klar. Wird gemacht.« Obwohl er sich auch keinen abbrechen würde, wenn er selbst die Blumensträuße kaufte. Gäste haben wirklich einen flotten Lenz. Machen Reklame für ihre CDs,

Bücher oder Sendungen, bekommen dafür noch ein Honorar, die schönsten Hotelzimmer und obendrauf noch dicke, fette Blumensträuße. Im nächsten Leben werde ich Gast.

Um 14 Uhr bin ich im Sender. Pünktlich mit Obstkorb, dem abgeholten Sushi, das ein Heidengeld gekostet hat, und zwei gigantischen Sträußen. Als Erstes dekoriere ich die Garderobe von Anett Mock. Aus einem kargen Raum mit Liege, Beistelltisch, Waschbecken und Sessel ein behagliches Gästezimmer zu zaubern, ist nicht ganz leicht. Ich schneide das Obst mundgerecht, die Gnädigste soll sich ja die schönen Fingerchen nicht beschmutzen, drapiere die diversen Getränke und deponiere das Sushi im Kühlschrank. Die Blumen bleiben in der Redaktion, die will der große Moderator höchstpersönlich überreichen. Da ist er auch schon. Will. Wie immer vor der Sendung meganervös. Obwohl er seit Jahren moderiert, hat man jedes Mal das Gefühl, es wäre das erste Mal. Er braucht Woche für Woche Zuspruch wie ein krankes Pferd. »Will, du schaffst es, es wird eine phantastische Sendung werden«, leiste ich meinen Teil der Spezialtherapie. »Ich habe heute ein komisches Gefühl, tief drinnen in mir sagt eine Stimme ›Achtung‹«, antwortet er. Ich unterdrücke ein »wie immer« und tätschle ihm ein wenig die Schulter. Er hat tatsächlich seine Sonnenbrille auf. »Ist deine Bindehautentzündung noch immer nicht geheilt?«, frage ich scheinheilig. »Bis heute Abend wird es schon werden«, ist seine merkwürdige Antwort. Ich muss unbedingt dran denken, bei der Maske vorbeizuschauen, um Detailinformationen einzuholen. »Stell dir vor«, flüstert er mir noch zu, »es gibt anscheinend Gerüchte, ich hätte mir die Augen richten lassen.« Ich tue erstaunt. »Nein wirklich, das ist ja der Hammer. Und hast du denn?« »Sag mal, spinnst du?«, motzt er mich frontal an, »wieso sollte ich? Findest du, ich müsste mir die Augen richten lassen?«, wird er dann doch etwas unsicher. »Ja also, das kommt drauf an«, rede ich mich raus. Plump zu lügen und zu sagen: »Nee, wieso denn auch«, das bringe ich dann doch nicht fertig. »Was heißt, es kommt darauf an, Andrea?«, fragt er nach. Jetzt will er es aber wissen. Als ich überlege, wie ich mich am elegantesten aus der Affäre ziehe, kommt mir Sandra zur Hilfe: »Andrea, ich brauche dich mal hier drüben, kannst du bitte eben mal kommen?« Das war jetzt verdammt knapp. Aber geschafft. Will zieht von dannen, und endlich habe ich Sandra. »So, meine Beste, schönen Dank für die Rettung in letzter Sekunde, aber jetzt raus mit der Sprache«, beharre ich auf Information. »Na ja«, sagt sie, »du hast Recht. Oskar und ich sind zusammen.«

Sandra hat also tatsächlich den Praktikanten vernascht. Bauchmuskelintensivbetrachtung. »Er ist so anders als ältere Männer«, schwärmt sie. »Wieso, singt er im Bett nicht Genesis oder Supertramp oder Pink Floyd, sondern Bro'Sis?«, will ich es genau wissen. Sie kichert. Kann gar nicht mehr aufhören: »Ach, Andrea, hätte ich geahnt, was junge Typen drauf haben, hätte ich mir viel früher einen geschnappt«, seufzt sie. Jetzt will ich es aber wirklich genauer wissen. »Was kann er denn so Tolles?«, frage ich sie neugierig. Die Ausstattung ist doch bei Jung und Alt ähnlich. »Es ist einfach anders, er fühlt sich mehr ein«, erklärt sie mir. Was soll denn das bloß heißen? ›Er fühlt sich mehr ein.‹ »Sind es andere Stellungen?«, werde ich konkreter.

Mit ›er fühlt sich mehr ein‹ kann ich nun echt nichts anfangen. »Nee«, lacht sie. »Es sind nicht die Stellungen, er kümmert sich eben mehr um mich. Ältere Männer sind oft so egoistisch. Hauptsache, für sie läuft es gut. Oskar ist ein Frauenversteher. Der weiß, was Frauen wollen.« Ein Frauenversteher, aha. Die sind mir schon immer suspekt, diese so genannten Frauenversteher. Ich glaube, es handelt sich bei diesen Männern um besonders raffinierte Gestalten. Außerdem hat Sandra einen Hang zu Extremen. Ihre letzten Eroberungen waren allesamt eher aus der Generation ihrer Eltern. Das relativiert ihre Oskarlobeshymnen doch etwas. »Hauptsache, ihr habt Spaß, und sein Körper sieht nun echt viel versprechend aus«, beende ich das skurrile Gespräch mit einem Lob. So richtig habe ich nicht verstanden, was das Besondere, Außergewöhnliche an Oskar ist. »Du wirst es nicht glauben, Andrea, aber der kann mit seinem Sixpack während des Sex die tollsten Sachen machen«, versucht sie, mir noch eine Besonderheit unterzuschieben. Mir zu erklären, wo der Oskarzauber versteckt ist. Ich bin entgeistert: »Der trinkt, während ihr es tut?«, frage ich vorsichtshalber nochmal nach. Wörter wie bumsen und ficken gehen mir recht schwer über die Lippen. Sie klingen so lieblos und ordinär. »Wieso trinken?«, schüttelt Sandra den Kopf, »ich meine doch kein Sixpack Bierdosen, sondern seinen Bauch. Die Muskeln.« »Ja und, was macht sein Bauch?«, ich kapiere es immer noch nicht. »Also wenn du es nicht weitererzählst«, schwärmt sie, »der kann seine Muskeln da bewegen, und wenn du es treibst und du hast in diesem Bereich noch Bewegung, das ist der Hammer.« Schade, dass ich, solange ich treu bin, diese Behauptung niemals überprüfen kann. Christoph hat kein Sixpack. Er trägt noch einen ganz normalen Bauch. Irgendwo untendrunter sind sicherlich auch Muskeln, aber dass sie in unserem Liebesleben eine dermaßen aufregende Rolle spielen könnten, halte ich für ausgeschlossen. Jeder muss auf irgendwas verzichten, so ist es im Leben nun mal.

Da steckt das Bauchmuskelwunder seinen Kopf zur Tür herein. Er darf heute als Fahrer arbeiten. Die Mock mit Anhang vom Flughafen abholen. »Hi, Oskar«, begrüße ich ihn, »bitte sei pünktlich am Flughafen und nimm dir ein Schild mit, auf dem ›Anett Mock‹ steht. Damit die Nervensäge weiß, dass du ihr Fahrer bist.« »Alles klar, Andrea, schon längst gebastelt«, nickt er meine Anweisungen ab. Braver Junge. Und er hat wirklich enorme Bauchmuskeln. Man sieht sie sogar ein bisschen durchs T-Shirt durch. Aber vom Nix-tun wird der kaum so eine Figur haben. Der muss doch mindestens jeden zweiten Abend in der Mucki-Bude verbringen. Was ja dann in einer Beziehung auch lästig sein kann, ein Kerl, der andauernd an seinem eigenen Körper arbeitet. Und außerdem setzen solche Männer Frauen mental ganz anders unter Druck. Neben einem solchen Prachtkörper fallen eigene Mängel viel mehr ins Auge als neben männlichen Durchschnittsfiguren. Ich habe das mal ausführlich mit Sabine, meiner Freundin, besprochen. »Wo liegt das Problem?«, hat sie verständnislos gefragt. »Männer grämen sich auch nicht, wenn sie eine Topfrau abschleppen und selbst eine riesige Plauze haben. Im Gegenteil, sie freuen sich über das Schnäppchen, das sie gemacht haben.« Es stimmt, was sie sagt. Trotzdem, manchmal weiß man, dass etwas stimmt, kann aber dennoch nicht danach handeln. Völlig egal, denn Oskar steht ja sowieso nicht zur

Disposition. Sandra macht nicht den Eindruck, als wolle sie Mansharing betreiben. Die frische Beute teilen. Obwohl das bei genauer Betrachtung eine zweckmäßige Angelegenheit sein könnte. Bei Bedarf steht einem ein Mann zur Verfügung und kann dann, nach Verwendung, jederzeit wieder zurückgegeben werden.

Ich denke an Christoph, der treu mit seiner Tochter im Zoo herumspaziert, und schäme mich meiner Gedanken. Ein bisschen jedenfalls. War ja auch nur ein Gedankenspiel. Ich habe letztlich auch keinerlei Bedarf für einen Sexpraktikanten. Christoph hat Defizite in vielen Bereichen, Sex gehört nicht dazu. Das passt bei uns einfach. Komischerweise heißt es ja auch noch lange nicht, dass einer gut im Bett ist, wenn andere Frauen es behaupten. Genau wie bei anderen Dingen ist vieles einfach Geschmackssache. Sabine und ich waren durch Zufall mal mit dem gleichen Mann in der Kiste. Nicht etwa zu dritt, sondern Jahre auseinander. Paul hieß der. Als ich mit ihm angebändelt habe, hat mir Sabine erzählt, dass sie Jahre vorher mit ihm zusammen war. »Er ist eigentlich ein Arsch, so im Leben, aber ein echter Hecht im Bett«, hat sie mir direkt Bericht erstattet. Mir war es irgendwie unangenehm, dass Sabine schon mal was mit ihm hatte, aber mit der Aussicht auf wunderbare sexuelle Erfüllung habe ich mal ein Auge zugedrückt. Es war ein Fiasko. Sabine hatte nur mit einem Recht: Paul war ein Arsch. Und im Bett ein Langweiler sondergleichen. Die Missionarsstellung war für den der Gipfel der Originalität und ein Karnickel gegen ihn ein Ausdauerwunder. Sabine konnte es nicht glauben. »Ich schwöre es«, hat sie immer wieder beteuert, »früher war der so was von locker drauf. Und Sachen konnte der, unglaublich.« Ich blieb skeptisch. Männer werden im Laufe der Jahre ja eher bessere Liebhaber und nicht schlechtere. Sabine ist da anderer Meinung: »Die stumpfen ab. Am Anfang legen sie sich ins Zeug und dann nur noch auf die schnelle Tour.« Ihr Mischi ist natürlich ein ganz anderes Kaliber. Angeblich. Obwohl er kein ganz junges Modell mehr ist. Ich glaube kaum, dass er eine löbliche Ausnahme ist, sondern eher, dass er vor Sabine kaum Freundinnen hatte. Sabine hält das für üble Nachrede. Aber immerhin war ich mit ihm in der Schule, und es gab kaum einen unbeliebteren Kerl. Ich kann mich an keine erinnern, die je auch nur mit ihm geknutscht hätte. Beim Bluestanzen stand er immer belämmert in irgendeiner Ecke rum und hat gespannt. »Und wenn schon«, meint Sabine, »diese Typen erweisen sich oft als besonders dankbar. Gerade weil sich früher keine mit ihnen abgegeben hat.« Sabine weiß wirklich auf alles eine Antwort. Aber das ist auch das Gute an ihr. Egal welches Problem, Sabine hat Lösungsvorschläge.

Um 15.15 Uhr meldet sich Oskar. Per Handy. »Wollte nur sagen, dass ich Frau Mock und Frau Trisch im Auto habe und jetzt eben mal ins Hotel fahre. Die beiden wollen sich noch mal frisch machen.« Was für ein Affentanz, die fliegen aus Köln ein und müssen sich frisch machen, als wären sie einmal quer durch die Sahara gekommen. »Du wartest am Hotel, ich will, dass die spätestens siebzehn Uhr hier sind«, erteile ich Anweisungen. »Gerne«, sagt Oskar, »auf diese zwei warte ich wirklich sehr gerne.« Was für ein Geschleime. Gut, dass Sandra das nicht gehört hat. Vielleicht war es auch nur Taktik, um die zwei bei Laune zu halten. Gewieftes Kerlchen, dieser Oskar.

Als sie um 17.25 Uhr noch nicht im Sender sind, beginne ich, nervös zu werden. Die Maske wartet, Tim fragt mich alle fünf Minuten nach dem Verbleib unseres Stargastes, und weit und breit ist kein Oskar in Sicht. Ich probiere zum achten Mal seine Handynummer. Siebenmal habe ich dem unzuverlässigen Oskar schon aufs Band gesprochen, und jetzt geht er tatsächlich höchstpersönlich dran. »Hallo«, begrüßt er mich gänzlich ungeniert. Ich muss mich zusammenreißen, ihn nicht anzuschreien: »Sag mal, bist du wahnsinnig, der halbe Sender wartet auf dich und die Damen, wo steckt ihr denn?« »Locker bleiben«, säuselt der Herr Praktikant, »ich musste der Anett noch eben bei der Kleiderauswahl helfen, die Kerstin hat sich eine Runde aufs Ohr gelegt. Die war von der Reise angestrengt. Wir sind aber so weit und kommen jetzt. Die Anett trinkt nur noch ihren Latte aus.« Immerhin, sie kommen. Und Oskar duzt unseren Stargast. Hilft bei der Klamottenauswahl, während Frau Agentin schläft. Wäre ich Sandra, würde ich mir meinen Teil denken. Vor allem bei der Mock. Die ist erklärter Single, der aber gerne mal Spaß hat. Das betont sie in jedem Interview: »Männer bereichern mein Leben, warum sollte ich auf sie verzichten?« Wie kann eine erwachsene Frau einen solchen Schwachsinn verzapfen? Bereichern mein Leben. Interessante These. Wahrscheinlich wollte sie sich nur eine Runde einschleimen. Männer hören so etwas natürlich ausgesprochen gerne. Und es liegt im Trend. Feminismus und Emanzipation sind mittlerweile richtiggehende Schimpfwörter geworden. Auch die Mock hat mal Ähnliches geäußert. Auf die Frage, was sie das schlimmste Schimpfwort findet, wurden ihr drei zur Auswahl gegeben: Luder, Schlampe oder Emanze. Ich erinnere mich genau. Ich glaube, es war bei Kerner oder so: Sie hat sich fast geschüttelt und Emanze gesagt. Zur Belohnung gab es riesigen Applaus vom Publikum. Auch von den Frauen. Das hat mich dann doch enttäuscht. Aber selbst viele Frauen glauben, dass Emanze dasselbe heißt wie unsexy, hässlich und dazu noch frigide. Für Männer kommt noch hinzu, dass sie Emanzen für schlau halten. Vielleicht sogar für schlauer als sich selbst. Das in Kombination mit den anderen Eigenschaften ergibt für sie ein Bild des Grauens. »Emanzen sind die, die sowieso keinen abkriegen. Die machen aus der Not 'ne Tugend«, hat unser Redaktionsleiter Tim mal keck behauptet.

»Schnidt, das geht dich nichts an, ob sie mit Oskar oder nicht, er ist ja schließlich kein willenloses kleines Etwas«, verscheuche ich meine merkwürdigen Ideen. Die wird doch nicht eben mal den Oskar in der Suite verschnuckelt haben? Wir werden sehen. Ich habe ein Auge dafür, wenn zwei mal was miteinander hatten. Ich sehe das irgendwie. Ich kann noch nicht mal sagen woran, aber es ist so. Auch von der Affäre unseres Regisseurs Lutz mit der einen aus der Maske wusste ich zuerst was. Billie aus der Maske war einfach ein bisschen zu häufig im Studio. So etwas fällt auf. Ihr urplötzliches Interesse an einer Sendung, die sie schon ewig betreut und die sie vorher nie interessiert hat. Auch die ständigen Zwiesprachen mit dem Regisseur wegen des Studiolichts waren verdächtig.

Endlich. Es ist 18.00 Uhr, und der Mock-Tross läuft ein. Vornedran der strahlende Oskar. Mit einem Gesicht wie einer, der gerade geadelt wurde. Kerstin Tritsch, die Agentin, übernimmt die Begrüßung. »Hallo, Tritsch mein Name, und ja, hier ist sie nun, unsere Anett Mock«, stellt sie die Frau an ihrer Seite vor. Seit wann ist das »unsere Anett«? Ist die Allgemeingut? Gehört allen? Brav schüttele ich die Hände und schicke Oskar ins Studio. Genug geflirtet. Schließlich ist Sandra meine Freundin. Ich zeige den Damen ihre Garderobe. Die Tritsch inspiziert die Räumlichkeiten, als ginge es darum, die nächsten Jahre dort zu verbringen. Begeistert sieht sie nicht aus. »Wo ist das Sushi?«, kommt es streng. »Natürlich kalt gestellt«, antworte ich, »ich hole es gleich mal her.« »Nett von Ihnen«, sagt die Mock. Immerhin, wenigstens eine von beiden hat einen Hauch gutes Benehmen. »Wir ruhen uns noch etwas aus«, schickt mich die Tritsch raus. Was haben die denn im Hotel gemacht? Eben noch einen Iron Man absolviert? Na ja, wenn man Oskar für einen hält, vielleicht. »Gerne«, sage ich, »aber in einer Viertelstunde erwartet die Maske Sie.« »Gut«, sagt sie hoheitsvoll, und ich bin entlassen. Wer von den beiden ist eigentlich der Star? Aber das hat man oft bei Menschen im Promi-Umfeld. Die fühlen sich ganz schnell mindestens ebenso berühmt. Mir ist jetzt alles egal. Hauptsache, die Mock ist da. Ob sie in die Maske geht oder nicht, kümmert mich wenig. Die meisten unserer Stargäste tragen schon vor dem Gang in die Maske mehr Make-up als ich an Fasching. Außerdem habe ich nur dafür zu sorgen, dass sie da ist, ihr Aussehen ist nicht mein Aufgabengebiet. Wenn sie aussieht wie ein Schimmelkäse, ist das ihr Problem, nicht meines. Im Fernsehen sieht man schnell mal elend aus. Das grelle Licht schluckt eine Menge Farbe, und das merken Studiogäste, die einen Maskenbesuch verweigern, spätestens, wenn sie sich die Aufzeichnung ansehen oder ihre versammelte Freundesschar anruft und fragt, warum es ihnen so schlecht geht. Will ist schon in der Maske. Er wird von der Chefmaskenbildnerin höchstpersönlich geschminkt und hergerichtet. Beim Schminken muss er ja wohl die Brille abziehen, überlege ich und suche nach einem Grund, ihn eben mal in der Maske etwas fragen zu müssen. Ich klopfe an. Schon verdächtig. Eine geschlossene Maskentür. »Herein«, ruft Frau Filz, die Chefmaskenbildnerin. So ein Ärger, er hat die Brille doch tatsächlich noch auf. Die Filz arbeitet gerade an seinen Haaren. Soweit man diese übersichtlichen Strähnen so bezeichnen kann. Ich bin selbst von der Natur nicht übermäßig ausgestattet, aber bei Will ist es wirklich kümmerlich. Frau Filz toupiert, sprayt und legt. Sie gibt alles. Jedes einzelne Härchen wird umsorgt.

»Andrea, was gibt's?«, fragt mich Will etwas unwirsch. Er hasst Störungen in der Maske. »Mein letztes Refugium zum Entspannen«, sagt er oft genug. »Ja, ich wollte nur eben mal sagen, dass die Mock da ist«, rechtfertige ich meine Störung. »Davon gehe ich aus«, antwortet er schnippisch. »Ich begrüße sie, wenn ich hier fertig bin, bis später«, mit diesen Worten bin ich eindeutig des Raumes verwiesen. Jetzt muss ich halt doch bis zur Sendung abwarten, was mit seinen Schlupflidern ist. Wenn man es nicht genau sehen kann, werde ich Billie fragen. Die Maskenbildnerin, die mal was mit Lutz, dem Regisseur hatte. Frau Filz, die Chefin, hat leider keine ausgeprägte Klatschneigung. Aber mit Billie bespricht sie eigentlich alles. Und Billie habe ich damals, als das mit Lutz erwartungsgemäß in die Binsen ging, getröstet. Mir die verkorkste Liebesgeschichte wieder und wieder angehört. Da habe ich mit Sicherheit noch einen gut. Kaum denkt man an jemanden, ist er auch schon da. Billie steht rauchend auf dem Gang zwischen den Maskenräumen. »Ei«, begrüßt sie mich, »wann kommt denn die große Mock vorbei?« »Ich hole sie dir«, verspreche ich und mache mich auf den Weg in die Mock'sche Garderobe. Statt der Tritsch leistet unser kleiner Oskar der Mock Gesellschaft. Die beiden machen den Eindruck, als würden sie sich seit Jahren kennen. Als ich den Raum betrete, guckt Oskar auch ein ganz klein bisschen verlegen und lässt eine Autogrammkarte in seiner Tasche verschwinden. »Hast du dir ein Autogramm geholt?«, frage ich indiskret. Er bekommt einen hübschen roten Kopf. »Ja, also wenn ich schon mal jemanden wie Anett persönlich kennen lerne, so was passiert ja nicht jeden Tag«, startet er sein Rausredeprogramm. »Zeig mal her«, bitte ich unseren Praktikanten. Er ziert sich. »Ich schreibe Ihnen auch eine«, hilft die Mock ihm. »Nein, nein danke, ich will nur mal die von Oskar sehen«, insistiere ich. Aber Oskar will nicht. »Die ist mir persönlich gewidmet, nur mir«, bleibt er hart. Merkwürdig, ausgesprochen merkwürdig. Soll er sein Kärtchen halt für sich behalten. Aber ich wüsste schon gern, was die ihm draufgeschrieben hat. »So oder so, Frau Mock, es ist jetzt wirklich Zeit für die Maske, unsere Kollegin erwartet Sie, ich bringe Sie eben vorbei«, beende ich das lächerliche Schauspiel. »Ich mache das schon, Andrea«, springt Oskar ein, »du kannst dich ruhig um andere Sachen kümmern.« Ich stimme zu und weiß auch schon, wen ich jetzt dringend mal kontaktiere. Sandra. Das hier geht nun eindeutig zu weit. Dieser harmlose kleine Oskar scheint es faustdick hinter seinen jugendlichen Öhrchen zu haben.

Sandra ist keineswegs beunruhigt über meine Neuigkeiten: »Der Oskar und ich haben ausgemacht, dass unsere Liebe geheim bleibt. Das ist ein reines Ablenkungsmanöver. Nach der heutigen Nacht ist zwischen uns alles klar. Der findet die Mock doof, das hat er mir noch heute bei unserem Frühstück im Bett erzählt.« Oskar findet die Mock blöd. Dann kann er sich aber verdammt gut verstellen. Ich glaube, Oskar ist gefährlicher, als er aussieht. Den muss man im Auge behalten.

Billie motzt die Mock nochmal ganz schön auf. Ihre aufgespritzten Lippen bekommen zentnerweise Gloss, und auf ihren Lidern schimmern mehrere Lidschattenfarben fein aufeinander abgestimmt. Gekrönt wird das Ganze durch einen atemberaubenden Lidstrich. Billie versteht ihr Handwerk, das muss man ihr lassen. Sie hat mich netterweise mal für eine Party geschminkt, und trotz gewisser Skepsis meinerseits – ich sah toll aus. Am liebsten hätte ich mich nie mehr abgeschminkt. Abschminken ist sowieso etwas, was ich hasse. Nach einem tollen Abend ist es für mich das Schönste, einfach ins Bett zu fallen. Und manchmal mache ich das auch. Obwohl es laut Frauenzeitschriften eine der absoluten Todsünden ist. Fatale Spätwirkungen haben wird. Sei's drum.

Ich habe es normalerweise eh nicht so sehr mit dem Schminken. Ohne Wimperntusche allerdings verlasse ich selten das Haus. Ich sehe sonst so albinomäßig aus. Kuhäugig.

Die Mock trägt ein Glitzerkleid aus türkisfarbenen Pailletten, figurbetont mit einem rasanten Rückenausschnitt. Ein Zentimeter mehr, und man könnte den Poansatz sehen. Raffiniert. Hat sie geahnt, dass Will auch in Türkis geht?

Es ist noch eine halbe Stunde bis zur Sendung, und die Mock ist zur Audienz bereit. Will und sie sitzen in ihrer Garderobe, essen die Sushi und tauschen Nettigkeiten aus. Loben gegenseitig ihre Sendungen und lästern über andere. Kaum jemand lästert mehr als Moderatoren. Treffen zwei aufeinander, werden mindestens zwei andere verbal hingerichtet. Am Anfang habe ich das alles für bare Münze genommen und mich dann schon ziemlich gewundert, wenn eine Woche später ausgerechnet der angeblich so verhasste Kollege gemeinsam mit Will in der Garderobe sitzt und über den der vergangenen Woche lästert. Mittlerweile habe ich das Spiel verstanden. Es heißt: Jeder gegen jeden, küssen und umarmen tun wir uns trotzdem. Es ist eine besonders infame Branche, keine Frage.

Das Publikum sitzt auf den Plätzen, und in fünfzehn Minuten startet die Sendung. Hugo gibt sein Bestes. Er hat die Zuschauer schon voll im Griff. Sie üben das Klatschen mit einer Begeisterung, als gäbe es tolle Geschenke dafür. Was die Zuschauer nicht ahnen, ihr Klatschen jetzt wird mitgefilmt und später bei irgendwelchen Aktionen von Will und der Mock reingeschnitten. Hugos Applaus gehört dann Will und Co. Beim Fernsehen arbeiten sie wirklich mit allen Mitteln. Jetzt proben die Zuschauer, unter Hugos Anleitung, Licht anknipsen. Jeder hat am Eingang eine kleine Taschenlampe bekommen. Bei einer bestimmten Aktion sollen sie angeknipst werden. So etwas mag Lutz Haster, der Regisseur. »Das gibt dann mal einen anderen Zuschauerzwischenschnitt«, argumentiert er gerne. Als dann wie auf ein Zauberwort die Taschenlampen angehen, fühle ich mich zurückgebeamt. »Sankt Martin war ein guter Mann«, mein erster Laternenumzug:

In Claudias Kinderkrippe steht der jährliche Laternenumzug auf dem Programm. In diesem Jahr wird Claudia erstmals selbst mitlaufen. Beim »Zwergenaufstand« werden Laternen selbstverständlich selbst gebastelt. Gekauftes ist bäh. So etwas machen gute Mütter nicht. Da Zweijährige keine Laternen basteln können, müssen wir Mütter ran. Es gibt drei Modelle zur Auswahl. Die Sonne, die Maus oder das Herz. Claudia kann sich nicht entscheiden. Sie findet alle schön, also treffe ich die Entscheidung. Ich nehme das Herz. Weniger aus optischen Gesichtspunkten, sondern weil das Herz am einfachsten ist. Ich brauche trotzdem zweieinhalb Stunden, um etwas hinzubekommen, das im weitesten Sinne wie eine Herzlaterne aussieht. Basteln ist nun wirklich nicht meine Stärke. Basteln ist generell nichts für ungeduldige Menschen. Mir graut es schon jetzt vor Schultüte und all dem, was noch kommt. Es gibt eine Menge Mütter, die das Basteln lieben. »Es hat was Beruhigendes, diese kreative Arbeit, und das Resultat macht so viel Freude«, höre ich immer wieder. Für mich sind andere Dinge beruhigend. Ein schönes Schaumbad mit einem Gläschen Prosecco, ein netter Schuheinkauf oder ein gemütlicher Abend mit meinen Lieblingsfreundinnen. Aber um manche Dinge kann man sich nicht drücken. Erstaunlicherweise basteln mal wieder nur die Mütter. Männer leben ihre Kreativität wohl auch lieber anderweitig aus.

Voller Stolz trage ich die Laterne nach Hause und präsentiere sie Christoph. Er lacht. »Wenn Claudia sie gemacht hätte, hätte sie ähnlich ausgesehen«, ist sein Kommentar. Ich habe keine Ekstase erwartet, aber ein kleines Lob hätte mir schon gut getan. Aber er hat Recht, ein Meisterstück ist sie nicht gerade. Ich kaufe einen Holzstiel, einen Kerzenhalter und die obligatorische Kerze. Jetzt sind wir gerüstet.

Dummerweise findet Claudia, kaum dass wir uns für den Umzug aufgestellt haben, das Herz doof. »Maus haben«, ist alles, was sie sagt. Jetzt kann selbst die tollste Mutter keine Maus mehr zaubern. »Wir haben ein wunderschönes Herz, guck mal, wie schön rosa es ist«, versuche ich, meine Tochter abzulenken. Es funktioniert nicht. Sie will eine Maus. Aber niemand aus der Gruppe will seine Maus tauschen. Ich versuche alles. Es fehlt nicht viel, und ich hätte sogar Bargeld geboten. »Willst du nicht lieber dieses rosa Herz«, rede ich auf die kleine Lara ein. Lara scheint es relativ egal, aber ihre Mutter bekommt fast einen Nervenzusammenbruch. »Du hättest doch eine basteln können«, fährt sie mich an. Kein Wunder bei meinem Herz. Ein Tausch erscheint wirklich nicht besonders attraktiv. Ich schäme mich für meine Faulheit und mein mangelndes Bastelgeschick. Vielleicht sollte ich mal den einen oder anderen Volkshochschulkurs besuchen. Seidenmalerei, Blumenstecken und Töpfern. Der Gedanke macht mich trübsinnig. Jetzt werden die Laternen angemacht. Bei Windstärke fünf gar nicht so leicht. Unsere Kerze geht ständig wieder aus. Die schlauen Profimütter haben Elektrolichter. Die knipst man an, und sie brennen, jedenfalls so lange, bis die Batterie leer ist. Christoph fragt mich erstaunt, warum ich nicht auch so einen praktischen Elektrolichtstab habe. »Weil Kerzenlicht authentischer ist, romantischer«, schnauze ich ihn an. Erst nichts tun und dann noch rummeckern. »Nächstes Jahr sorgst du für das nötige Zubehör«, bringe ich die unerfreuliche Diskussion zum Abschluss. »Und für die Laterne«, lege ich noch schnell einen drauf. »Gut«, sagt er nur. Claudia heult, statt die geübten Lieder mitzusingen, und ich zünde alle fünf Meter die Kerze wieder an. Bei dem Wind eine komplizierte Angelegenheit, die dazu führt, das wir den Anschluss an unsere Laternenumzugsgruppe immer mehr verlieren. Am Ende trage ich die Laterne, Christoph hat Claudia auf dem Arm, und zur Krönung des Abends fängt es an zu regnen. Wir verlassen die Veranstaltung noch vor dem Abschlussfeuer, und zu Hause zertritt Claudia im Zorn die Herzlaterne. So viel zum Thema Dankbarkeit. Nächstes Jahr kaufe ich die pompöseste Laterne, die es auf dem Markt gibt, oder wir ignorieren Sankt Martin.

Im Anschluss an den spektakulären Laternenumzug ist Treffen bei Maja, einer Nachbarin, die drei Häuser weiter wohnt. Auch Majas Tochter ist beim »Zwergenaufstand«. Wir sind eingeladen zur Dessousparty. Ich war noch nie auf einer Dessousparty und habe deshalb bei der Einladung etwas gestutzt. »Müssen wir echt in Unterwäsche kommen?«, frage ich Maja scherzhaft. »Ob du drunter was anhast, ist mir egal, aber um die Jahreszeit bietet es sich an. Nee, nee, Andrea, keine Panik, eine Dessousparty ist eine Art Tupperparty.« Eine Tupperparty für Dessous. Manchmal langt meine Vorstellungskraft einfach nicht aus. »Es wird bestimmt total lustig, alle kommen«, lockt mich Maja. Wenn alle kommen, will ich natürlich auch nicht fehlen. Da die Männer zu dieser mysteriösen Party nicht mit eingeladen sind, kümmern sie sich großzügig um die verregneten Sankt-Martins-Kinder und die Laternenreste, und ich mache mich gespannt auf den Weg zu Maja. Wir sind zu acht und trinken zur Begrüßung erst mal ein Glas Sekt. »Gleich kommt die Jeanette«, giggelt Maja, »und dann kann es losgehen.« Wir sitzen im Wohnzimmer, Majas Mann ist in sein Arbeitszimmer geflüchtet. Zu viele Frauen machen den meisten Männern Angst. Nur wenige sind gern Hahn in einem übergroßen Korb. Das stresst sie. Ich schwitze. Entweder ich bin ein biologisches Wunder und tatsächlich zwei Jahre nach der Geburt meiner Tochter in die Wechseljahre geraten, oder Maja hat ein Problem mit ihrer Heizung. »Maja, willst du uns langsam rösten oder warum herrschen bei dir subtropische Temperaturen?«, frage ich meine Nachbarin. »Kannst du die Heizung vielleicht ein bisschen runterdrehen?«, bitte ich sie. Die anderen stimmen zu. Ich bin nicht die Einzige, die aussieht, als würde sie im eigenen Saft geschmort. »Das muss so sein«, sagt Maja nur geheimnisvoll, »wegen der Dessous. Weil wir doch gleich anprobieren.« Abgründe tun sich auf. Ich dachte, es wäre wie beim Tuppern. Man schaut sich die Plastikbehälter an, schwätzt und kauft, schon aus Nettigkeit, die eine oder andere Tupperware. Das scheint ein riesengroßer Irrtum zu sein. Bevor ich mich mit angeblich aufkeimender Migräne davonmachen kann, kommt Jeanette. Jeanette ist die Dessouspartychefin. Sie hat zwei Koffer und einen kleinen Paravent dabei. »Für die Schüchternen unter euch«, lacht sie. Maja schenkt Sekt nach. Nichts wie rein damit. Jeanette erklärt uns die Partyspielregeln: »So, Maja, eure Gastgeberin, hat netterweise ihr Wohnzimmer zur Verfügung gestellt und euch eingeladen. Ich zeige euch jetzt die süßen Teilchen, die ich euch mitgebracht habe, und ihr dürft nach Herzenslust anprobieren. Hier zum Beispiel ist das Gastgeschenk für Maja.« Sie hält einen zartgelben Stringtanga mit passendem BH hoch. Maja ist artig und freut sich. »Mensch, Jeanette, danke dir.« Ist sie einfach nur höflich oder zieht die tatsächlich so etwas an? Einen String, garantiert Polyacryl mit drei Spitzen und ansonsten nur einer Schnur. Das Modell ist mit Sicherheit ein Restposten. Gelb ist aus vielerlei Gründen keine besonders passende Unterwäschefarbe. Und Maja ein extrem blasser Hauttyp. Na, das sieht ja bestimmt zauberhaft aus. »Da wird der Herbert aber Augen machen«, sagt Maja und verzieht ihr kleines Mündchen. Christoph würde auch Augen machen. Vor Entsetzen. Die Teilchen sehen wirklich so aus, als würde Maja nebenher noch das eine oder andere dazuverdienen. Meine Mutter würde nuttig sagen, ich finde billig langt.

Jetzt öffnet Jeanette ihren Zauberkoffer. »Los geht's«, feuert sie uns an. Keiner rührt sich. Wir sitzen alle wie festverschweißt auf unseren Plätzen. Ich schaue dezent unter mich. Jeanette scheint solches Verhalten zu kennen: »Na los, Mädels, wenn eine den Anfang macht, dann gibt's später kein Halten mehr, das ist immer so.« Maja, ganz die gute Gastgeberin, opfert sich. Maja kann es sich auch leisten. Maja ist gertenschlank und jammert trotzdem ständig über ihre Figur. Wenn sie mal richtig viel Geld hat, will sie sich ihre Reiterhosen absaugen lassen. »Wo sind die denn?«, habe ich sie direkt gefragt. »Hier«, hat sie geantwortet und an ihre Oberschenkel gepackt. Sie hat Jeansgröße 28–29. Mehr muss man zu dem Thema wohl nicht sagen.

Maja probiert ein Ensemble aus hellblauer Spitze mit farblich abgestimmten Strapsen und einem Push-up. Es ist Größe 36 und passt wie angegossen. Von Reiterhosen keine Spur. »Hast du die Reiterhosen schon machen lassen?«, die Frage kann ich mir nicht verkneifen. »Wie man sieht, nein.« Sie kneift sich in die Haut, Fett kann man das beim besten Willen nicht nennen, und zieht an den vermeintlichen Reiterhosen. »Herbert will es nicht bezahlen. Da ist der total geizig. Dabei würde es mich wirklich glücklich machen. Ständig kauft der neue Spoiler, und bei meinen Spoilern stellt er sich an. Typisch Mann«, jammert sie uns einen vor. Sie nennt ihre Oberschenkel Spoiler. 85 Euro soll der Traum in Hellblau kosten. Ein stattlicher Preis für reines Plastik. »Ich nehme es«, quiekt sie freudig, »wenn der Herbert mich so sieht, kann ich ihm die Reiterhosenkohle garantiert abluchsen.« Jeanette hat Recht gehabt. Der Damm ist gebrochen. Jetzt geht das Probiergerangel los. »Wir haben alle Größen da«, will Jeanette auch mich ermuntern. Eine ganz reizende Aufforderung. Ich behalte lieber die Raucherinnen im Auge. Sicher ist sicher. Bei dem, was hier an Polyacryl rumliegt, genügt ein Funken, und die Bude steht in Flammen. Die Geschäfte laufen gar nicht schlecht für Jeanette. Auch Stefanie und Hiltrud schlagen zu. Stefanie nimmt einen roten Body aus Satin mit Bauch-Weg-Einlage. Sie sieht tatsächlich schlanker aus als vorher in ihrer eigenen Unterwäsche. Das ist das Interessante hier. Man sieht, wer was für gewöhnlich drunter trägt. Hiltrud hat ein Bustier aus grauem Baumwollstoff mit passendem Slip an. Nicht übel. Eher die sportliche Variante, leicht ausgewaschen. Jetzt steht sie im schwarzen Spitzenteil da, und alle sind begeistert. Nur die Birkenstocks an ihren Füßen schädigen das Bild. »Wow, das ist doch ganz was anderes«, animiert Jeanette sie zum Kauf. »Ein paar High Heels dazu, und dein Mann wird kaum zu halten sein«, lockt sie

Hiltrud. Und tatsächlich – Hiltruds Augen glänzen, und, ohne mit der Wimper zu zucken, ist sie bereit, 57 Euro auszugeben. Wirklich preiswert ist Jeanettes Ware nicht. Aber die Gruppendynamik führt dazu, dass Preise keine Rolle spielen. »Los, Andrea, probier doch mal was«, drängt mich Maja, »sei doch keine Spielverderberin.« Ich bin keine standhafte Person. Leider. Ich habe schon immer Menschen bewundert, die sich der Masse widersetzen können. Hart bleiben, auch wenn alle auf sie einreden. Ich gehöre definitiv nicht dazu. Ich bin ein Harmonietierchen. »Na gut«, lasse ich mich bequatschen und entscheide mich für einen schwarzen Push-up-BH. So muss ich mich nur obenrum freimachen und erspare mir die Peinlichkeit, dass alle meine etwas ausgeleierte Unterhose sehen können. Der Bund schwächelt ein wenig. Der Push-up steht mir. Findet auch Herbert, Majas Mann. Der steht doch glatt ohne anzuklopfen im Raum und fragt scheinheilig, »ob jemand noch was trinken will«, der alte Spanner. Ich fühle mich wie damals in der Sammelmädchenumkleide, wenn einer aus unserer Klasse keck seinen Kopf über die Trennwand gestreckt hat. »Uih«, sagt er nur in meine Richtung.

Aber Herbert hat Recht. Ich finde auch, dass mich der Push-up durchaus schmückt. Kein Wunder, wenn man weiß, was ich sonst so trage. Ehrlich gesagt manchmal sogar Still-BHs. Ich habe drei Stück zur Geburt geschenkt bekommen, und das, obwohl ich nie gestillt habe. Umtausch leider ausgeschlossen, haben mir die Überbringer dieser originellen Präsente dann jedes Mal seufzend mitgeteilt. Also habe ich beschlossen, dann ziehe ich sie eben an. Still-BHs sind im Normalfall weiß und haben so was klinisch-hygienisch Sauberes. Sexy kann man sie nicht nennen. Wäre auch mal eine Marktlücke – sexy Still-BHs. Ich habe meinen großzügigen Tag und unterbreite Jeanette diesen Vorschlag. »Ja, wieso eigentlich nicht«, ist ihre Antwort. Etwas mehr Anerkennung hätte ich für meine Idee schon verdient. Aber Frauen wie Jeanette haben sich in ihrem Leben wahrscheinlich noch nie viel Gedanken über Still-BHs gemacht. Wir trinken gemeinsam noch zwei Fläschchen Sekt, und als ich gerade nach Hause gehen will, mit meiner neuen schwarzen Verheißung im Handtäschchen, ergreift Jeanette nochmal das Wort: »Jetzt, wo ihr alle dermaßen süße und sexy Wäsche erstanden habt, habe ich noch eine kleine Überraschung für euch. Es gibt nämlich auch für eure Männer was Vergleichbares.« Sie öffnet ihren zweiten Zauberkoffer und zieht winzige Slips hervor. Bedruckt. »Mottohöschen heißen die, guckt mal, wie niedlich!«, ermuntert sie uns. Ein geschmackloser Albtraum.

Ich kann Strings nicht viel abgewinnen, aber Strings für Männer finde ich grauenvoll. Hinten die Schnur und vorne ein beuliges Stoffteil. »Sind die nicht unglaublich?«, fragt sie in die Runde. Sie sind wirklich unglaublich. Unglaublich hässlich. »Hier ist Modell Santa Klaus, da kann der Herr Gemahl die Nüsse hübsch verstecken«, kichert sie. Maja kriegt sich gar nicht mehr ein: »Die Nüsse, ha, ha.« Mir sind Witze dieser Art peinlich. Auch wenn sie nicht von mir sind. Ich schäme mich sofort, auch für andere. Selbst meine vier Glas Sekt nützen nichts. Der Nikolausslip macht die Runde. Vorne auf dem Stoffbeutel grinst ein Nikolaus und in seinen Händen hält er eine Rute. Genau da, wo im Normalfall das beste Stück des Mannes liegt.

Eine Rute – welch Symbolkraft. Es gibt auch das Modell Rammelschweinchen, zwei sich paarende Schweine, das Modell Superman und das Modell Ostern, mit einem Karnickel, das kokett eine Möhre im Maul trägt. Außerdem ein Teil, das, wie Jeanette erzählt, fast aussieht wie aus dem Programm von Beate Uhse. Der Dumbo String. Mit aufgenähtem Elefantenrüssel. Herrliche Botschaften verpackt in einem Hauch von Stoff. Übrigens auch keine Baumwolle, sondern irgendwas Glitzeriges. »Echter Satin«, sagt Jeanette stolz. Wenn ein Mann sich auszieht und etwas in dieser Art untendrunter trägt, würde ich sofort rennen. »Also mein Geschmack ist es nicht«, staple ich etwas tief. »Ich weiß auch nicht, ob sie Christoph passen würden«, gebe ich noch ein bisschen an. Die anderen staunen. »Das hätte ich nie von ihm gedacht«, stammelt Maja. Und ich hätte nie gedacht, dass ich mich vom Niveau her so sehr diesen angeblichen Unterhosen anpassen kann. Aber man muss ja nicht immer die volle Wahrheit sagen. Außerdem scheint Jeanette die Hosen wirklich für den Bringer zu halten, und wer weiß, vielleicht sind sie ihr höchsteigener Entwurf. Maja nimmt das Nikolausmodell. »Ist doch mal ein lustiges Geschenk, von dem man selbst auch etwas hat«, freut sie sich. Petra, die bisher eher stumm in der Ecke gesessen hat, entscheidet sich für die Supermanhose. Bei ihrem Mann ein Wunsch, den man durchaus verstehen kann. Petras Mann sieht aus wie die Langeweile in Person. Ich hätte wirklich Angst beim Akt mit ihm, eine schlimme Vorstellung. Schon der bloße Gedanke bringt mich zum Einschlafen. Falls der im Bett ähnlich ist wie im Gespräch, dann sollte ich Petra wirklich die Daumen drücken, dass die abartige Unterhose hilft. »Der Ludger wird begeistert sein, der liebt so witzige Sachen im Bett«, offenbart sie uns kleine eheliche Geheimnisse. Der liebt witzige Sachen im Bett, was macht er denn dann mit Petra? Petra ist eine freundliche Person, aber ich habe von ihr noch nie etwas gehört, was auch nur im weitesten Sinn als witzig durchgehen könnte. Petra hat keinen Sinn für Witz. Sie kapiert ihn nicht mal bei anderen. »Was für witzige kleine Sachen?«, lechze ich nach Details. »Na ja, Toys und so«, beichtet sie. Hier kommen ja herrliche Dinge zum Vorschein. »Sextoys?«, fragt Maja ungeniert nach. »Ja klar, hast du gedacht Lego oder Playmobil?«, zeigt Petra doch tatsächlich so was wie Witzspurenelemente. Hier regnet es wirklich Überraschungen. Jetzt ist sogar Petra noch witzig.

Ich werde Petra und ihren Ludger nie mehr treffen können, ohne daran zu denken, was die beiden so treiben. Und zu wissen, was Ludger für Unterhosen trägt, macht mich auch etwas nervös. Petra nimmt noch die Rüsselhose. Das ist aber auch zu komisch, ausgerechnet die biedersten Leute haben die ausgefallensten geheimen Vorlieben. Ich liebe Klatsch und Tratsch, aber zu wissen, wer im Bett es wie und mit welchen Hilfsmitteln treibt, ist mir unangenehm. Ich selbst bin kein großer Fan von Sexspielzeug. Sabine, meine Schulfreundin, preist seit Jahren ihren Delphindildo an. Hautfreundliches Plastik in Delphinform, Flossen und Schnauze betreiben auf Knopfdruck die tollsten Zuckungen. Sabine ist begeistert: »Wenn du, wie ich, immer mal Single bist, dann kann so ein kleiner Meeressäuger viel Trost spenden. Er ist immer für dich da, mosert nie rum, funktioniert nach Plan und begleitet dich auf jede Reise. Egal wohin.« Sicher: Das ist mehr, als man von den meisten

Männern erwarten kann. Da hat sie schon Recht. Aber ein Dildo auf Reisen? Wenn ich mir vorstelle, wie mein Gepäck am Flughafen geröntgt wird und der stoisch auf seinen Bildschirm glotzende Sicherheitsbeamte auf einmal Lachanfälle bekommt, alle Kollegen zusammenruft und ich dann womöglich noch vor versammeltem Personal meine Tasche ausräumen darf. Allein diese Vorstellung langt mir. Auf das Szenario kann ich verzichten. Sabine hat was Ähnliches mal erlebt. Allerdings bei sich zu Hause.

Als sie nachmittags mit zwei neuen Kollegen in ihre Wohnung kommt, um den beiden noch zwei Akten zu übergeben, steht ihre kroatische Perle Svetlana mitten im Wohnzimmer. In ihrer Hand der zuckende Delfin. »Lustige Teil, is von Kind? Hat auf Nachtisch gelegen«, hat Svetlana voller Neugier gefragt. Den einen Kollegen, Anfang fünfzig, hat es vor Lachen fast zerrissen. Sabine weniger. Vor allem weil Wolfgang, so heißt der Kollege, seitdem ständig mit gierigem Blick auf seinen Unterleib seinen lebenden Delfin anbietet. Und es natürlich im gesamten Büro ausgeplaudert hat. Zwei Wochen lang haben alle Mitarbeiter beim Zusammentreffen mit Sabine die Titelmelodie von Flipper gesummt. Trotzdem schwört Sabine weiterhin auf Flipper. So nennt sie ihren Dildo. »Wenn es kein gutes Fernsehprogramm gibt, dann macht Flipper mir Programm, und was für eines. Du solltest dir auch einen zulegen, Andrea«, ist ihr freundschaftlicher Rat. »Aber ich habe doch Christoph«, lehne ich ab. »Das entlastet ihn und kann auch euer Liebesleben bereichern«, ist ihre Antwort. Wieso braucht Christoph Entlastung? Hat er sich bei Sabine beschwert? Bin ich ihm zu unersättlich? Ich hätte eher gedacht, dass

Männer beim Anblick eines hautfreundlichen Dildos, ob in Delphinform oder auch nicht, beleidigt sind. Und ein bisschen kann ich sie verstehen – ich würde mich auch nicht gerne von einer Gummipuppe ersetzen lassen.

Petras Sexbeichte geht weiter. »Ihr werdet es nicht glauben, der Ludger und ich gehen ab und an auch in den Swingerclub«, erzählt sie der versammelten Frauenschar. Jeanette ist begeistert. Wie eine Grundschullehrerin, die ihre Lieblingsschülerin gefunden hat. »Toll, wenn man mit seiner Sexualität so offen umgeht«, lobt sie Petra. Maja ist fassungslos: »Was macht ihr denn da? Ich meine in so einem Swingerclub, da tut es doch jeder mit jedem?« »Das ist ja das Geile«, grinst Petra, »wenn du Bock hast, suchst du dir einen aus, und manchmal macht Ludger mit und manchmal schnappt er sich irgendeine, die ihm gefällt. Und das alles ganz ohne Verpflichtungen.« Jetzt wollen alle es aber gerne mal genau wissen. Petra fühlt sich sichtlich wohl im Mittelpunkt des Interesses: »Also wir fahren da nach Offenbach in so einen ganz kleinen Club. Das ›Rudelhäuschen‹. Da kommen nur Paare rein. Man klingelt, zahlt Eintritt und kann dann seine Klamotten unten in einen Spind tun. Mehr als Unterwäsche darf man im Club nicht tragen. Es gibt eine Bar und sogar Büfett. Im Obergeschoss wird's dann gemütlich. Alles liegt voller Matratzen, es gibt Pornos und Whirlpools. Es ist also für alle was da.« »Und dann?«, will Maja wissen. Die ist dermaßen interessiert, dass man denken könnte, sie will zu dem Thema promovieren. Petra ist auskunftsfreudig: »Du machst, wozu du Lust hast. Beim ersten Mal habe ich nur geguckt. Auch das geht. Es gibt keinen Zwang. Das ist ja das Coole. Beim zweiten Mal war ein

Wahnsinnstyp da, ein Schwanz, ich sage euch, vom Feinsten.« Jetzt wird auch Hiltrud richtig neugierig: »Und dieser Typ und du, ihr habt dann?«, fragt sie nach. »Klar, gefickt haben wir. Und wie. Es war gigantisch«, schwärmt Petra, als wäre es gestern gewesen. »Und Ludger, ich meine, war dem das nicht unangenehm?«, will ich wissen. »Der Ludger hat das gar nicht mitbekommen, der steckte in anderen Sachen. In Ritta. Das ist die Betreiberin vom Rudelhäuschen. So eine große Blonde mit irren Titten. Der Ludger und die Ritta, die gehören zu den Standardkombinationen im Club.« »Bist du da nicht eifersüchtig?«, bohrt Maja. »Anfangs schon, ich meine, das war ja Ludgers Idee mit dem Club, aber jetzt genießen wir es beide. Ist doch eine offene Sache. Man weiß, was der andere tut, und geht ja dann wieder gemeinsam heim. Und die Erinnerung bereichert auch unser eigenes Spiel«, erklärt Petra.

Ich bin hin und her gerissen. Zwischen Bewunderung für Petras Offenheit und Ekel. Der Gedanke, mit wildfremden Kerlen auf Matratzen öffentlichen Sex zu haben, klingt nur abstoßend. Oder bin ich eine moralinsaure Spießerin? Eine prüde Ziege? Ich will Christoph beim Sex zwar sehen, aber nur beim Sex mit mir. Da bin ich wertkonservativ. Mein Liebster ist nicht für alle da. Auch wenn ich sonst nicht zum Geiz neige, in diesem Spezialfall durchaus. Die Monogamie bietet eben auch gewisse Vorteile. Sie ist so übersichtlich und hat was Beruhigendes. Was Verlässliches. Ich habe genug Verwirrungen in meinem Leben. »Wenn man einmal angefangen hat, kann man es kaum mehr lassen, und es ist doch besser, ich weiß, was Ludger tut, als wenn er mich auf seinen Geschäftsreisen mit irgendwem betrügt«, argumentiert Petra. Das klingt nicht mehr ganz so euphorisch. »Machst du es also für ihn?«, kapiere ich die Zusammenhänge. Sie schüttelt den Kopf: »Am Anfang sicher, aber jetzt weiß ich die Abwechslung durchaus zu schätzen. Man will doch auch nicht jeden Mittag Spaghetti.« Es ist still im Raum. Alle überlegen. »Wenn einer Bock hat, wir nehmen euch gerne mal mit«, bietet Petra an. »Man kommt mit Beziehungen besser rein, die nehmen ja nicht jeden«, gibt sie glatt noch ein bisschen an. Als ginge es darum, in die Metro zu kommen, und Petra wäre als Einzige im Besitz der Metrocard. Ich lehne dankend ab. Auch die meisten anderen schütteln den Kopf. Jeanette sieht interessiert aus. »Kann ich auch ohne Typ mit?«, fragt sie aufgeschlossen. »Wenn du mit uns gehst, bestimmt«, freut sich Petra. Mit: »Tut mir einen Gefallen und erzählt es nicht im Viertel rum«, beendet sie den kleinen Ausflug in die Welt des ›Rudelhäuschens‹. Und mit einem weiteren Glas Sekt beschließen wir den Abend. Ich hätte nie gedacht, dass mir eine Dessousparty dermaßen neue Einblicke bieten würde. Die Welt ist voller Überraschungen. Petra und Ludger im Swingerclub.

Christoph gefällt mein neuer BH. »Du kannst das echt tragen, da ist wenigstens was da, was der BH pushen kann«, schmeichelt er mir. Seit ich Mutter bin, habe ich wirklich einen um einiges größeren Busen. Leider unterliegt auch der den Gesetzen der miesen Schwerkraft: Vor der Schwangerschaft konnte ich einen klitzekleinen Kuli drunterklemmen, jetzt würde wahrscheinlich ein ganzes Federmäppchen Halt finden. Diese Klemmversuche sind Tests für Hängebusen. Aber eigentlich sind sie gemeine Propagandamittel von plastischen Chirurgen. Es gibt nämlich keine

Frauen jenseits der fünfundzwanzig, die diesen Test bestehen.

Hängebusen hin oder her, der Abend hatte eine gewisse anregende Wirkung. Claudia schläft nach dem missglückten Laternenumzug tief und fest, und Christoph beweist wieder einmal, dass ich noch keine Swingerclubbesuche brauche. Wenn Spaghettis so lecker sind, esse ich sie gerne auch weiter täglich.

Beim gemütlichen Kuscheln danach erzähle ich ihm von Petra und Ludger. Christoph reagiert so, wie ich es mir erhofft habe. Angewidert. »Haben die etwa ungeschützten Sex mit Herrn und Frau Jedermann?«, stellt er die entscheidende Frage, die wir alle vergessen hatten. Ihn interessieren vor allem die hygienischen, gesundheitlichen Aspekte. Ob es Duschen gibt und einen gewissen Sauberkeitsstandard.

»Ja und«, will ich wissen, »hättest du Lust auf so was?« »Kommt drauf an«, sagt der doch glatt. Ich hatte ein festes, klares »Nein« erwartet. »Worauf kommt es denn an?«, fordere ich eine etwas genauere Antwort ein. Er eiert ein wenig rum. Am Ende kommt ein: »Na ja, natürlich auf die Frauen«, als Quintessenz heraus. »Petra und Co. – Claudia Schiffer und Jennifer Lopez werden nicht da sein«, muss ich ihn enttäuschen. »Ach nee«, sagt er und lacht: »Schatz, ich würde nie in einen Swingerclub gehen, der Gedanke, ein fremder Kerl knuspert an dir herum, da wird mir ganz anders.« Wer sagt es denn: Das war in etwa das, was ich hören wollte. Entspannt rolle ich mich auf die Seite und bin wie immer ruck, zuck eingeschlafen.

Um 20.15 Uhr beginnt die Sendung. Nach der Tagesschau. Klassische Showtime.

Kurz vorher spuckt jeder jedem über die linke Schulter, und man wünscht sich toi, toi, toi. Ich will jedes Mal danke sagen, habe aber schnell gelernt, dass man das keinesfalls tun darf. Bringt angeblich Unglück. Will steht hinter der Bühne. Noch immer hat er die Gucci-Brille auf. »Willst du die auflassen?«, frage ich ihn unschuldig. »Nee, natürlich nicht, aber mal ganz unter uns, Andrea, ich hatte gar keine Bindehautentzündung«, flüstert er mir zu. »Nee?«, tue ich unwissend. »Nee«, sagt er. »Ich sage es aber nur dir, man sieht es auch kaum noch«, leitet er seine große Beichte ein. »Ich weiß doch Bescheid, Will«, komme ich ihm entgegen. »Die Schlupflider«, gebe ich ihm das Stichwort. »Ja sag mal, spinnst du jetzt auch komplett?«, mault er los. »Wieso denn Schlupflider, ich hatte ein Gerstenkorn. So was Unappetitliches hast du noch nie gesehen. Mit richtig Eiter am Auge. Du weißt, ich hasse derartige Dinge«, redet er weiter. Immer noch empört über meine Schlupflidäußerung. »Ein Gerstenkorn, und deshalb machst du einen dermaßenen Aufstand?« Ich bin enttäuscht. Er hebt die Brille von der Nase. Man sieht nichts. »Da in der Ecke vom Lid. Das musste sogar aufgeschnitten werden. Ohne Narkose.« Er tut gerade so, als hätte man ihm bei vollem Bewusstsein das Bein amputiert. »Noch zwei Minuten«, schallt Lutz Hasters Stimme durchs Studio. »Alles auf Anfang.« Die Maske pudert noch einmal Wills Gesicht, und schon erklingt die Titelmelodie der Show. »Viel Glück«, hauche ich Will zu, und beim letzten Ton gebe ich ihm das Zeichen zum Auftritt.

Der Anfang läuft gut. Das Publikum ist begeistert von der Mock. Noch ist unser aller Stolz, die Europakarte, abgedeckt, Will und Anett stehen auf Glitzerfolie und plaudern über aktuelle Ereignisse. Die Kanzlerwahl, Anetts Sendung »Sonnenschein mit Mock allein«, und dann versucht Will, etwas über Anetts Privatleben aus ihr herauszulocken. Sie bremst ab. Gibt sich verhalten. »Ich will nur so viel verraten, manchmal lernt man die tollsten und aufregendsten Männer ganz per Zufall kennen. Um es genauer zu sagen, heute war so ein Tag«, wirft sie den Zuschauern einen Happen Privates hin. Heute war so ein Tag? Die war doch unterwegs. Hat sie im Flieger was aufgegabelt? Einen grau melierten Typ mit dunkelblauem Zweireiher in der Business Class? O Gott, Andrea, dämmert es mir, die meint keinen aus dem Flieger, die meint den Oskar. Sandras kleinen Praktikanten mit dem Sixpack-Bauch. Ob mein Verdacht stimmt, werde ich schon noch rauskriegen. Ich weiß auch schon wie. Oskars schwer geheime Autogrammkarte. Wenn da was Schlüpfriges draufsteht, habe ich ihn, und wenn er sie mir nicht freiwillig zeigen will, dann muss ich auf seine Erlaubnis ausnahmsweise verzichten. Ich habe immerhin gefragt. Dass er nein gesagt hat, kann ich ausblenden. Manchmal sagen auch Männer nein und meinen eigentlich ja. Oskar sitzt während der Sendung im Publikum. Als Mitklatschvieh. Außerdem liefert er einen guten Zwischenschnitt. Schöne Zuschauer werden häufiger eingeblendet als hässliche, das ist kein Geheimnis. Ich lasse meinen Blick über die Reihen schweifen. Da sitzt er auch schon. Reihe drei Mitte. Freudestrahlend stiert er auf die Bühne. Es fehlt nicht viel und er würde der Mock Kusshändchen zuwerfen. Oskar sieht gar nicht aus wie Oskar, ohne seine schwere schwarze Lederjacke, die er sonst immerzu trägt und in die er vorhin verlegen das Autogrammkärtchen gestopft hat. Jetzt heißt es nur noch die Jacke finden, und ich habe Gewissheit.

Manchmal sind die Dinge einfacher, als man denkt. Während der Sendung habe ich nicht viel zu tun. Ich bediene das Zuschauertelefon. Fürs Gewinnspiel. Da das Gewinnspiel erst in der zweiten Hälfte der Sendung eingeplant ist, habe ich locker noch zwanzig Minuten Zeit. Ich schleiche mich aus dem Studio. Mein erster Versuch ist die Maske. »Ist Oskars Jacke bei euch?«, frage ich so beiläufig wie möglich. »Wessen Jacke?«, muss Billie nachfragen. »Die Praktikantenjacke, von Oskar, dem süßen, gut gebauten Typen, der vorhin mit der Mock hier war«, erkläre ich Billie. »Nee«, ist die knappe Antwort. Dann will Billie in Ruhe mit mir über die Mock'schen Lippen sprechen. »Hast du gesehen, was die für eine Oberlippe hat, ein richtiger Wulst ist das, wie bei diesen afrikanischen Frauen, die sich da was reinarbeiten lassen. Die kann ja kaum mehr normal sprechen. Hast du gesehen, was die für ein Mündchen macht, wenn sie was sagen will? Wenn alle so Lippen hätten, kämen wir mit unserem monatlichen Lippenstiftkontingent niemals hin«, legt Billie mit dem Lästern los. Eigentlich ein hübsches Thema, aber die Miss Marple in mir hat Besseres zu tun. Ich brauche die Lederjacke. Auf dem Fernsehmonitor sehe ich Will im Publikum. Zuschauerkontakt kommt immer sehr gut an. Anett dürfte, wenn alles nach Plan läuft, und so sieht es aus, hinter der Bühne sein und sich umziehen. Lutz, der Regisseur, braucht die freie Bühne, um blitzschnell die Folie entfernen zu lassen. Gleich wird unser

Prunkstück die Bühne schmücken. Unser Mega-Europapuzzle. Auf das Puzzle bin ich richtig stolz. Ohne meine besonderen Beziehungen zur Requisite wäre das nie was geworden. Auch wenn es draußen an den Bildschirmen keiner weiß, für mein Ego ist es Balsam.

Ich finde die Jacke in Mocks Garderobe. Zum Glück hat sie nicht abgeschlossen. Selbst den Fernseher hat sie angelassen. Will und Anett hüpfen gerade auf Schweden herum. Die weißen Lackstiefel stehen der Mock phantastisch. Zum Playbackband singen sie »The winner takes it all«. Am liebsten würde ich mich in den Sessel schmeißen und in aller Ruhe die Sendung gucken. Aber ich habe eine Aufgabe. Denk an Sandra, ermahne ich mich. Trotzdem, so allein in der Garderobe wird es mir ein bisschen mulmig. Aber ich tue es für meine Freundin, und außerdem gibt's wirklich schwierigere kriminalistische Situationen. Da kenne ich mich aus. Jedenfalls theoretisch. Schließlich gucke ich Woche für Woche Tatort. Gerade als ich die erste Jackentasche durchwühle, steht die Tritsch in der Tür. Deshalb war nicht abgeschlossen. Deshalb läuft der Fernseher. Na klar, die Tritsch schaut die Sendung hier. Hat sie sogar vorher mal beiläufig erwähnt. »Nein danke, ich sitze nicht gern im Publikum, ich kann mich besser auf Anett konzentrieren, wenn ich allein schaue«, hat sie Will noch gesagt. Wenn ich Menschen besser zuhören würde, stünde ich jetzt nicht dermaßen im Fettnapf. Die Tritsch starrt mich an wie eine Schwerverbrecherin. »Suchen sie was Bestimmtes?«, fragt sie mich mit eiskalter Stimme und einem Blick, der »Wachdienst, bitte kommen« schreit. »Nee, also doch, ja natürlich«, stammle ich, »der Oskar braucht seine Jacke. Er hat mich gebeten, sie zu holen, und ich dachte, es macht Ihnen nichts, wenn ich Sie eben mal störe.« Sie mustert mich skeptisch. »So, der Oskar braucht seine Jacke. Haben Sie keine Heizung im Studio?«, weitet sie ihr Verhör aus. Sie merkt, dass ich lüge. Gleich wird die GSG 9 das Zimmer stürmen. »Ja, was stehen Sie dann so rum, nehmen Sie die Jacke, ich will in Ruhe weitergucken«, komplimentiert sie mich aus dem Zimmer. Jetzt muss ich sie mitnehmen. Ich schnappe die Lederjacke vom Haken, und mit einem »Also schönen Dank und viel Spaß noch« verabschiede ich mich schnellstmöglich. Die Zeit drängt. Nach Schweden kommt nur noch England und dann Italien, dann steht das Quiz auf dem Ablaufplan der Sendung. Was mache ich denn jetzt nur mit der Jacke? Ich flüchte zu Billie in die Maske. »Du schon wieder«, sagt sie nur. »Ich erkläre dir alles später«, würge ich jedes Gespräch schon vor Beginn ab. Wo ist die Karte? In der Innentasche. Als ich lese, was die Mock geschrieben hat, weiß ich, mein peinlicher Auftritt eben hat sich gelohnt. »Dem süßesten hessischen Knackpo von deiner Anett« steht da fein säuberlich mit silberfarbenem Lackstift geschrieben. Drunter ein Herz und ein Kussmund. Das ist keinesfalls die Normalausgabe einer Mock'schen Autogrammkarte. Die Jacke lasse ich in der Maske, das eindeutige Beweisstück stecke ich ein.

Jetzt schnell zurück zu meinem Telefon. Immerhin, ich bin rechtzeitig. Es blinkt zwar auf allen Leitungen, aber das Gewinnspiel hat noch nicht begonnen. Dass diese Vollidioten immer schon Minuten vorher anrufen. Aber so blöd, wie man denkt, sind die Zuschauer halt doch nicht. Da wir Woche für Woche eine ähnliche Nummer haben, probieren sie die unterschiedlichen Kombinationen halt aus. »Nur mit der Ruhe«, rede ich dem Telefon zu, »erst wenn Will seine Frage gestellt hat, darf ich drangehen.« Zwei Minuten später kommt die Stelle. Will stellt unsere Gewinnfrage der Woche: »Liebes Publikum daheim an den Bildschirmen, gewinnen Sie mit RMRT ein Beauty-Wochenende für zwei Personen im Odenwald mit der Beantwortung unserer heutigen Quizfrage: Wie heißt Anett Mock mit zweitem Vornamen, und wie heißt ihre beliebte Sendung? Rufen Sie uns jetzt an, wenn Sie die richtige Antwort kennen.« Sehr schwer ist die Frage nicht. Jemand, der unserer Sendung einigermaßen aufmerksam gefolgt ist, dürfte keine Probleme haben, richtig zu antworten. Mit zweitem Namen heißt die Mock Martha, nach ihrer Großmutter, und die Sendung heißt »Sonnenschein mit Mock allein«. Egal wie leicht unsere Fragen sind, es gibt jedes Mal jede Menge falscher Antworten, denn viele Zuschauer rufen wie Pawlow'sche Hunde einfach an, wenn sie eine Nummer eingeblendet sehen. Wenn man dann nach der Antwort fragt, kommt nur: »Ich wollte nur mal hören, wer da drangeht.«

Auch diesmal blinken alle Leitungen. Ich warte einen Moment. Damit alle die gleiche Chance haben. So eine alte Omi kann kaum so schnell wählen wie ein handygeübter Jugendlicher. Ich zähle bis zwanzig und hebe ab. »Sind Sie denn total bescheuert«, werde ich zur Begrüßung angeschrien. »Nein, und die richtige Antwort ist es auch nicht«, wehre ich mich so gut es geht. »Haben Sie denn die Antwort?«, frage ich den aufgebrachten Herrn. Er antwortet prompt: »Ich rufe nicht wegen Ihres dämlichen Quiz an,

Sie haben Estland vergessen, Ihre Karte ist falsch.« Jetzt langt es. Ich lege auf. Nur weil ich beim Fernsehen bin, bin ich ja nicht der Fußabtreter der Nation. Ich drücke die nächste Leitung. »Liselotte Meier hier, ich bin Erdkundelehrerin«, begrüßt mich eine Stimme. »Das ist aber sehr schön«, lobe ich die Anruferin und gebe direkt zu: »Leider war ich nie sehr gut in Erdkunde.« »Man merkt es: Ihre Karte ist nicht korrekt. Estland fehlt«, erteilt sie mir einen strengen Verweis.

Langsam beginne ich zu ahnen, dass da wirklich was nicht stimmt. »Wie meinen Sie das?«, frage ich höflich nach. »Kindchen, ist das denn so schwer zu verstehen, auf Ihrer Europakarte fehlt ein baltischer Staat. Sie haben Lettland und Litauen, aber Estland vergessen. Was will man von Kindern erwarten, wenn nicht mal die Fernsehleute wissen, dass es drei baltische Staaten gibt?« »Vielen Dank für den Hinweis, aber jetzt geht es um unser Quiz, haben Sie die Antwort?«, lenke ich sie ein bisschen ab. »Ihr Quiz, nein natürlich nicht. Was soll ich denn auf einem Beauty-Wochenende, da ist nun wirklich nichts mehr zu machen. Aber dass ein Sender wie der Ihre zu dumm ist, eine ordentliche Europakarte zu zeichnen, das entsetzt mich schon sehr.« Wenn es stimmt, entsetzt es mich auch sehr. Ich bedanke mich bei Frau Meier, beteure eben noch meine höchstpersönliche Unschuld und will auflegen. »Moment noch, Kindchen, das kommt davon, dass niemand Erdkunde in der Schule ernst nimmt. Hätten Sie mehr aufgepasst, wäre so etwas nicht passiert.« So sind sie, die Lehrer. Immer nochmal draufhauen, auch wenn das Opfer längst geständig ist und untertänig im Staub liegt. »Danke Frau Meier, in meinem nächsten Leben werde ich in Erdkunde sicherlich aufmerksamer sein«, beruhige ich unsere Zuschauerin. Zuschauer sind wertvolles Gut, da muss man einiges runterschlucken können. »Sie wissen sicher, dass Estland mit der Hauptstadt Tallinn 1918 entstand und 1940 durch ein Ultimatum als Teilrepublik in die Sowjetunion eingegliedert wurde und 1991 die Unabhängigkeit proklamierte. Der im nördlichen Baltikum gelegene Staat grenzt an den Finnischen Meerbusen, die Rigaer Bucht, die Narwa und den Peipussee.« Sie macht eine kurze Pause zum Luftholen. Meine Chance. »Das ist sehr interessant, Frau Meier, vielen Dank und tschüs.« Ich lege auf. Nicht, dass ich noch alles zum Thema Vegetation, Bevölkerungsstruktur und Wirtschaft des Landes anhören muss. Hinter mir taucht der Aufnahmeleiter auf. »Hast du einen Gewinner?«, ruft er mir zu. Ich schüttle den Kopf. »Wir brauchen aber einen, das weißt du doch«, nölt Dirk. »Klar weiß ich das, aber zaubern kann ich keinen. Außerdem haben wir Estland vergessen, und ich habe nur Anrufer, die mir das um die Ohren hauen«, antworte ich leicht gereizt. Erst Frau Meier und jetzt das. Der hat wohl eine Meise: »Sag Will, er muss sich was zu Estland einfallen lassen, irgendeine Erklärung oder Entschuldigung. Ich nehme noch mal zwei, drei Anrufe entgegen.« »Scheiße, so eine Scheiße«, mit diesen Worten rennt Dirk davon. Ich höre mir noch zweimal das Estland-Debakel an, lasse mich von fremden Menschen telefonisch demütigen, und beim dritten Anrufer habe ich Glück. »Martha und Sonnenschein mit Mock allein«, trällert eine junge Frau. »Ich habe eine«, melde ich dem Regisseur. »Wurde ja auch Zeit, stell sie durch, schnell«, raunzt er mich an.

Ich stelle Kira, so heißt die Anruferin aus dem Rodgau, rüber ins Studio. Will beglückwünscht sie ekstatisch. »Kira, phantastisch, du hast das fabelhafte Wochenende für die Schönheit gewonnen, das wird sicher ein Heidenspaß«, gratuliert er ihr. »Wie gefällt dir die Sendung und das atemberaubende Kleid unseres Gastes?«, plaudert er noch ein wenig weiter. Kira kichert. »Ja, die Sendung ist toll, aber das Kleid kann ich nicht sehen. Ich bin nämlich blind.« Will schaut für einen kurzen Moment richtig blöd. Da kann Kira direkt froh sein, dass sie das nicht sehen muss. Mit Überraschungen dieser Art kann Will schlecht umgehen. »Toll, dass du trotzdem unsere Sendung guckst, also ich meine, hörst«, versucht er, auf die Blind-Nachricht zu reagieren. Ich bin froh, dass unsere Telefonaktion damit beendet ist.

Jetzt muss Will aber dringend was zu Estland sagen. Das Problem ist nur, ihm das während der laufenden Sendung zu verklickern. Tim, der Redaktionsleiter, ist aus der Regie runter ins Studio gekommen, und gemeinsam schreiben wir ein großes Pappschild. Will benutzt keinen Teleprompter, sondern liest lieber von Pappschildern ab. Hektisch schreiben wir ein zusätzliches. Platz für lange Botschaften ist da nicht. Also kritzelt Tim: Bitte entschuldige dich – wir haben Estland auf der Karte vergessen!!! Aktionen dieser Art hasst Will. Abweichungen vom Sendeplan verunsichern ihn. Er schaut fragend. Die Mock versucht gerade, eine Antwort auf die Frage zu finden, wie die Frau des britischen Premiers heißt und wie viele Kinder die beiden haben. Sie steht total auf dem Schlauch. Will versucht zu helfen. »Es reimt sich auf Fair – also der Nachname«, wirft er ihr eine verbale Krücke hin. »Hair«, sagt sie freundlich. »Nicht ganz, aber fast«, feuert Will sie an. Während sie noch angestrengt nachdenkt, nutzt Will den Moment für unsere Estlandkrise. »Übrigens, liebe Zuschauer, Sie haben sich sicherlich gewundert, dass Estland auf unserer Karte fehlt. Wir haben das natürlich gewusst, es war ein reines Platzproblem und wir mussten das eine oder andere Land einfach weglassen. Seien Sie uns deshalb bitte nicht böse.« Der hat ja wohl einen Kompletthau. Statt zu sagen »Wir haben es leider vergessen«, tut der auch noch so, als wäre es Absicht. Wäre ich Estin – oder sagt man Estländerin? –, ich wäre zu Tode beleidigt. Warum nicht Österreich oder Portugal oder die Ukraine, würde ich denken. Wie kommen die dazu, ausgerechnet mein Land wegzulassen? Ich überlege, ob ich eventuell schuld bin. Wie konnte das überhaupt passieren? Sind die von der Requisite zu doof, eine Europakarte zu kopieren? Natürlich könnte man auch sagen, sind die von der Redaktion zu doof zu merken, dass ein Staat fehlt.

Will legt nochmal nach. »Wir wollten testen, wie aufmerksam unsere Zuschauer, also Sie da draußen an den Fernsehgeräten, sind, und ich muss sagen, wir sind stolz auf Sie. Viele haben unseren kleinen eingebauten Fehler bemerkt. Wir können also mit Fug und Recht behaupten, wir haben aufmerksame Zuschauer.« Mittlerweile hat die Mock auch das Lösungswort: »Blair«, ruft sie stolz, und die Zuschauer applaudieren, als hätte sie wer weiß was geleistet. Jetzt muss sie in Pisa noch eine Aufgabe der Pisa-Studie lösen. Eine Textverständnisaufgabe. Sie schafft es. Ist vielleicht doch nicht so doof, wie Giselle behauptet hat. Andererseits sind es Aufgaben, die ansonsten Kinder schaffen müssen. Das relativiert den Erfolg natürlich gleich wieder. Zum Schluss der Sendung singen Will und die Mock zusammen, und Will überreicht den Wahnsinnsblumenstrauß. Die Mock bedankt sich artig, und die Sendung ist aus.

Das Schönste an unserer Sendung findet nach der Sendung statt. Die After-Show-Party, wie Will unsere kleine Zusammenkunft nennt. Jeder, der bei der Sendung dabei war, bis auf die Zuschauer, darf mitfeiern. Vorher gibt Will noch ein paar Autogramme. »Was muss, das muss«, seufzt er jedes Mal. Heute wird er nicht arg belästigt. Die meisten wollen ein Autogramm von der Mock. Als ich die beiden eifrig schreiben sehe, fällt mir das Oskar-Spezial-Autogramm ein. Und die Jacke. Wie schaffe ich es, die Jacke unauffällig wieder in die Garderobe zu hängen? Wenn ich überhaupt eine Chance habe, dann jetzt. Selbst die Tritsch hat sich nämlich mal aus der Garderobe rausbequemt, um ihren Schützling Anett zu loben. »Du warst wie immer irre gut«, schleimt sie sich eine Runde ein. Wenn ich zehn Prozent von Mocks Honorar bekommen würde, nur für die Telefonverhandlungen und Fernsehgucken in der Garderobe, würde ich das glatt auch tun. Ich renne zur Maske, schnappe mir Oskars Jacke und schleiche mich in die Mock-Garderobe. Diesmal habe ich Glück. Keiner da. Ich hänge die Jacke genau da wieder hin, wo sie gehangen hat. Jetzt nichts wie wieder weg. Nochmal möchte ich nicht von Kerstin Tritsch gestellt werden.

Ganz locker schlendere ich zum Partyraum. Will wünscht sich seit Jahren Büfett für die Feier, es gibt aber nichtsdestotrotz seit Jahren nur Brezeln und Bier. »Wir sind kein reicher Sender, und keiner unserer Mitarbeiter leidet Hunger, ein paar Brezeln werden wohl genügen«, lässt der Produktionsleiter Will Woche für Woche abfahren. Im Prinzip hat er natürlich Recht. Aber eine schöne Geste wäre es schon. Es muss ja nicht Sushi sein. Aber so ein kleines Frankfurter Büfett mit Würstchen, Kraut und Bratkartoffeln oder Grüner Sauce wäre schon schön, da kann ich Will ausnahmsweise verstehen.

Als ich zu den anderen stoße, sehe ich ihn schon. Unseren Programmdirektor. Gut gelaunt sieht er nicht aus. Tim auch nicht. Die beiden reden aufeinander ein. Genauer gesagt, redet eigentlich nur Herr Haken, der Programmdirektor. Ich nähere mich unauffällig und lausche. »Das ist nicht etwa nur peinlich, wie Sie finden«, staucht er Tim zusammen, »das ist desaströs. Ein Land zu vergessen. Das wird ein Nachspiel haben. Ich möchte den Verantwortlichen dafür am Montagmorgen in meinem Büro sehen. So viel ist klar.« Da tun sich ja feine Aussichten auf. Hoffentlich trifft es nicht mich. Ich meine, ich war die, die in der Requisite den ersten Blick auf die Karte geworfen hat. Das würde mir an meinem verhassten Montag noch fehlen. Zuschauer-E-Mails und dazu ein Termin beim Sendergott Haken. Wird Tim so feige sein und mich nennen? Eigentlich ist meiner Meinung nach niemand allein schuld. Die Requisite hat das Land vergessen, aber hat nicht ganz Europa auch Estland vergessen? Und außerdem ist es ja von uns niemandem aufgefallen. Dem Regisseur nicht, der Redaktion nicht und auch der Studiomannschaft nicht. Der Mock natürlich sowieso nicht.

Ich stelle mich zu den Kameraleuten. Hauptsache, aus

der Schusslinie von Haken und Tim. Die trinken in Ruhe ihr Bierchen und amüsieren sich über die Estlandmisere. Sven, einer der Kameraleute behauptet, er hätte es gleich bemerkt. »Ich habe nichts gesagt, weil ich keinen verunsichern wollte, aber ein Blick hat mir genügt, und ich wusste Bescheid.« Was ein für Angeber. Sven ist ein Mann, der, vor allem im Nachhinein, alles besser weiß. Ganz ein schlaues Kerlchen. Lutz Haster, der Regisseur, ist zufrieden. »Was soll's, das mit Estland ist peinlich, aber wenn es nach mir gegangen wäre, hätten wir es einfach nicht erwähnt. Hat doch kaum einer gemerkt. Und sonst war die Sendung spitze. Und wie lecker die Mock aussah. In der nahen Einstellung, diese Wahnsinnslippen. Also das ist echt eine scharfe Person.« Da hat doch einer schon wieder die Baggerschaufel parat. Meine Güte, der hat seine Hormone aber wirklich kein bisschen im Griff. Das Objekt der Begierde, die Mock, steht mit ihrer Agentin und ihrem Knackpo-Oskar zusammen an einem Stehtisch. Auch sie hat das mit Estland angeblich sofort gesehen. Ausgerechnet die. Wenn das so weitergeht, wusste es jeder, bis auf mich.

Jetzt hat Will seinen Auftritt. Selbst bei der After-Show-Party braucht der einen Auftritt. Und ich brauche Sandra. Die Gerstenkorn- und Autogrammkarten-News schreien nach einer Zuhörerin. Hoffentlich trägt sie die Oskar-Liaison mit Fassung. Sandra hat kein glückliches Händchen mit Männern. Sie hat einen immensen Verschleiß und gerät ständig an Typen, die sie entweder ausnutzen oder schnöde sitzen lassen. Sandras Glück ist ihr psychologischer Hintergrund. Da kann sie sich die Schweine immer noch schönreden.

In zwei Minuten habe ich ihr die Sachlage geschildert. Sie ist keineswegs so entsetzt, wie ich gedacht habe. »Der Oskar hat doch auch einen süßen Knackpo, das sieht man doch schon durch die Hose. Dass die Mock von ihm begeistert ist, kann ich nur zu gut verstehen. Und außerdem, Andrea, der Oskar ist nicht so einer. Da täuschst du dich total.« Da setze ich alles aufs Spiel, mache die peinlichsten Beinah-Einbrüche in fremde Garderoben, und Sandra findet mich höchstens misstrauisch. Ein kleines Danke für die Aufklärung der Lage hätte ich schon verdient. Bitte, mehr als sie informieren kann ich auch nicht.

Die Gerstenkorngeschichte findet sie um einiges spannender. »Das ist ja der Hammer. Wie kann man so bescheuert sein und sich für ein Gerstenkorn schämen. Das lässt ja tief blicken«, kommentiert sie die Lage. Ihre Verdrängungsarbeit lässt auch tief blicken. Aber das behalte ich lieber für mich.

Als Haken die Party verlässt, haben wir alle noch viel Spaß. Ein Programmdirektor ist halt doch eine Spaßbremse. Vor allem unserer. Die Mock und die Tritsch schlucken gut was weg. »Die paar Kalorien, die ich zu mir nehme, trinke ich lieber«, kichert die Mock. Die kann ordentlich einen vertragen. Gegen 0.20 Uhr bestelle ich den Damen ein Taxi. Oskar sieht nicht so aus, als könne er noch fahren. Er will aber. »Lass mal, Andrea, ich erledige das. Ist doch meine Aufgabe. Und die erfülle ich nicht schlecht, gell Anett?«, sucht er Unterstützung bei Frau Mock und glotzt ihr dabei ohne Hemmungen auf die Brüste. »Ich will mit Oskar fahren«, sagt sie dann auch, »wir hatten schon auf der Herfahrt so viel Spaß.« Ich gucke Sandra an. Die zuckt mit den

Schultern. »Also ich bin definitiv dagegen«, sage ich nur. Oskar wendet sich an Tim. »Lass sie doch, wenn es den dreien Freude macht, bitte sehr, wir sparen uns das Taxi. Oskar, fahr schön vorsichtig«, mit diesen Worten ist die Diskussion beendet. Bevor Oskar ins Auto steigt, zieht ihn Sandra zur Seite. Ich kann hören, was sie ihm ins Ohr säuselt: »Sehen wir uns noch bei mir, so in einer halben Stunde?« Oskar schüttelt den Kopf. »Ich glaube nicht, mir geht es nicht so, ich sollte mich dann mal ausruhen, ich rufe dich die Tage mal an.« Das ist kein schlechtes Zeichen, das ist das Ende. »Ich rufe dich die Tage mal an« heißt so viel wie »Ich glaube nicht, dass wir uns wiedersehen«. Aber Sandra hat Stil. Statt ihm die Augen auszukratzen oder wahlweise richtig in die Weichteile zu treten, sagt sie nur: »Wie du magst. Jeder wie er kann und mag.« Hoffentlich hat sie ihr Foto von Oskar schon gemacht. Sandra macht von all ihren Lovern Fotos. Sie hat ein kleines Album von allen, mit denen sie je was hatte. Auf den Fotos sind die Kerle in möglichst eindeutigen Posen. Ich hatte die große Ehre und durfte schon mal blättern. Pro Seite je ein Typ. Drunter schreibt Sandra eine Bewertung. »Damit ich mich aus Versehen nicht wieder mit irgendeinem einlasse, den ich schon mal hatte und der es nicht draufhat.« Die Männer würden sich sofort aus dem ersten Stock stürzen, wenn sie das Album sehen könnten. Und erst die Bilder. Wie Sandra das geschafft hat, ist mir ein Rätsel. Georg, einer ihrer ersten Liebhaber, auf Seite drei, sitzt nackt im Bett und hat eine Möhre im Mund. Petersiliensträußchen in den Ohren. Beeindruckt hat mich auch Freddy, der mit Seidentüchern an die Bettpfosten gefesselt ist. Nackt bis auf eine Augenbinde. »Den habe ich, während ich arbeiten war, so liegen lassen, was glaubst du, was der abends abgegangen ist, als ich nach Hause kam«, kichert sie noch heute. Leider hat Freddy eine schlechte Bewertung, was seine Untenrumausstattung angeht. Alle Männer haben Noten in Sachen Ausstattung, Ausdauer und Aussehen. Zusätzliche Punkte können sie sich durch Spezialkenntnisse erarbeiten. »Hast du Oskar fürs Album schon?«, lässt mir meine Neugier keine Ruhe. »Ja«, sagt sie, »ein ganz süßes Foto. Aus der Redaktion.« Das klingt ja für Sandras Verhältnisse extrem spießig. »Am Schreibtisch?«, frage ich nochmal nach. »Nee, auf dem Kopierer. Ich habe ihn überredet, seinen süßen Po zu kopieren. Den habe ich auch eingeklebt. Ins Album. Ich mache die Fotos immer am Anfang. Man weiß ja nie, wie lange was hält.« Sie beginnt zu weinen. »Er hat eine so gute Punktzahl, was die Ausstattung angeht.«

Gut zehn Minuten später sitzen wir gemeinsam bei Billie in der Maske, und Sandra wird von schubartigen Heulkrämpfen geschüttelt. »Da wäre es mir ja lieber, er hätte was mit Will«, schluchzt sie, »oder mit Giselle. Die Mock ist eine miese Kröte. Mir einfach so meinen Oskar wegzuschnappen.« Ich warte eine Schniefpause ab, um dann sanft zu widersprechen: »Hör mal, Sandra, ich steh ja nun echt nicht auf die Mock, aber in dem Fall kann sie ja nichts dafür. Sie hat nur den gleichen Geschmack wie du. Die wusste doch nicht, dass du mit dem Oskar zusammen bist. Wenn einer eine miese Kröte ist, dann dein kleiner Knackpo.« Billie stimmt mir zu, jedenfalls im Ansatz: »Ach, Sandra, ich kenne das. Da sind die Typen wie hypnotisiert, wenn so eine Promi-Schlampe auftaucht. Wie soll unsereins dagegen anstinken? Diese Weiber kennen kein Pardon und locken mit den irrsten Sachen.« »Woher willst du das denn wissen?«, frage ich Billie. »Na ja, mit Lutz war das doch auch so. Der hätte mich nie verlassen, wenn diese Schauspieltussi ihn nicht so an seine Mutter erinnert hätte. Die hatte auch so aufgespritzte Lippen. Ich lass mir das jetzt auch machen. Scheint ja ein richtiggehendes Lockmittel zu sein.« Ich knabbere versonnen an meiner zugegebenermaßen recht schmalen Oberlippe. »Wenn der Montag in der Redaktion auftaucht, ignorierst du ihn, bist ganz die coole Sandra, die alles im Griff hat. Und ich bitte Christoph, den ganzen Morgen für dich anzurufen. Und wir schicken dir über Fleurop zwanzig rote langstielige Rosen. Da wollen wir doch mal sehen, ob der Knackpo keine Eifersuchtsanfälle bekommt.« Billie findet die Idee raffiniert. »Du hast echt tolle Ideen, Andrea«, lobt sie meinen Einsatz. Sandra ist aber erst mal dagegen. »So billige Tricks, in der Liebe, ich mein, da sollte doch Ehrlichkeit das erste Prinzip sein.« »Willst du ihn haben – ja oder nein?«, frage ich sie nur. »Ja«, sagt sie, »das schon.« »Na also«, antworte ich, »dann ran. Man muss mit allen Mitteln arbeiten. In ein paar Monaten fragt doch keine Socke mehr nach deinem Köder. Oder mit welchen Tricks du ihn wie geleimt hast. Das ist wie mit dem Abizeugnis. Man müht sich ab, um ja noch unter 3,0 zu liegen, und im späteren Leben interessiert der Notendurchschnitt niemanden mehr. Ehrlichkeit ist eine wunderbare Tugend, die jeder vom potenziellen Partner erwartet, die aber im täglichen Leben viel weniger Freude bereitet, als weithin angenommen«, beende ich meinen kleinen Vortrag. »Okay, du hast gewonnen«, lenkt sie ein, »Wir probieren dein Programm. Meins scheint ja nicht so erfolgreich zu sein.« Wir trinken auf den Schrecken noch ein Fläschchen Sekt, und dann geht's heim.

Christoph schnarcht wie meistens munter vor sich hin.

Das Schnarchen ist etwas, was mich noch zum Wahnsinn treiben wird. Oder zu getrennten Schlafzimmern. Aber da sträube ich mich noch. Heike, meine Münchener Freundin, findet das Quatsch: »Getrennte Schlafzimmer sind ein Quell der Lust«, ist ihre These, »man wird wieder viel begehrenswerter für den Partner«, behauptet sie doch glatt. Für mich kommt das Modell ›getrennt schlafen‹ aus mehreren Gründen trotzdem nicht infrage. Ich liebe es, meine kalten Füße an seinen besockten Füßen zu wärmen, in Löffelchenstellung eng aneinander gekuschelt einzuschlafen und abends noch jemanden zum Schwätzen zu haben. Außerdem ist es bequemer, bei akuten Lustschüben direkt neben sich zu greifen und nicht erst eine kleine Nachtwanderung unternehmen zu müssen. »Dann kaufe ihm ein Schnarchpflaster«, hat sie vorgeschlagen. Eine gute Idee. Hat mir gefallen. Christoph hingegen weigert sich beharrlich, mit einem Pflaster quer über der Nase zu schlafen. »Ich mach mich ja lächerlich«, war sein wenig überzeugendes Argument. So leicht gebe ich nicht auf: »Ich verlange ja nicht, dass du damit in die Kanzlei spazierst, aber nachts neben mir stört so ein kleines Pflästerchen doch niemanden«, habe ich insistiert. »Doch. Mich«, war seine Antwort. Er kann schon ganz schön bockig sein, mein Kerl. »Wenn er es nicht freiwillig nimmt, dann klebe ich es ihm eben drauf, wenn er schläft«, war die logische Schlussfolgerung. Manchmal muss man Männer ein ganz klein bisschen zwingen. Gesagt – getan. Eines Nachts – als der Geräuschpegel besonders hoch ist – nehme ich das Pflaster aus meinem Nachttisch, entferne die Folie und beuge mich über die lebende Geräuschkulisse. In dem Moment, als ich ihm das Pflaster vorsichtig auf die Nase klebe, schreckt er hoch und haut nicht nur seinen Schädel gegen meinen, zusätzlich knallt er mir eine Hand ins Gesicht. Es knackt, und meine Nase ist hin. Gebrochen. Sein Schädel hat gewonnen. Ich merke es sofort. »Wie konntest du nur?«, schreie ich unter Tränen. »Ich habe gedacht, es sind Einbrecher im Zimmer«, redet er sich raus. »Ich wollte uns retten, das ist wohl mehr als legitim«, verteidigt er sein martialisches Verhalten. Meine Nase blutet. Er holt mir einen nassen Waschlappen. Im Badezimmerspiegel sieht er das schiefe Pflaster auf seiner Nase. Zornig reißt er es ab. »Ich habe es dir gesagt, ich brauche so etwas nicht. Ich hatte doch glatt gedacht, du wärst auf mich draufgekrabbelt, um ein bisschen zu knutschen und jetzt das. Da bist du schön selbst schuld an deiner Nase.« Die hört vor Schreck fast augenblicklich auf zu bluten. Mein Liebster schlägt mich, und ich bin dran schuld. Das läuft hier ja wirklich umwerfend gut.

Wäre ich Christoph, hätte ich den Notarztwagen gerufen. Mindestens. Aber ich bin eine Frau, und deshalb begnüge ich mich mit nassen Waschlappen und leide lautstark vor mich hin. »Wenn mit der Nase was Schlimmes ist, dann lasse ich mir die vom besten plastischen Chirurgen überhaupt richten«, teile ich meinem längst wieder leicht schnarchenden Bettnachbarn mit. »Da kannst du gleich mal anfangen zu sparen, billig wird das nicht«, rede ich auf ihn ein, »ich lasse mir so ein niedliches Ami-Näschen machen.« Er grummelt, dreht sich zu mir rum und sagt nur: »Vielleicht ist sie jetzt schöner denn je, ein leichter Schlag kann manchmal sehr nützlich sein«. Noch ein Satz, und seine Nase leistet meiner Gesellschaft. Meine Nase ist nun wirklich nicht übel. Sie ist nicht klein, aber wohlgeformt und, wie mein Vater sagt: ausdrucksstark. Genau wie seine Nase übrigens. Nach einer weiteren halben Stunde, die ich auf Christoph zum Thema »nächtliche Aggressionsschübe« einrede, lässt er sich tatsächlich zu einer Entschuldigung herab.

Die Nase war gebrochen. Aber Nasengips ist nicht üblich. »Das wächst von selbst zusammen, Sie sollten nur auf weitere Schlägereien verzichten«, war schon alles, was mein Hausarzt amüsiert zu dem Thema gesagt hat. Eins weiß ich seitdem: Unser Schlafzimmer gehört zu den gefährlichsten Aufenthaltsorten, die ich kenne.

Ich wecke Christoph, um noch ein wenig über die Sendung zu plaudern. »Wie war's?«, frage ich. »Besser als letzte Woche?«

»Keine Ahnung«, sagt er nur. Er hat die Sendung nicht gesehen. Es gab einen Arnold-Schwarzenegger-Film auf RTL, und da hat er doch angeblich vergessen umzuschalten. Außerdem hat Claudia gezickt. Wollte nicht schlafen. »Hast du etwa mit ihr zusammen Arnold geguckt?«, empöre ich mich. »Ja und«, reagiert er gelassen, »bei dem, was die im Zoo gesehen hat, war das direkt Erholung.« Ich bin geschockt. »Wieso denn das?«, frage ich. »Erst mal haben die Paviane nichts anderes gemacht als gerammelt. Ständig hing irgendeiner auf irgendeiner. Man hat eigentlich nur wippende rote Hintern gesehen. Dann waren wir bei der Schlangenfütterung. Die Boa hat Mäuse gefressen, als wäre es die letzte Mahlzeit, die sie je bekommt«, ist seine Antwort. »Nach so viel Realität schadet der ein kleiner Arnold-Film sicher nicht«, beschließt er seine Argumentationskette.

»Ficken und Essen sind halt doch die elementarsten Dinge im Leben«, zieht er ein Resümee. Eine tolle Erkenntnis für den frühen Sonntagmorgen. »Schlafen gehört auch noch dazu«, grunze ich, und genau das tue ich dann auch.

Sonntag, 7.05 Uhr

Leider hat Claudia keinen Umschaltknopf von wochentags auf Wochenende. Seit 6.45 Uhr zerrt sie an uns rum und versucht, uns zum Aufstehen zu bewegen. Wir arbeiten mit allen Tricks. Leider ist keiner von uns beiden ein erklärter Frühaufsteher. Im nächsten Leben suche ich mir einen Mann, der sich nichts Schöneres vorstellen kann, als ab sechs Uhr sein Kind zu bespielen. Auf so elementare Merkmale achtet man bei der Wahl des potenziellen Vaters leider nicht. Meiner ist genauso faul wie ich. Mindestens. »Darf ich fernsehen«, bettelt Claudia im Dreiminutentakt. »Nein«, bleibe ich hart. Unkontrolliertes Fernsehen ohne elterliche Aufsicht wird in unserem Haushalt nicht gern gesehen. Nach dem Arnold-Schwarzenegger-Abend sollte der Fernsehbedarf meiner Tochter auch erst mal gedeckt sein. »Geh in dein Zimmer und spiel was Schönes!«, schlägt ihr Christoph als Alternative vor. »Was denn?«, fragt ausgerechnet das Kind, das vor lauter Spielzeug bald seinen Teppichboden nicht mehr sehen kann. »Spiel Puppe«, gebe ich Hilfestellung. Sie beißt an und verschwindet in ihrem Zimmer. Puppe spielen ist zurzeit sehr angesagt. Etwa fünf Minuten lang. »Kannst du der Tina die Jacke ausziehen?«, ist die nächste Unterbrechung. Ich kann. Jetzt soll Christoph aus dem Keller den Puppenwagen hochholen. Er kann zwar, aber er will nicht. Sie ist hartnäckig. »Wozu brauchst du denn jetzt den Wagen?«, versuche ich so was wie elterliches Feingefühl zu zeigen. »Ich und Tina gehen in den Zoo«, sagt unsere Tochter. »Dann trag sie doch, die Tina will getragen werden«, brummt Christoph längst wieder im Halbschlaf. Clever. »Na gut«, willigt unsere verständige Tochter ein. Zehn herrliche Minuten lang ist Ruhe. Absolute Ruhe ist bei Kindern fast verdächtiger als alles andere. »Was macht die bloß?«, frage ich Christoph. »Egal«, findet er. Ich werde unruhig. Inzwischen klappern diverse Türen. Na ja, so ein Zoo ist groß und wenn man die verschiedenen Gehege abläuft …

Nach weiteren zehn Minuten rufe ich: »Claudia, Schatz was machst du denn?« »Ich und Tina sind im Zoo. Die Krokodile kriegen Essen.« Na denn. »Viel Spaß«, entspanne ich mich. Es ist doch wirklich phantastisch, ein dermaßen kreatives, phantasievolles Kind zu haben. »Die kann für ihr Alter doch echt toll alleine spielen«, bemerke ich. Neben mir keine Reaktion. Christoph ist komplett ins Hasenland abgetaucht. Dann ein Schrei. »Was ist denn?«, rufe ich. »Die Tiere wollen Tina fressen, ihr müsst sie retten«, kreischt unsere Tochter. Jetzt bin ich endgültig wach. Puppenrettung, welch eine schöne Beschäftigung für den Sonntagvormittag. Bis Christoph zur Besinnung kommt, ist die Puppe längst verdaut. »Mama kommt«, eile ich meiner Tochter heldinnenhaft zur Hilfe. Das Kinderzimmer ist leer. »Ich bin hier«, schallt es aus dem Badezimmer. Nicht nur sie ist im Bad. Auch noch alles, was sie an Stofftieren hat. Die liegen in der Wanne. Im Wasser und in irgendetwas Undefinierbarem. »Bist du verrückt, was soll denn das sein?«, schreie ich mein Kind an. »Das ist das Exotarium«, kommt die prompte Antwort. »Und ich bin der Pfleger, und jetzt beim Füttern ist die Tina reingefallen, ihre böse Mutter hat sie zu den Krokodilen geschubst.« Ich kann die

Mutter einen Moment lang sehr gut verstehen, und schlagartig wird mir auch klar, was das Merkwürdige im Wasser ist. Eier. Und Jogurt. Der gute aus dem Glas. Brombeer und Kirsch. Sie hat ihre Stofftiere gewässert und mit Jogurt-Eipampe übergossen. Banane ist auch drin. Eine Riesensauerei. Am liebsten würde ich Claudia noch dazuschmeißen, umrühren und mich wegbeamen. »Das ist das Letzte! Meinst du, Mama findet das schön, so eine ekelhafte Schweinerei, das ist die Badewanne, und wir sind hier nicht im Zoo«, meckere ich mein verstörtes Kind an. »Dann hole ich Tina eben allein raus«, ist sie auch noch beleidigt. Keinerlei Unrechtsbewusstsein. »Ich hab gesagt, dass ich Zoo spiele, und du schimpfst nur. Du bist schuld, dass Tina tot ist. Du willst immer nur schlafen. Du bist gemein. Ich will zu Papa. Papa ist nicht gemein«, sagt sie und versucht dabei in die Wanne zu klettern. Mit: »Verschwinde in dein Zimmer«, verschwindet so langsam alles, was ich je an Humor und Geduld hatte. Kinder können Primärtugenden jeder Art auf harte Proben stellen. Sie heult los und rennt zu Papa.

Ich stehe einfach nur da und starre auf meine Sonntagsmorgenbescherung. Am liebsten würde ich wieder ins Bett zurückkriechen und so lange ausharren, bis der Gnädigste aufsteht und den Mist hier beseitigt. Da ist er auch schon. »Warum weint die arme kleine Maus denn so«, fragt er mich verschlafen. Dann sieht er es. Er lacht. Und lacht. Sein einziger Kommentar ist: »Nächsten Sonntag darf sie fernsehen.«

Die Schweinerei beseitigen wir dann gemeinsam. Die Tiere kommen in die Waschmaschine, und Christoph sammelt Eierschalen aus der Wanne. Eine herrliche Beschäftigung und ein Sonntagsfrühstück ohne Eier.

»Was steht an?«, fragt mich Christoph beim Frühstück. Sonntag halten wir es klassisch konservativ, Sonntag ist Familientag. Heute ist Großprogramm. »Vierzehn Uhr Flohmarkt im Kindergarten und danach Kaffeetrinken bei Birgit mit meiner Familie. Heute Abend sind wir bei Inge und Sebastian. Zum Grillen. Eva und Karl und Conny kommen auch.« Begeistert sieht er nicht aus. »Ich wollte mal wieder Sport machen«, nölt er. »Kindergartenflohmarkt ist Sport. Survivaltraining. Extremsport der Sonderklasse«, meine Antwort. Das lasse ich mir jetzt nicht eben mal aufs Auge drücken. »Du kannst jetzt joggen, ich lese Zeitung«, ist mein Kompromissvorschlag. Er will nicht. »Du weißt doch, mein Biorhythmus ist nicht für Frühsport. Mir bekommt es besser, nachmittags zu rennen.« Da hat sein Biorhythmus leider Pech. »Was sollen wir denn auf dem Flohmarkt?«, winselt er um Gnade. Kindergartenveranstaltungen mag Christoph nicht sonderlich. An Elternabenden bietet er sich jedes Mal sofort als Babysitter an. »Ich kenn da doch keinen«, ist sein Argument. »So lernst du auch nie jemanden kennen«, mein Konter. »Schon gut, ich gehe mit«, lenkt er ein. »Was verkaufen wir denn, das Kind?«, versucht er einen kleinen Scherz zu landen. So abwegig finde ich seine Idee heute Morgen gar nicht. »Die Mama!« ist Claudias Beitrag zu dem Thema.

»Spielzeug, Babysachen von Claudia, alles Mögliche halt«, ignoriere ich die Frechheiten meiner Tochter. Unversöhnliches kleines Etwas. »Tja, dann guck mal, ob du eine neue findest«, ärgere ich mich aber dann doch. »Ich geh zur Thea, und den Papa nehme ich mit, du kannst den Pius haben. Belindas Papa. Der ist blöd«, lässt sich meine Tochter durch meine zugegebenermaßen pädagogisch wenig wertvolle Drohung kein bisschen einschüchtern. Im Gegenteil: Im Austeilen ist die bald besser als ich. »Danke, sehr nett von dir«, rege ich mich nicht weiter auf, »aber wieso ist der Pius eigentlich blöd?« Thea schwärmt immerzu von ihrer Ehe, aber seit ich Pius bei der Dauerwellenbehandlung bei Lydia gesehen habe, bin ich mir, was die Beziehung zwischen Thea und Pius angeht, nicht mehr so sicher. Ich bohre nach. »Was ist denn mit Pius, Claudia?« Meine Tochter vergisst, genau wie ich, dass sie eigentlich noch beleidigt ist, und erstattet Bericht. So gut das Kinder in diesem Alter eben können. »Die Thea und der Pius schreien ganz viel. Der Pius sagt immer: ›Du nervst.‹ Und die Belinda weint auch.« Na, das sind ja mal aktuelle Neuigkeiten. »Wieso hast du mir das denn nicht schon erzählt?«, frage ich meine Tochter. »Du hast nicht gefragt«, kommt die durchaus logische Antwort. Claudia und ich streiten uns schnell mal. Bis Christoph gemerkt hat, dass wir im Clinch liegen, sind wir allerdings meistens längst wieder versöhnt. Ich weiß, dass man mit kleinen Kindern nicht streiten soll, aber ab und an überkommt es mich. Man kann sich ja auch nicht alles bieten lassen. Man kann schon, aber ich will nicht. Ich habe keine Lust, von meiner Tochter »dumme Sau« oder »doofe Kuh« genannt zu werden. Was sagt die denn dann zu mir, wenn sie erst mal mitten in der Pubertät ist? An die Pubertät will ich gar nicht denken. Vor allem, weil sie sich jetzt so süß an mich kuschelt und sagt: »Ich behalte dich. Du bist lieb.«

Da habe ich ja nochmal Glück gehabt.

Inge findet meine Einstellung zum Beschimpfenlassen natürlich verkehrt. Als ich letzte Woche zu einem Tässchen Dritte-Welt-Kaffee bei ihr war (sie hat für mich Kaffee angeschafft, was ich ziemlich nett von ihr finde, weil ich den Roibusch einfach nicht runterkriege), hat sie mir ordentlich ins Gewissen geredet. »Hör mal, die Claudia muss ihre Aggressionen doch loswerden.« »Aber warum ausgerechnet bei mir«?, widerspreche ich. Inge hat natürlich eine Antwort. Inge bleibt nie eine Antwort schuldig. »Weil du eine Vertrauensperson bist. Kinder, überhaupt Menschen, brauchen diese Vertrauensbasis zum Schimpfen.« Das wäre mir neu. Ich kann auch Menschen beschimpfen, zu denen ich keinerlei Vertrauen habe. Die ich nicht mal richtig kenne. Da geht es mit dem Schimpfen fast noch besser. Ich habe eher Hemmungen bei Menschen, die ich gut kenne. Inge ist mit meinen Erziehungsmethoden generell nicht einverstanden. Wenn ihr Samuel David Konstantin, der mittlerweile, welch Überraschung, vom Tiefkühlhühnchen zum Gockel geworden ist, zu einem recht ansehnlichen sogar, wenn der was zu trinken haben will, sagt er nur: »Durst.« Oder an sehr guten Tagen: »Will trinken.« Fragt man ihn nach dem Zauberwort, eine kinderübliche Floskel, die zur Benutzung des Wortes bitte anregen soll, sagt der kleine Rotzlöffel doch einfach: »Flott.« Inge findet das irrsinnig komisch. Ich finde es altklug und doof. »Bring deinem Kind bitte und danke bei, das schadet doch der Psyche nicht. Und die Leute mögen es. Die höflichen Kinder kommen einfach besser an. Wenn der das draufhat, profitiert er davon«, argumentiere ich. Bitte und danke sind heutzutage vernachlässigte kleine Wörter. Inge ist uneinsichtig: »Reaktionärer Schwachsinn ist das, Kinder sollten nicht gedrillt werden. Du richtest die Claudia ja ab, als wäre sie ein Welpe. Würde mich nicht wundern, wenn die, auf dein Kommando, bald noch bei Fuß geht«, sagt sie. Warum eigentlich nicht, hätte doch was, denke ich und halte dann den Mund. Inge ist unverbesserlich. Eine unverbesserliche Besserwisserin. Da kann sie bei mir schlecht landen, denn auch ich neige zur Besserwisserei. Die meisten Mütter tun das. Es macht das Leben leichter zu denken, man wäre auf der richtigen Seite. Auch das Thema Sauberkeitserziehung ist eines, bei dem man wunderbar streiten kann.

Claudia war in dieser Hinsicht leider nicht die Schnellste. Erst kurz vor Kindergartenbeginn hat sie die Windel ablegen können. Samuel David Konstantin geht mit Windel in den Kindergarten. Inge ist das kein bisschen peinlich: »Wieso sollte mir das unangenehm sein? Er macht gerne in die Hose, er mag das halt, Samuel hat ein unverkrampftes Verhältnis zu seinen Ausscheidungen.« Claudia hatte auch keine Probleme mit der Windel. Aber ich. Irgendwann langt es. Drei Jahre lang Windeln wechseln ist genug. »Setze ihn jede Stunde aufs Klo, dann kapiert er es irgendwann, so habe ich es auch mit Claudia gemacht«, gebe ich Inge schlaue Ratschläge. »Wenn er mag, wird er gehen, wenn sein Körper und sein Geist bereit sind«, ist sie nicht mal beleidigt. Inge hat nichts gegen Ratschläge. Sie interessieren sie schlicht nicht. Außerdem war Inge auf einem Seminar zum Thema Sauberkeitserziehung. Seitdem weiß sie genau Bescheid: »Kinder, die zu früh aufs Töpfchen gezwungen werden, bekommen emotionale Probleme. Neigen zur Zwanghaftigkeit und zu Depressionen«, klärt sie mich auf. Wahrscheinlich werden solche Seminare von

Windelfirmen heimlich subventioniert. Außerdem: Sieht es dann nicht für ganze Generationen wirklich schlecht aus? Meine Mutter hat mich mit knapp einem Jahr erstmals aufs Töpfchen gesetzt, und den meisten meiner Generation ging es genauso. Bin ich zwanghaft, neurotisch und depressiv? Wahrscheinlich irgendwie schon. Vielleicht fällt es auch nur nicht auf, weil eben alle neurotisch, zwanghaft und latent depressiv sind. »Müsstet ihr die Windeln noch per Hand waschen, wären eure Kinder auch sauber«, hat mir meine Mutter an den Kopf geschmissen, und ich glaube, da ist was dran.

Kinder sauber zu kriegen ist ein knallhartes Geschäft. Vor allem die ersten Ausflüge ohne Windel. Kinder müssen immer dann, wenn das nächste Klo unerreichbar ist. In Schuhgeschäften, auf der Autobahn, Kilometer entfernt vom nächsten Parkplatz oder im Supermarkt. Natürlich setze ich Claudia vor jedem Ausflug nochmal auf die Toilette. Nichtsdestotrotz hat sie immer genug Reserven, um garantiert unterwegs eben mal aufs Klo zu müssen. Das grausigste Erlebnis dieser Art hatten wir zwei damals auf dem Weg zu meiner Freundin Heike nach München:

Nach einer Viertelstunde auf der voll befahrenen A3 Richtung Süden piepte es vom Kindersitz: »Mama, ich muss Kacka.« Welch frohe Botschaft. Und wie gut, dass wir genau vor fünf Minuten auf der Rastanlage waren. »Eben habe ich dich gefragt, ob du musst, und du hast nein gesagt«, ärgere ich mich. »Ich hab eben nicht gemusst«, setzt sie sich zur Wehr, »aber jetzt muss ich ganz doll.« »Kannst du es bis zum nächsten Parkplatz aushalten?«, frage ich schon etwas freundlicher. »Nein«, kommt es kläglich von hinten, »ich muss doll, ganz doll.« Jetzt gibt es nur noch zwei Möglichkeiten: Es geht sprichwörtlich in die Hose, oder ich halte auf dem Standstreifen. Ich wähle den Standstreifen, schon weil ich ziemlich geruchsempfindlich bin. Standstreifenaufenthalte sind nicht ungefährlich. Gerade vor zwei Wochen ist ein Familienvater beim Aussteigen von einem LKW überfahren worden. Ähnliche Horrorszenarien schwirren mir sofort durch den Kopf. Tod durch »ich muss mal«. Trotzdem: Es muss eben sein.

Angeheizt durch Claudias: »Es kommt schon«, mache ich den Warnblinker an, fahre so weit nach rechts, bis ich bald im Graben liege, und zerre meine Tochter, die natürlich auf der Autobahnseite sitzt, so vorsichtig wie möglich aus dem Wagen. Drei Meter neben mir donnern die Autos vorbei. Geschwindigkeit ist eine sehr relative Angelegenheit. Beim Fahren kommen mir 100 Stundenkilometer so vor, als würde ich kriechen, jetzt hier habe ich das Gefühl, auf dem Hockenheimring zu stehen. Kaum habe ich Claudia an einem relativ sicher erscheinenden Plätzchen, reiße ich ihr die Latzhose runter. Ich packe sie und halte sie so weit von mir weg wie möglich. »Los geht's«, gebe ich das Startzeichen. Es passiert nichts. »Ich kann nicht«, jammert sie. Da setzte ich unser beider Leben aufs Spiel, und Claudia hat Ladehemmung. »Wieso denn nicht?«, entfährt es mir genervt. »Weil alle gucken«, beginnt sie zu weinen. Eins ist damit klar – zum Exhibitionismus neigt dieses Kind mit Sicherheit nicht. »Claudia, keiner kann dich sehen, die Mama steht doch mit dem Rücken zur Fahrbahn.« Ich kenne keine Schamgrenze und mache Animationsgeräusche untermalt durch: »Na los jetzt, mal feste drücken.« Meine Anspornversuche bleiben nutzlos. Nichts geschieht. Keinerlei Resultat. Meine Arme werde schwer. Claudia wiegt etwa 16 Kilo, und die so ohne weiteres minutenlang so weit wie möglich von sich entfernt über den Boden zu halten, ist nicht ganz einfach. »Ich will wieder ins Auto, alle sehen meinen Popo«, geniert sich meine Tochter. »Nein«, ich bleibe hart. »Claudia, du musst, wir haben gehalten, dann leg auch los, ich möchte noch vor Einbrauch der Dunkelheit wieder im Auto sitzen.« Wir legen eine Pause ein, zur Entspannung, und ich setze sie kurz ab. Da bekommen wir auch schon Gesellschaft. Die Polizei.

Na toll. »Kommen wir jetzt ins Gefängnis?«, fragt Claudia direkt den Ersten, der aus dem Wagen springt. »Nein«, sagt der Schnauzbartträger, »aber Sie wissen sicher, dass das hier nicht der geeignete Rastplatz ist. Man darf hier nicht einfach so halten.« Er guckt streng, und ich nicke eifrig. Polizei ruft bei mir, trotz nahezu jeglicher Gesetzestreue, sofort ein schlechtes Gewissen hervor. Gehen meine Blinker, habe ich alle Papiere, ist mein TÜV abgelaufen, habe ich ASU, oder war ich mal wieder zu schnell? Ich habe ehrlich gesagt einen kleinen Hang zum schnellen Fahren. »Meine Tochter muss nur mal«, entschuldige ich mich beim Gesetzeshüter Nummer eins. Die Kollegin ist mittlerweile auch ausgestiegen. »Ja dann aber flott, ich kenne das«, übt sie sich in Frauensolidarität. »Sie kann nicht mehr, weil alle ihren Po sehen können«, erkläre ich die problematische Situation. »Was machen wir denn da?«, überlegt der Bärtige. »Ich hab's«, sagt die Kollegin, deren Pferdeschwanz neckisch unter der Schirmmütze hervorlugt.

»Wir fahren dichter an Sie heran, und dann bist du ganz geschützt und keiner kann deinen Po sehen«, macht sie Claudia einen Vorschlag. »Macht ihr auch euer blaues Licht an«, stellt meine Tochter noch Bedingungen. »Machen wir«, lacht der Bartträger, und tatsächlich, er tut es. Claudia ist verzückt. »Ihr müsst aber weggucken«, erweitert sie ihren Verhandlungskatalog. »Selbstverständlich«, antworten die zwei. Gesagt, getan. Und Claudia macht. Mit Blaulicht und unter Polizeibewachung. Die nette Polizistin hilft mir sogar noch mit einem Päckchen Tempos aus. Dann winken sie uns sogar wieder auf die Autobahn zurück. Zehn Minuten Standstreifen haben mein Bild von der Polizei entscheidend verändert. Wer ab jetzt Freund und Helfer beleidigt, kriegt es mit mir zu tun. Der einzige Nachteil der Geschichte: Claudia wollte tagelang am liebsten nur noch mit Blaulicht aufs Klo.

Christophs Biorhythmus hat es sich überlegt, er geht doch joggen. Ich mache mich an Claudias Zimmer. Aussortieren für den Flohmarkt. Das Zimmer selbst sieht wie ein Flohmarkt nach einem verheerenden Unwetter aus. Claudia hat, bevor sie aus unserem Badezimmer ein Exotarium gemacht hat, diverse Gehege in ihrem Zimmer errichtet. Langeweile habe ich so die nächste Zeit jedenfalls nicht. Mit zwei blauen Müllsäcken verbringe ich zwei Stunden in Claudias Chaos. Jedes Kleinteil, das ich entsorgen will oder für den Flohmarkt rauslege, wird heftig umkämpft. »Nicht das, ich will das behalten, das ist mir«, zetert meine Tochter. Egal, ob es sich um zerfledderte Juniortütenpräsente oder Babyrasseln handelt. Wie jedes Mal nehme ich mir auch diesmal vor, ab jetzt jeden Monat ordentlich auszumisten. Mindestens. Ich ködere meine Tochter damit, dass ich ihr anbiete, vom Flohmarkterlös was tolles Neues zu kaufen. »Geht eine Barbie?«, will sie wissen. »Klar«, sage ich und verkneife mir zu sagen, dass wir schon 12 nackte Barbies mit abgeschnittenem Haar in einem ihrer Spielkästen liegen haben. Ein Phänomen bei Barbies ist die Tatsache, dass Barbies immer sofort ausgezogen werden und seltenst wieder angezogen. Schon weil das für dreijährige Kinder eine fast unlösbare Aufgabe ist. Mit ihren kleinen Wurstfingern schaffen sie es nicht, die filigranen Miniröckchen und Schleierchen ordnungsgemäß an der Barbie anzubringen.

Zu Beginn ihrer Barbie-Leidenschaft war ich, was Neuanschaffungen angeht, wesentlich strenger. Habe mit Claudia rumdiskutiert, warum sie, wenn sie doch schon die Braut, die Pilotin und die Prinzessin hat, auch noch die Aschenputtelbarbie braucht. Bis zu dem Tag, an dem mir meine Freundin Conny ins Gewissen geredet hat: »Hör mal, Andrea, du kaufst doch auch ein drittes Paar schwarze Stiefeletten. Ist das vernünftig? Macht das Sinn? Nee. Also. Im Leben wird vieles über simples Begehren gesteuert. Das geht den Kindern nicht anders als uns.« Conny weiß, wovon sie spricht. Ihr Minipimmelsohn Leon sammelt Autos. Er hat mindestens 80 verschiedene PKWs. Kompensation von Defiziten fängt früh an. Conny kann die Begeisterung für Autos zwar nicht teilen, hat aber kein Problem damit, auch ein 81. Auto zu kaufen. »Warum sollte ich ihm ein Puzzle schenken, wenn er ein Auto will?«, argumentiert sie, »ich will auch keinen Mixer, wenn ich mir Ohrringe wünsche.« Conny ist seit der Pekip-Gruppenerfahrung eine meiner besten Freundinnen geworden. Sie ist eine lässige Mutter. Ein bisschen mein Vorbild. Sie schert sich wenig um Bücher, in denen steht, wann gekrabbelt wird, wer wann sauber ist, wer wann stehen kann, sitzen und laufen sollte. Und ihr Leon ist verdammt spät gelaufen. Ich habe mich allerdings fast mehr gesorgt als sie. »Spätestens wenn der abends auf die Rolle will, wird er laufen«, hat sie auf meine zaghaften Versuche, das Thema mal zu besprechen, reagiert. »Manche sind halt langsamer als andere, wir sind doch nicht beim Pferderennen, wo es drauf ankommt, wer die Runde am schnellsten hinter sich bringt. Das Leben besteht aus mehr als der ersten Runde.« Natürlich klingt das logisch. Aber ich bin trotzdem viel schneller zu verunsichern. Wenn Kind A früher zahnt, läuft oder spricht als meins, mache ich mir sofort Gedanken. Sollte ich mehr tun, fehlt es meiner Tochter an irgendwas, habe ich versagt?

Conny versucht mich dann immer zu beruhigen: »Entspann dich, und lass dich nicht auf diesen groß angelegten Mütterwettkampf ein. Das ist alles Ersatzbefriedigung. Eine Verlagerung des Konkurrenzverhaltens. Jede hat ihr Pferdchen am Start und versucht das Rennen zu gewinnen. Gerade die Nur-Mütter. Die können ja nur noch mit Soufflé, gepflegtem Fußboden oder dem Selbstgepressten angeben.« Conny hasst die so genannten Nur-Mütter. »Dieser Perfektionswahn geht mir auf den Keks. Wenn ich die zu lange um mich habe, fühle ich mich schlecht. Minderwertig. Und das mag ich nicht. Also halte ich sie mir vom Leib. Das Leben besteht aus mehr als Kinderaufzucht.« Eine interessante These. »Woraus denn noch?«, frage ich sie höflich, »aus gehetztem Zum-Arbeiten-Fahren, Wohnung putzen und ab und an mit Freundinnen einen trinken gehen?« Conny ist erstaunt. »Sag mal, was bist du denn für eine Depri-Liese? Bist du schlecht drauf, oder was ist los mit dir?«, fragt sie mich. »Wir arbeiten, haben Erfolg, verdienen Geld, gehen aus und haben ein aktives Liebesleben. Ist das nichts?« »Auch Hausfrauen haben ein Liebesleben und gehen aus«, entgegne ich nüchtern. »Und Erfolg ist relativ. Ist nicht auch ein nettes Häuschen am Stadtrand, ein geregeltes Familienleben und eine Kreditkarte vom Gatten ein Erfolg?«, werde ich zur Verfechterin der traditionellen Nur-Hausfrau. »Hast du Drogen genommen, oder gibt es Fälle von geistiger Verwirrung in deiner Familie?«, reagiert sie verwirrt. »Nee, war ja nur so gesagt«, gebe ich auf. Obwohl ich manchmal insgeheim unsicher bin. Was ist das bessere Leben? Bringt es wirklich was, dass ich mich Tag für Tag abhetze, immer und überall zu spät bin und mein Leben fast nur noch aus Organisiererei besteht? Ist ein eigenes Girokonto den Aufwand wert? »Ja«, meint Conny, »vor allem aber der Kontakt mit Erwachsenen. Umgang mit Menschen, die mehr als Aa, dada und brumm brumm sagen. Dein Hirn bleibt in Schwung. Du fixierst dich nicht so auf die Kinder. Das tut dir und denen gut.« Conny legt sich richtig ins Zeug. Und alles, was sie sagt, stimmt natürlich auch. Aber Eva, die Ehefrau vom alten Karl, hat genau besehen auch ausreichend Kontakt mit Erwachsenen. Sie trifft sich mit anderen Müttern und genießt den Vormittag ganz nach Laune. »Was heißt den Vormittag ganz nach Laune genießen?«, quengelt Conny, »sie putzt, kocht Essen und kauft ein. Ist das wahrer Genuss?« Ist ein Tag mit Will und Tim und der gehässigen Giselle denn ein wahrer

Genuss? Ist Arbeiten die Erfüllung schlechthin? »Ja und«, kontere ich geschickt die Genussattacke, »sie putzt morgens und du abends. Was ist da eigentlich besser?« »Nicht schlecht«, erkennt sie mein Argument an, »aber ich habe abends was zu erzählen beim Putzen. Etwas, was über die Welt des ›Leon hat schön Bäuerchen gemacht‹ hinausgeht. Ich bin eine kultivierte, interessante Frau, die nicht nur Leggings trägt«. Connys Hausfrauenbild ist etwas antiquarisch. »Trägt Eva vielleicht Leggings?«, empöre ich mich. Eva trägt Closed Jeans mit den jeweils passenden Tops. Conny lacht. Ich auch. Wenn das weiter so geht, kann ich die Hausfrauenliga gründen. Am besten gleich die Hausfrauenpartei. Ich glaube, dass eine Frauenpartei gar keine schlechten Chancen hätte. Ich wäre auf jeden Fall dabei. Schon, um die dummen Gesichter der Männer am Wahlabend zu sehen. Die Kanzlerin und ihre Außenministerin. Für manche Kerle wäre das ein Auswanderungsgrund. Aber zahlenmäßig hätten wir Frauen das mal verdient.

Wenn wir Mütter nur untereinander abrüsten würden, könnte unser Leben besser sein. Einfacher. Wir könnten sogar bestimmte Dinge einfordern. Wir hätten Macht. Ein hübscher Gedanke.

Ich tue mich allerdings schon schwer, die Macht im Kinderzimmer zu haben. Alles, was weg soll – es gehört ab diesem Moment zu Claudias Lieblingsspielzeug.

Trotzdem: Ich schaffe es, und ein Karton Klamotten und ein Karton Spielzeug sind bereit. Für den Flohmarkt. Die versprochene Barbie wirkt Wunder.

Punkt halb zwei machen wir uns auf den Weg. Mit Christoph, der noch mal kurz versucht hat sich zu drücken:

»Ich glaube, ich hab mir die Wade gezerrt, ich sollte die Beine besser hochlegen.« Als er mein Gesicht sieht, gibt er sich geschlagen. Wadenschnellheilung durch strengen Blick. Wir sind pünktlich mit Marmorkuchen, Kind, Mann und Kartons vor Ort.

Thea ist in ihrem Element. Der Kindergarten komplett unter ihrer Kontrolle. Sie dirigiert, kommandiert und hat alles im Griff. Sie ist die Regisseurin. Wir bekommen ein Tischeckchen für unseren Krempel zugeteilt, ich baue auf, und Christoph hilft Tische zu rücken. Thea spannt alle ein.

Mir ist mal wieder schlecht. Morgen früh bin ich beim Arzt. Ich habe ständig so ein blümerantes Gefühl im Bauch. Nicht mal die gigantische Kuchentafel kann mich locken. Im Gegenteil. Diese Mengen an Süßkram stoßen mich richtiggehend ab. Das mag für andere normal sein, für mich ist es das nicht. Normalerweise bekomme ich hundeähnlich sofort sanften Speichelfluss und Gieranfälle.

Ab drei Uhr ist der Kindergarten für die Allgemeinheit geöffnet. Für die Horden an potenziellen Käufern. Es kommen tatsächlich einige. Um wirklich Umsatz zu machen, müsste ich allerdings hier überwintern. Man kann für gebrauchte Klamotten eben keine realistischen Preise verlangen. Selbst wenn die Unterwäsche von Petit Bateau ist oder die Latzhose garantiert eine echte Osh Kosh. Erstaunlicherweise packt mich dann aber doch noch der Ehrgeiz. Jetzt, wo ich den gesammelten Kram hierher geschafft habe, will ich ihn auch verkaufen. Es wäre doch fies, wenn ich hier als Einzige mit meinen gefüllten Kartons wieder abziehen müsste. Schließlich sind es hübsche Sachen. Ich habe für Claudia fast alles neu gekauft. »Das ist doch so was von doof«, hat sich meine Schwester mal wieder ungefragt eingemischt. »Die kleinen Sachen – da sind die so schnell wieder rausgewachsen.« Ich wusste insgeheim, dass sie Recht hat, konnte mich aber trotzdem kaum bremsen. »Was ich so mühevoll ausgebrütet habe, soll dann auch schick aussehen«, war meine Einstellung. Ein paar Sachen hat mir meine Schwester vermacht. Mit der Auflage, sie ihr dann bitte wiederzugeben, wenn ihr Zweites geschlüpft ist. Meine Schwester hat direkt nach der Geburt meiner Tochter ja ihre zweite Schwangerschaft vermeldet. Die alte Streberin. Geschwisterkampf auf jeder Ebene. Hast du eins, will ich zwei. Bitte sehr. Dummerweise ist ihr Kind Nummer zwei ein Junge, und ich durfte alles, was rosa war, behalten. Siegfried. Wie man ein armes Kind Siegfried nennen kann, ist mir schleierhaft. Ich habe wirklich alles getan, um das zu verhindern. Ich meine, der kleine Kerl ist immerhin mein Neffe, und er wird sein Leben lang unter diesem Namen leiden. Aber meine Schwester ist hart geblieben: »Siegfried ist ein herrlicher alter Name, ein schöner Held mit Schlag bei den Frauen, und außerdem ist die Geschichte so herrlich tragisch.« Dass Siegfried stirbt und seine Krimhild mit ihrer Rachsucht dann alle ins Verderben reißt, beeindruckt meine Schwester nicht. »Ist doch nur eine Sage«, meint sie. Auch gut – ist ja ihr Kind und nicht meins. Auch dass ihr Klein-Siegfried schwarze Haare hat und keine semmelblonden und bisher jedenfalls nichts Hünenhaftes, lässt meine Schwester kalt. Mein Schwager Kurt ist irre stolz auf seinen Sohn. »Richtige Männer machen Jungs«, protzt er gern rum. Neulich hat er zu Christoph sogar »Büchsenmacher« gesagt. Ich hätte echt kotzen kön-

nen. Christoph hat sich sogar noch ein Lächeln abger-
gen und gesagt: »Das war erst mal zur Übung, mal sehen
was in der nächsten Runde kommt«. Die Antwort war fast noch peinlicher als die Bemerkung von Kurt. Was soll denn das heißen, »erste Runde«? Sind Mädchen die Übungsvorstufe für Jungs? Der Probelauf? Außerdem: Was sollte das mit der zweiten Runde? Ich bin weit davon entfernt, auf eine zweite Runde zu hoffen. Ich habe mich kaum vom Endspurt der ersten erholt. Der Gedanke an noch eine Geburt lässt meinen Unterleib erschaudern. Ich erwäge die sofortige Anschaffung eines Keuschheitsgürtels. Ohne Schlüssel. Ich gehöre zu den Frauen, die zwar theoretisch gerne einen Stall von Kindern hätten, aber nach der ersten Geburt vielleicht eher zum Adoptieren neigen. Zum ersten Geburtstag hat Kurt seinem Siegfried sofort eine Carrerabahn geschenkt. Die große. Mit allen Schleifen und Schikanen. Mein Schwager mag Michael Schuhmacher. Noch so etwas, was Kurt und mich unterscheidet. Ich hasse Michael Schuhmacher. Er sieht aus, wie er ist: blöd. Das definitiv Beste an ihm ist sein Bankkonto. Der kleine Siegfried hat sogar so ein klitzekleines Ferrari-T-Shirt. »Schämst du dich nicht, wenn der so rumläuft?«, habe ich meine Schwester wiederholt gefragt. »Wieso sollte ich«, ihre Antwort, »Siegfried kann Rot sehr gut tragen.«

Thea kauft bei mir ein. Vier kleine Strampler und fünf Bodys, rosa-weiß geringelt und sehr niedlich. Was will die denn mit dem winzigen Zeug? Glaubt die, dass ihre Belinda wieder schrumpft? »Gibt es was, das du mir sagen willst?«, zwinkere ich ihr zu. Thea kichert und greift sich noch eine Strampeldecke. »Siebente Woche«, platzt es aus ihr raus.

Ich springe fast über den Tisch. »Glückwunsch«, brülle ich quer durch den Raum. Diskretion ist nicht unbedingt meine herausragende Eigenschaft. Thea freut sich. Die Einzige, die ein wenig ungehalten das Gesicht verzieht, ist Lydia. »Siebente Woche, aha«, ist ihr viel sagender Kommentar. Schade, dass Pius nicht da ist. Theas Mann. Ich hätte zu gern sein Gesicht gesehen. »Was sagt denn Pius dazu?«, befrage ich stattdessen Thea, »freut er sich?« »Ach na ja, klar irgendwie schon, aber der ist im Moment ein bisschen komisch. Muss viel arbeiten. Ist kaum zu Hause. Ständig unterwegs. Der wollte auch nicht, dass ich es schon sage. Aber jetzt, wo du mich so direkt angesprochen hast, konnte ich doch nicht lügen«, druckst sie rum. Das klingt mir alles nicht nach Ekstase. »Wolltet ihr denn noch ein Kind?«, bleibe ich am Ball. »Natürlich«, sagt sie, so als gäbe es auf diese Frage überhaupt keine andere Antwort. »Ein Kind ist kein Kind«, sinniert sie vor sich hin. Dafür, dass ein Kind kein Kind ist, macht es verflucht viel Arbeit. »Der ganze Aufwand, das ist doch viel ökonomischer bei zwei Kindern, da amortisiert sich alles«, liefert sie mir Argumente. »Und was wünschst du dir?«, begebe ich mich auf neutraleren Schwangerensmalltalkboden. »Am liebsten hätte ich Zwillinge«, strahlt Thea. Zwillinge. Die Heimsuchung im Doppelpack. Zwillinge sind niedlich. Im Roman und im Fernsehen. Oder einfach nur bei anderen Leuten. Wenn ich mir vorstelle, zwei Kinder zu füttern, zu wickeln und nachts rumzutragen – ein Albtraum. Und die ständige Sorge, eines zu vernachlässigen. Zweimal Zähne und auf lange Sicht zweimal Pubertät – gleichzeitig. Auch meine Schwester findet den Gedanken an Zwillinge toll. »Ein Aufwasch«, ist ihr Argument. »Aber danach bist du doch reif für die Nervenheilanstalt«, gebe ich zu bedenken. »Alles eine Frage der Organisation«, erklärt mir Miss Überheblich. »Kriegst du denn Zwillinge?«, will ich von Thea wissen. »Nein, es ist nur eins«, sagt sie und guckt fast enttäuscht. »Kommst du gut zurecht, ich meine, ist dir viel schlecht und so?«, bekunde ich weiteres Interesse. »Es geht«, meint Thea, »ich habe halt im Moment gut was um die Ohren, weil ich für Lydia noch öfters auf ihren Finn aufpasse, ich hatte den jetzt sogar zweimal über Nacht.« »Wieso denn das?«, frage ich und denke, dass das, was ich denke, wohl kaum wahr sein kann. Das wäre ja wohl die Krönung. Theas Mann geht fremd, und Thea, ganz gute Ehefrau, sittet das Kind der Nebenbuhlerin, damit die zwei es ungestört treiben können. Gerade als ich nachfragen will, kommt Lydia zu uns. »Ist denn Finn das nächste Wochenende bei uns?«, erkundigt sich Thea freundlich. Wenn die wüsste. »Nee danke«, sagt Lydia nur knapp, »das hat sich weiß Gott erledigt. Mein Termin ist für mich quasi gestorben.« Sagt's und kauft drei alte Barbies bei mir für ihren Finn. Eine hat nur ein Bein. »Macht nichts«, sagt sie, »Finn soll ruhig sehen, dass im Leben nicht alles rosig ist.« Sie geht weiter. Ich glaube, Theas Pius hat in den nächsten Tagen ein Problem.

»Richtig gut drauf ist die zurzeit aber nicht«, bemerke ich nur. »Ich glaube, da war irgendein Typ, aber sie hat mir nicht verraten, wer«, antwortet Thea. Kein Wunder.

Nach zwei Stunden habe ich ordentlich verkauft. Christoph allerdings hat auch ordentlich eingekauft und vier Stück Kuchen gegessen. »Wie war mein Marmorkuchen?«, will ich wissen. »Keine Ahnung, ich habe ihn nicht probiert«, erdreistet der sich doch glatt. Unsere Kisten sind beim Weggehen fast so voll wie beim Ankommen. Christoph hat für seine Tochter ein bisschen eingekauft. »Bist du verrückt?«, werde ich sauer. »Wieso denn jetzt? Sie wollte das, und es hat nicht die Welt gekostet«, versteht er die Welt nicht mehr. Wenn Claudia mit den Augen blinkt, kann er kaum nein sagen. Ich halte einen kleinen Vortrag über haben wollen und bekommen. Er versteht meine Aufregung nicht. »Wir haben doch ausgemistet, es ist doch Platz da.« »Wir« haben ausgemistet. Ein Riesenwitz. »Mein Schmuckkästchen hat auch viel Platz«, locke ich ihn. »Das habe ich auch erst ausgemistet.« Die Bemerkung versickert.

Vom Kindergarten aus geht es direkt zu meiner Schwester. Kaffeetrinken im neuen Anwesen. Seit Birgit auf dem Land wohnt, werden wir häufig eingeladen. »Damit ihr mal gute Luft einatmet«, lockt uns meine Schwester. Kurz nach der Geburt ihres zweiten Kindes ist die perfekte Kleinfamilie – Mutter, Vater, Sohn und Tochter – aufs Land gezogen. Also, Land kann man auch nicht wirklich sagen. Stadtrand wäre treffender. Birgit und ihr Kurt haben sich ein Reihenhaus gekauft. »Ein Reiheneckhaus«, betont Birgit, als wäre das was komplett anderes. Gut: Sie können im Garten zwei Badetücher mehr auslegen als ihre Nachbarn, und es kann ihnen nur von einer Seite einer reinschauen. »Und meine Garage ist direkt an meinem Haus, ich muss nicht erst noch laufen, ich parke vor meiner Haustür«, protzt Birgit gerne mal, schon weil sie weiß, dass ich oft Straßenzüge weit gehen muss, um zu unserer Wohnung zu kommen. In der Großstadt, selbst in den Randbezirken, wo wir wohnen, ist ein Parkplatz ein kostbares Gut.

Wir sind durch den Flohmarkt ein klein bisschen spät dran, und die Restfamilie ist schon komplett an der Kaffeetafel im Garten versammelt. Selbst mein Bruder Stefan ist da. Und an seiner Seite sitzt eine Frau, die ich noch nie gesehen habe. Sollte mein Bruder tatsächlich eine Freundin haben? Das ist ja ein sonntäglicher Knaller. Brav stelle ich mich und meine Brut vor. Sie lächelt mich an. Mein Bruder übernimmt die Formalitäten: »Das ist Sophie, eine Kommilitonin von mir.« Soso, eine Kommilitonin. Stefan ist BWLer. Sophie ist ein hübsches Mädchen. Im gleichen Semester sind die im Leben nicht. Oder sie hat eine phantastische Gesichtscreme. Sophie sieht aus wie frisch von der Schule. Die ist höchstens 19. Stefan kann in meinem Gesicht lesen. »Sophie ist im ersten Semester und hat sich auf dem Unigelände verlaufen. Da habe ich ihr den Weg gezeigt, na ja, und zum Dank ist sie mit mir Kaffee trinken.« Ich freue mich für ihn. Sie sieht süß aus. Auch wenn sie nicht spricht. Aber so eine Familienübermacht kann einen ja verstummen lassen. Mein Vater strahlt auch. Sie gefällt ihm. Er ist stolz auf seinen Sohn. Das sehe ich, ohne dass er nur irgendein Wort sagt.

»Na, hast du dich wieder beruhigt?«, begrüßt mich meine Mutter, die Hobby-Entrümplerin. Sie macht ein Gnadengesicht wie eine Kaiserin, die großherzig aufs Todesurteil verzichtet. Ich nicke. Ich kann sehr großzügig sein, wenn es drauf ankommt. Außerdem will ich Sophie nicht gleich beim ersten Zusammentreffen mit der neuen Verwandtschaft zeigen, welches Streitpotenzial hier vorhanden ist. Birgit hat gebacken, als gelte es einen Wettbewerb zu gewinnen. Unseren Familienklassiker, einen Mürbeteig mit

Kirschen belegt, und außerdem eine Käse-Sahne-Torte. Wieder habe ich keinerlei Anzeichen von Appetit. Ein Matjes würde mich mehr locken. Jeder bekommt hier im Reiheneckhaus seinen frisch aufgeschäumten Latte Macchiato, den Kurt serviert. Birgit und Kurt haben keine profane Kaffeemaschine mehr. Sie haben einen Vollautomat. »Der Kaffee ist einfach unvergleichlich besser«, schwärmt mein Schwager ungefragt beim Bringen jeder Tasse, »Wenn du einmal so einen Kaffee getrunken hast, willst du keinen normalen mehr.« Gut, bei einem Automat für knapp 1000 Euro sollte man auch eine gewisse Begeisterung an den Tag legen. Christoph will auch einen Vollautomat. Kurt und er ziehen ab, um das Wunderwerk im Detail zu inspizieren. Einen größeren Gefallen hätte Christoph meinem Schwager gar nicht tun können. Mein Vater und Stefan folgen. Es mag sein, dass Frauen gerne in Begleitung aufs Klo tappeln, aber auch Männer haben so was wie einen angeborenen Herdentrieb. Meine Mutter lobt den Kirschkuchen: »Prima, Birgit, wirklich, auch wenn der Boden ein bisschen fest geraten ist.« Dieses Kompliment bedeutet nicht mehr als: Bis du ihn so hinkriegst wie ich, wird noch viel Zeit vergehen. »Warum isst du denn nichts?«, fragt mich meine Schwester nach einer Viertelstunde. So, als wäre ein Wunder geschehen. »Warum wohl«, übernimmt meine Mutter das Antworten, »sie macht Diät.« Jetzt langt es aber. Erst die Nachttischaktion und jetzt das. »Ich mache keineswegs Diät, warum auch, mir ist einfach nicht gut. Ich habe keinen Hunger«, fahre ich meiner Mutter über den Mund. Desdemona und Claudia riechen die aufkommende Stimmungsschieflage und verziehen sich ins Kinderzimmer. Desdemona, die Tochter meiner Schwester, hat zwar keinerlei Interesse an so kleinen Kindern wie meiner Tochter, aber in Ermangelung geeigneter Spielkameraden nimmt sie ausnahmsweise auch mit ihr vorlieb. Claudias Pusteln sehen schon viel besser aus.

»Ansteckungsgefahr vorüber«, hat mein Kinderarzt mir für Unternehmungen jeder Art grünes Licht gegeben. Es hätte nicht viel gefehlt, und meine Schwester hätte ein Attest von mir verlangt. Damit sich ihr Siegfried nur ja nichts einfängt. Keimmäßig ist meine Schwester schon fast eine Phobikerin. Die verbraucht in ihrem Reiheneckhaus annähernd so viel Desinfektionsmittel wie ein Krankenhaus einer mittelgroßen Kreisstadt. »Du siehst nicht gut aus, Andrea, so käsig im Gesicht, warst du mal beim Arzt?«, erkundigt sich meine Mutter fast fürsorglich. »Nee«, sage ich, »aber morgen gehe ich. Mir ist seit einiger Zeit ständig schlecht. Vom Magen her. Vielleicht 'ne Magenschleimhautentzündung.« »Oha«, sagt meine Schwester mit hochgezogenen Brauen. Nur: »Oha.« »Was heißt denn das?«, frage ich. »Nachtigall, ick hör dir trapsen«, orakelt sie weiter. Sophie sitzt stumm bei uns. Bei meiner Mutter fällt der Groschen schneller als bei mir. »Bist du schwanger, Kind?«, gluckst sie. »Quatsch«, antworte ich. Aber so ganz abwegig erscheint mir der Gedanke nicht. Letzten Monat hatten wir die eine oder andere nette Nummer ohne Gummi. Einmal hatten wir keine da, und einmal meinte Christoph was in der Richtung: »Du hattest doch erst deine Tage, da kann ja nichts passieren.« Ich fasse mir instinktiv sofort auf den Bauch. »Nee, nee, also das glaube ich nicht«, werfe ich in die erwartungsvoll guckende Runde. »Glauben heißt nicht wissen«, kommentiert meine

Schwester trocken. »Man weiß ja nie«, gebe ich zu. »Das kann man doch testen«, kommt der erste Satz von der zauberhaften Sophie, die ansonsten hauptsächlich mit ihren Haarsträhnen beschäftigt scheint. Die scheint mir ja ein blitzgescheites Kerlchen zu sein. »Genial«, schreit Birgit, »komm mit, Andrea, das erledigen wir gleich hier. Ich hab noch so einen Schwangerschaftstest.« Ich sträube mich. Aber Birgit hat sie aufgeheizt. Sie lassen nicht locker, die Damen. Christoph ist immer noch nicht wieder da. Zerlegen die gemeinsam den Vollautomaten, oder was treiben die da drin? »Jetzt komm halt, Andrea«, lockt mich meine Schwester. Ich gebe auf. Im Badezimmer öffnet Birgit feierlich ihren Allibert-Schrank, den Kurt mit in die Ehe gebracht hat, und sagt nur: »Du weißt ja, wie es geht. Toi Toi.« Mit dem Teststäbchen in der Hand sitze ich im Badezimmer meiner Schwester. Auf dem Wannenrand. Toi, toi, toi. Wofür eigentlich? Was wäre denn Glück? Ein Strich oder kein Strich auf dem Teststäbchen? Will ich schwanger sein? War ich nicht gerade erst schwanger? Ich bin komplett unentschlossen. Alles wieder von vorne. Nicht schlafen, komatös durch die Nächte wandeln? Andererseits riechen sie so lecker, diese frisch Gepressten. Und sie sind so anhänglich.

Meine Neugier steigt. Ich überlege kurz, ob ich so tue als ob und dann Entwarnung in die Kaffeeklatschrunde rufe. Das kann ich ja auch machen, wenn's nicht stimmt, überlege ich und beschließe der Wahrheit auf den Grund zu gehen.

Arbeitslos werde ich sowieso bald sein. Bei den Quoten, die ich heute Morgen im Videotext gesehen habe, wird es unsere kleine Sendung eh nicht mehr lange geben.

Ich tue es. Mache auf das Stäbchen. Mittelstrahlurin ist der beste für den Test. Noch sicherer ist der erste Morgenurin. Aber dafür ist es zu spät. Wenn ordentlich Schwangerschaftshormon drin ist, wird es sich schon zeigen.

Ich warte. Stehe mit dem Stäbchen in der Hand und teste schnell nochmal die Waage meiner Schwester. Ein gutes Omen. Ich wiege zwei Kilo weniger als sonst. Trotz Klamotten und Stäbchen in der Hand. Entweder hat meine Schwester eine humanere Waage als ich, oder ich habe tatsächlich abgenommen. Der Kohlsuppe und der Übelkeit sei Dank. Noch acht Kilo, und Tussen wie die Mock können sich warm anziehen.

Nach drei Minuten ist er da. Der hellblaue Strich. Klar und deutlich. Ich lese viermal auf der Packung nach. Es ist eindeutig. »Zeigt sich ein farbiger Strich, sind Sie schwanger.« Ich bin also schwanger. Werde Mutter. Was mache ich jetzt mit der lauernden Meute da unten am Kaffeetisch? Lüg sie doch an, sagt der kleine Teufel in mir. Das geht die doch erst mal gar nichts an. Diese Sophie schon sowieso nicht.

So gestärkt trete ich den Gang in die Gartenmanege an. Alle sind wieder vollzählig am Tisch versammelt. Ich habe einen Auftritt, den mir Will neiden würde. »Und?«, schreit die Meute. Alle schauen. Ich kann es nicht. Ich kann nicht lügen.

Meine Mutter würde es eh sofort merken. Und irgendwie fühle ich mich gar nicht schlecht. »Tragt mich zum Liegestuhl, ich darf mich nicht anstrengen«, rufe ich meiner Familie zu. Christoph springt auf. »Heißt das, also heißt das, du bist schwanger?«, fragt er mich. »Es sieht verdammt danach aus«, antworte ich ihm, und er fällt mir um den Hals. »Da können wir ja dann auch heiraten«, schlägt er vor, und alle klatschen begeistert. War das etwa jetzt mein Antrag? Wo sind die Blumen, der Kniefall und vor allem der Einkaräter? »Ich will einen Ring«, schreie ich quer durch den Garten, und Christoph sagt nur: »Heißt das ja?«

»Ja, ja, ja«, juchze ich und glaube, ich werde schon überrollt vom Glückshormon. Selbst aus dem Nachbargarten regnet es Glückwünsche.

Jeder umarmt jeden. Kurt kann sich ein: »Büchsenmacher, vielleicht klappt es diesmal« zu Christoph nicht verkneifen. »Ich liebe die Frauen«, gibt der sich ausnahmsweise souverän, »ich kann nicht genug davon haben.« Welch kluge Antwort. Er ist halt doch ein feiner Mann. Eine halbe Stunde später verkünden Sophie und mein Bruder Stefan, dass sie zusammenziehen. Das heißt, sie zieht zu ihm in die WG. Auch das eine große Nachricht. Mein Vater ist ganz euphorisch. Ich glaube, der hat jahrelang gedacht, sein Sohn könnte schwul sein. Die Männer-WG von Stefan war ihm unheimlich.

Als wir gegen sechs Uhr aufbrechen, verkündet auch Birgit noch schnell eine Neuigkeit. »Wir kaufen einen Hund«, will sie nicht zurückstehen. »Einen Golden Retriever.« Nichts ändert sich, auch wenn sich alles ändert. Birgit muss einfach mehr haben als ich. Es sei ihr gegönnt. »Jetzt zieht ihr bestimmt auch bald hier raus«, mutmaßt sie noch. »Drei Häuser weiter, die Becks, die ziehen im nächsten Sommer weg, soll ich mal vorfühlen?«, bietet sie sofort Immobiliendienste an. »Lass mal«, sage ich freundlich. Eins nach dem anderen.

Wir fahren heim. Ohne Claudia. Sie darf bei Desdemona, ihrer Kusine, übernachten. Nach einem Grillfest mit unserem gesamten Bekanntenkreis steht mir heute weiß Gott nicht der Sinn. Christoph erbarmt sich und sagt ab. Claudias längst verkrustete Windpocken sind eine perfekte Ausrede.

Wir feiern. Nur Christoph und ich.

In meiner Aufregung verpasse ich sogar die Lindenstraße. Nach zwölf Jahren das erste Mal. Da sag mal einer, Kinder, selbst stecknadelgroße Zellwesen, verändern das Leben nicht. Das geht ja gut los.

Wir feiern im Bett. Eine wirklich äußerst befriedigende Feier. Christoph streichelt meinen Bauch.

Er ist völlig von Sinnen. »Frisch gemacht«, murmelt er, und ich grinse und sage: »Frisch gemacht!« Und bald wieder »Frisch gepresst!«